La Promesse des Immortels

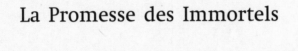

Melissa de la Cruz

La Promesse
des Immortels

Traduit de l'anglais (américain)
par Valérie Le Plouhinec

DU MÊME AUTEUR CHEZ ALBIN MICHEL WIZ

Un été pour tout changer

Fabuleux bains de minuit

Une saison en bikini

Glamour toujours

Les Vampires de Manhattan

Les Sang-Bleu

Les Sang-d'Argent

Le Baiser du Vampire

Le Secret de l'Ange

Bloody Valentine

Titre original :

LOST IN TIME

(Première publication : Hyperion Books for Children, New York, 2011)

© Melissa de la Cruz, 2011

Cette traduction a été publiée en accord avec Hyperion Books for Children.

Pour la traduction française :

© Éditions Albin Michel, 2011

À ma famille.

I tried to say « I miss you tonight »
And they claim you've already died.

J'ai voulu te dire « Tu me manques ce soir »
Et ils prétendent que tu es déjà morte.

Stellastarr, *Lost in Time*

Que peut-on bien faire...
Sinon agripper tout ce qui s'approche,
Des deux mains,
Jusqu'à s'en briser les doigts ?

Tennessee Williams, *La Descente d'Orphée*

Ne jamais se dire adieu

Theodora ne dormit pas de la nuit. Elle resta étendue les yeux ouverts, à contempler les poutres du plafond ou la vue sur le Dôme, qui lançait des lueurs d'or rosé dans l'aurore. Sa robe n'était plus qu'un tas de soie froissée par terre, à côté de la veste de smoking de Jack. La veille au soir, après le départ des invités, après bien des baisers d'adieu affectueux et bien des vœux, après que bien des mains eurent tapoté son alliance pour lui souhaiter bonne chance, elle avait regagné la chambre avec Jack, tous deux flottant au-dessus des pavés, portés par le bonheur trouvé auprès de leurs amis et l'un avec l'autre, tour à tour euphoriques et épuisés par la célébration de leur union.

Dans la faible lueur de l'aube, elle passa un bras sous celui de son homme, qui se tourna vers elle afin que leurs corps se touchent étroitement, son menton à lui contre son front à elle, jambes entremêlées sous l'édredon de lin. Posant une main contre son torse pour sentir le battement régulier de son cœur, elle se demanda quand ils pourraient à nouveau reposer ainsi.

11

– Il faut que je parte, dit Jack d'une voix encore enrouée de sommeil. (Il l'attira tout contre lui, et son souffle lui chatouilla l'oreille.) Je n'en ai aucune envie, mais il le faut.

Ses paroles contenaient des excuses muettes.

– Je sais.

Theodora avait promis d'être forte, pour lui, et elle tiendrait parole, elle ne le décevrait pas. Si seulement le lendemain pouvait ne jamais venir, si seulement elle avait pu retenir la nuit encore un peu...

– Mais pas tout de suite. Tu vois, le jour n'est pas encore levé. C'est le rossignol que tu entends, et non l'alouette, murmura-t-elle, citant Shakespeare.

Et en effet, elle se sentait comme Juliette le matin où elle persuade Roméo de rester auprès d'elle : ensommeillée et débordante d'amour, mais aussi pétrie de craintes pour l'avenir. Theodora s'accrochait à cet instant précieux et fragile comme si la nuit pouvait protéger leur amour contre les tragédies qu'apporterait le jour.

Elle sentit que Jack souriait contre sa joue en reconnaissant l'allusion. Tout en caressant ses lèvres du bout des doigts, il la couvrit de son corps, et elle accompagna son mouvement jusqu'à ce qu'ils ne fassent plus qu'un. Elle leva les bras au-dessus de sa tête, se laissa saisir par les poignets, fermement, et lorsqu'il l'embrassa dans le cou, elle frémit au contact des crocs sur sa peau. Elle l'attira plus près encore et agrippa les fins cheveux de sa nuque pendant qu'il buvait son sang à grands traits.

Après cela, la tête blonde du garçon se posa sur son épaule, et Theodora referma les bras sur lui. Déjà le jour entrait à flots dans la chambre. Il n'était plus possible de nier : la nuit était terminée, et bientôt sonnerait l'heure de la séparation. Jack se dégagea doucement de son étreinte et embrassa les ouvertures encore fraîches

12

qu'il avait laissées dans son cou, jusqu'à ce qu'elles soient refermées.

Elle le regarda s'habiller, lui tendit ses bottes et son pull.

– Il fera froid, là-bas. Il te faudra une veste neuve, dit-elle en frottant des traces de terre sur son imperméable noir.

– J'en achèterai une sur place.

Il remarqua alors son expression chagrine.

– Allez... ajouta-t-il. Tout va bien se passer. Je suis en vie depuis longtemps, et je n'ai aucune intention que ça change.

Il parvint même à s'arracher un petit sourire.

Theodora acquiesça. Une grosse boule était coincée dans sa gorge, elle avait du mal à respirer, à parler, mais elle aurait détesté qu'il garde cette image d'elle en partant. Elle se composa donc une expression enjouée et lui tendit son sac à dos.

– J'ai mis ton passeport dans la poche de devant.

Elle adorait déjà son rôle de partenaire, de compagne, d'épouse. Il la remercia, souleva le sac, tripota la fermeture Éclair pour y glisser un dernier livre, sans tout à fait la regarder en face. Elle voulait se souvenir de lui exactement tel qu'il était en ce moment, beau et doré dans la lumière matinale, ses cheveux blond platine légèrement décoiffés, ses yeux verts étincelants de détermination.

– Jack...

Sa résolution chancela, mais elle tenait à éviter de rendre ce dernier instant plus triste que nécessaire.

– À bientôt, dit-elle d'un ton léger.

Il lui pressa la main, une ultime fois.

Puis il s'en alla, et elle resta seule.

Theodora plia soigneusement sa robe d'union dans sa valise. Elle était prête à passer à la suite, mais, en ramassant ses affaires, *elle prit conscience d'une vérité que Jack avait refusé de reconnaître. Il ne craignait pas d'affronter son destin, non ; simplement, il l'accepterait. Il s'inclinerait.*

Jack ne se battra pas contre Mimi. Il se laissera tuer plutôt que la combattre, *comprit-elle.*

Dans la lumière limpide du jour, elle appréhenda soudain la réalité de ce qu'il s'apprêtait à faire. Aller à la rencontre de sa jumelle, c'était aller au-devant de son destin.

Ce n'était pas vrai, tout n'allait pas bien se passer. Aucune chance.

Il avait tâché de le cacher sous des paroles pleines de courage, mais tout au fond, Theodora savait qu'il courait à sa perte. Et que cette nuit avait été leur dernière nuit ensemble. Jack rentrait chez lui pour y mourir.

Un instant, elle eut envie de hurler, de déchiqueter ses vêtements, de s'arracher les cheveux. Mais après quelques sanglots déchirants, elle se maîtrisa. Elle sécha ses larmes et se ressaisit. Elle ne le laisserait pas faire. Elle ne pouvait l'accepter. Jamais. Theodora sentit une bouffée d'adrénaline lui parcourir les veines. Elle ne pouvait pas le laisser se faire autant de mal. Oliver avait promis de faire tout son possible pour distraire Mimi, et elle lui était reconnaissante de ses efforts pour assurer son bonheur. Mais ceci, elle devait l'accomplir pour elle-même et pour son amour. Il fallait qu'elle sauve Jack, qu'elle le sauve de lui-même. Son avion décollait dans quelques minutes. Sans plus réfléchir, elle courut à l'aéroport. Elle l'arrêterait, par n'importe quel moyen. Il était encore en vie, et elle n'avait aucune intention que cela change.

Jack, déjà sur le tarmac, attendait pour gravir la passerelle du petit avion qui l'emmènerait d'abord à Rome, avant le départ pour New York. Deux Venator vêtus de noir, en faction à la porte de l'appareil, regardèrent Theodora avec curiosité. Jack, lui, ne parut pas étonné de la voir apparaître soudain à côté de lui.

– Theodora...

Il ne lui demanda pas ce qu'elle faisait là. Il le savait déjà, mais cette fois son sourire était triste.

– Ne pars pas, dit-elle.

Je ne peux pas te laisser affronter ton destin seul. Nous sommes unis, désormais. Nous l'affronterons à deux. Ta destinée est aussi la mienne. Nous vivrons ou mourrons ensemble. Il n'y a pas d'autre solution, *lui dit-elle par télépathie.*

Comme Jack commençait à secouer la tête, elle insista farouchement.

– Écoute-moi. Nous trouverons un moyen d'éviter l'épreuve du sang. Viens avec moi à Alexandrie. Si nous réussissons et que tu dois rentrer à New York, alors je partagerai ton destin. Si tu es détruit, je le serai aussi et l'héritage de ma mère n'aura plus aucun sens. Je ne te quitterai pas. Ne crains pas l'avenir, nous l'affronterons ensemble.

Voyant qu'il soupesait ses mots, elle retint son souffle.

Son sort, leur sort, et peut-être celui de tous les vampires, était entre ses mains. Elle avait dit ce qu'elle avait à dire, elle s'était battue pour lui, c'était désormais à lui de se battre pour elle.

Un sort funeste attendait Jack Force, mais Theodora Van Alen espérait, priait, croyait qu'ensemble, ils pourraient changer le destin.

SEPT MOIS PLUS TARD

Un

Le paradis

Ils partirent d'Alexandrie au moment où une foule de citadins s'y précipitait pour fuir la chaleur du Caire.

– J'ai l'impression qu'on va toujours dans le mauvais sens, dit Theodora en regardant, sur la voie opposée, l'embouteillage qui avançait à une allure d'escargot.

Le soleil de juillet était haut dans le ciel. La climatisation de leur Sedan de location était si poussive qu'il fallait tendre les mains devant les grilles de ventilation pour trouver un peu de fraîcheur.

– Ou le contraire. C'est peut-être nous qui allons dans la bonne direction, cette fois, répondit Jack en souriant et en appuyant un peu sur l'accélérateur.

Contrairement au torrent de voitures qui descendaient vers la cité côtière, la circulation se dirigeant vers la capitale était clairsemée. Pour l'Égypte, c'était quasiment une promenade de santé, bien que ces termes décrivent mal le chaos ambiant. La route du désert, qui reliait la capitale à Alexandrie, était connue pour ses terribles accidents de car et de voiture, et on devinait facilement pourquoi. Les autos fonçaient à toute allure, déboîtant sans prévenir à n'importe quel moment, tandis que des camions énormes menaçaient de partir en tonneaux à chaque embardée. De temps en temps, quelqu'un roulait sur un obstacle : un énorme nid-de-poule non signalisé, ou encore des débris jamais déblayés. Alors, tout le monde freinait dans de grands crissements de pneus et un carambolage massif s'ensuivait. Theodora se félicitait que Jack soit bon conducteur : il semblait savoir d'instinct quand accélérer ou ralentir, et leur voiture louvoyait sans encombre entre les embûches.

Au moins, ils ne roulaient pas de nuit. Là, c'était pire : les Égyptiens étant d'avis que les phares consommaient trop d'énergie, ils s'en passaient, tout simplement. Cela ne dérangeait pas les vampires, bien sûr, mais Theodora s'inquiétait toujours pour les pauvres humains qui erraient dans le noir, à l'aveuglette, sans savoir où ils étaient ni combien de voitures les entouraient.

Jack et elle étaient depuis sept mois à Alexandrie, où ils partageaient leur temps entre cafés pittoresques et musées spacieux. La ville avait été conçue pour rivaliser avec Rome et Athènes au temps de leur plus grande splendeur, Cléopâtre en avait fait le siège de son pouvoir, et pourtant, même si quelques vestiges de l'ancien avant-poste étaient encore visibles – divers sphinx, statues et obélisques éparpillés ici et là –, cette métropole animée conservait en fait très peu de traces du monde antique.

En arrivant, Theodora s'était sentie pleine d'espoir. Soutenue par la foi et la présence de Jack, elle ne doutait pas, alors, qu'ils trouveraient rapidement ce qu'ils cherchaient. Florence n'avait été qu'un leurre, et Alexandrie était la seule autre localisation possible de la porte de la Promesse. Du moins à en croire les notes de son grand-père, qui retraçaient le voyage de Catherine de Sienne, de Rome à la mer Rouge. Sa mère lui avait confié l'héritage familial : trouver et défendre les portes de l'enfer, qui protégeaient le monde contre les démons des Abîmes.

Ils étaient descendus à l'hôtel *Cecil*, qu'affectionnaient en leur temps l'écrivain Somerset Maugham et les Anglais de l'époque coloniale. Theodora avait été charmée par l'ascenseur des années trente et par le merveilleux hall de marbre, qui respirait l'ancienne splendeur hollywoodienne ; elle imaginait facilement Marlene Dietrich y faisant son entrée avec une douzaine de malles et un valet de pied chargé tout spécialement de ses chapeaux à plumes.

Elle avait amorcé ses recherches à la bibliothèque d'Alexandrie : c'était un clin d'œil à la grande bibliothèque perdue depuis des millénaires (du moins à ce que croyaient les sang-rouge, car cette institution existait toujours, là-bas, à New York, au Sanctuaire de l'Histoire de l'Assemblée des vampires). Comme l'institution d'origine, celle-ci s'étendait sur des hectares de jardins ; elle comprenait aussi un planétarium et un centre de conférences. Une matrone locale, riche et discrète, avait joué un rôle majeur dans sa fondation : lorsqu'elle l'avait appris, Theodora avait eu la certitude d'avoir enfin retrouvé Catherine. Mais en allant rendre visite à la dame, dans son élégant salon avec vue sur le port, Jack et elle avaient constaté au premier coup d'œil qu'elle était humaine, et non immortelle. Malade, mourante, elle était couchée dans un lit, branchée à toutes sortes de machines.

En sortant de la chambre de la vieille dame, Theodora avait ressenti un premier vacillement d'anxiété, la peur de décevoir non seulement son grand-père bien-aimé et son énigmatique mère, mais aussi l'homme qu'elle aimait tant. Jusqu'à présent, trouver la gardienne de la porte s'était révélé difficile, voire impossible. Jack n'avait rien dit ce jour-là, ni exprimé aucun regret. À Florence, à l'aéroport, il avait assailli les *Venator* et relevé le défi de Theodora : il avait accepté de la suivre. Elle n'avait plus droit à l'échec. Elle lui avait promis qu'ils trouveraient un moyen d'éviter l'épreuve du sang, une solution pour rester ensemble, et elle ne flancherait pas. La gardienne de la porte, Catherine de Sienne, les aiderait... à condition que Theodora retrouve sa trace.

Depuis leur arrivée en Égypte, ils avaient adopté des habitudes confortables. Lassés de la vie à l'hôtel, ils avaient loué une petite maison proche de la plage, et ils faisaient de leur mieux pour se mêler à la population sans se faire remarquer. La plupart de leurs voisins laissaient tranquille ce beau couple de jeunes étrangers. Peut-être percevaient-ils confusément une force vampirique derrière leurs sourires aimables.

Le matin, Theodora passait la bibliothèque au peigne fin, consultant des livres sur l'époque romaine, où Catherine de Sienne avait reçu la charge de gardienne, et comparant ses trouvailles avec les notes de Lawrence. Jack, lui, partait sur le terrain, mettant à profit son entraînement de *Venator* pour exploiter le moindre indice, sillonnant la ville, parlant avec les locaux. Les immortels étaient des êtres charismatiques et inoubliables : Lawrence Van Alen avait été très entouré durant son exil à Venise, et Theodora pariait que Catherine, ou quel que soit son nom actuel, était également un personnage que l'on n'oubliait pas de sitôt. En fin d'après-midi, Jack passait à la bibliothèque et ils allaient manger dans un café, partageant des assiettes de *mouloukhia*, une soupe accompagnée de riz, ou de nouilles épicées *koshari*, après quoi ils se remettaient au travail. Ils vivaient comme les habitants du cru, soupant à minuit et dégustant un thé merveilleusement parfumé à l'anis jusqu'aux premières heures du jour.

Alex – c'était ainsi que tout le monde appelait la ville – était une station balnéaire, et dès l'arrivée du printemps, quand le vent soufflait de la Méditerranée, les touristes arrivaient par cars et bateaux entiers pour remplir les hôtels et les plages. Ces sept mois passés ensemble avaient constitué une sorte de lune de miel, comme Theodora le comprendrait plus tard. Une petite tranche de paradis, un répit bref et lumineux avant les jours sombres qui les attendaient. Ils étaient encore assez jeunes pour commémorer chaque mois leur union, et ils marquaient le passage du temps par de petits gestes, de menus présents : un bracelet de coquillages pour elle, une première édition de Hemingway pour lui. Theodora pensait que si elle parvenait à garder Jack auprès d'elle, elle saurait le protéger : son amour pour lui était un bouclier.

Le sentiment qui les unissait devenait plus fort et plus profond, et même s'ils prenaient leurs aises dans le confort de la vie à deux, son cœur battait toujours la chamade quand elle le voyait couché à ses côtés. Elle admirait le contour de son dos, ses omoplates finement sculptées. Plus tard, en repensant à leur existence dans cette ville, elle se dirait parfois qu'au fond elle savait déjà alors ce qui se passerait, comment cela se terminerait. Un peu comme si, quoi qu'il arrive en Égypte – qu'elle trouve ou non Catherine, qu'ils réussissent ou non –, elle avait su depuis le départ que leur vie commune ne durerait pas, qu'elle ne *pouvait* pas durer, et qu'ils ne faisaient que se mentir.

Si bien qu'elle conservait soigneusement ses souvenirs dans sa mémoire : sa manière de la regarder en la déshabillant, lorsqu'il faisait lentement tomber une bretelle de soie, par exemple. Ce regard, vorace, la rendait malade de désir, et le feu vif qui la brûlait alors était tout aussi intense que leur premier flirt, devant un night-club de New York ; aussi intense que l'étourdissant vertige qui l'avait saisie la première fois qu'ils avaient dansé ensemble ; aussi intense que leur premier baiser, leur premier rendez-vous secret dans son appartement de Mercer Street. Sa manière de la tenir, doucement mais fermement, lorsqu'il se livrait à la *Caerimonia Osculor...* Dans les jours à venir, elle repasserait ces souvenirs dans sa tête, comme des photos que l'on décroche d'un mur pour les regarder encore et encore. Mais pour le moment, la nuit, lorsqu'ils étaient couchés ensemble, le corps tiède de Jack contre le sien, lorsqu'elle pressait ses lèvres contre sa peau, elle avait l'impression qu'ils ne seraient jamais séparés, et que ses craintes ne se réaliseraient pas.

Elle était peut-être folle de croire que tout cela – leur amour, leur joie d'être ensemble – perdurerait, étant donné la noirceur qui imprégnait leur union depuis le départ. Et plus tard, elle regretterait de ne pas en avoir profité davan-

24

tage, d'avoir passé tant de temps à compulser des livres seule dans la bibliothèque, à le repousser quand il l'enlaçait, à lui dire d'attendre ou à sauter le dîner pour relire encore et encore ses notes ; elle appellerait de ses vœux une nuit de plus dans un café, à se tenir les mains sous la table, un matin de plus à se partager le journal. Elle chérirait les petits instants partagés à deux, assis côte à côte dans le lit, quand le simple contact de la main de Jack sur son genou lui envoyait des frissons dans l'échine. Elle se rappellerait Jack lisant, soulevant ses lunettes : il avait des troubles de la vue ces derniers temps, le sable et la pollution lui irritant les yeux.

Si seulement ils avaient pu rester pour toujours à « Alex », à se promener dans les jardins débordants de fleurs ou observer les jeunes branchés au *San Stefano*... Theodora, qui avait toujours été nulle en cuisine, s'émerveillait de la facilité avec laquelle se préparait un repas : elle avait appris à concocter un vrai festin en achetant, au marché du coin, des plateaux tout prêts de kebabs et de *samboussek*, accompagnés de hoummous et de *tameya*, de taboulé et de gigot d'agneau ou de veau rôti, de pigeon farci, de *sayadiya* de poisson et de poulet. Leur mode de vie lui rappelait son année avec Oliver, ce qui lui serrait toujours un peu le cœur. Son cher ami, son doux ami ! Elle aurait voulu pouvoir conserver son amitié, lui qui avait fait preuve de tant de cœur lors de leur union, mais ils n'avaient pas échangé un mot depuis qu'il était reparti pour New York. Oliver lui avait brièvement raconté ce qui se passait là-bas, et elle se faisait du souci pour lui. Elle espérait qu'il ne prenait pas de risques, maintenant qu'elle n'était plus là pour veiller sur lui. Bliss aussi lui manquait ; Theodora espérait que son amie – sa *sœur* – réussirait à accomplir sa part du destin légué par leur mère.

Au fil des mois, Theodora avait exploré toutes les pistes, s'était encore trompée, avait rencontré d'autres femmes qui, au final, n'étaient pas Catherine de Sienne. Jack et elle n'évoquaient jamais ce qui adviendrait d'eux en cas d'échec. Et ainsi, les jours s'étaient succédé, comme du sable coulant entre leurs doigts, de la poussière dans l'air, et soudain, l'été était arrivé. Ils recevaient, au compte-gouttes, des nouvelles du monde qu'ils avaient laissé derrière eux : les Assemblées étaient sens dessus dessous, on parlait d'incendies, d'attaques mystérieuses. Charles étant toujours porté disparu, ainsi qu'Allegra désormais, il n'y avait plus personne pour prendre la tête du combat, personne ne savait ce que deviendraient les vampires, et pendant ce temps, Jack et elle n'avaient fait aucun progrès pour retrouver la gardienne.

Avant leur départ de Florence, ils avaient ordonné aux moines pétruviens de protéger Maria Elena, de laisser la jeune fille enlevée par le Croatan mener sa grossesse à son terme. Ghedi leur avait donné sa parole qu'aucun mal ne lui serait fait. Theodora ne croyait toujours pas à ce que juraient les Pétruviens : que les sang-bleu avaient ordonné le massacre de femmes et enfants innocents afin de conserver la pureté du lignage. Il y avait forcément une autre raison. Quelque chose avait mal tourné dans l'histoire du monde, et lorsqu'ils auraient retrouvé Catherine, gardienne de la porte et fondatrice de l'Ordre pétruvien, elle leur révélerait la vérité.

26

Mais à mesure que les jours passaient et qu'ils ne trouvaient toujours ni la gardienne ni la porte, Theodora commença à se décourager, et à être envahie par la léthargie. Pour ne rien arranger, il y avait longtemps qu'elle n'avait pas utilisé ses crocs. Elle n'avait pris aucun familier depuis Oliver, et chaque jour elle se sentait un peu moins vampire, un peu plus humaine, plus vulnérable. Dans le même temps, Jack maigrissait et des cernes sombres s'étaient formés sous ses yeux. Elle savait qu'il dormait mal : il se retournait la nuit en marmonnant. Elle commençait à craindre qu'il ne la trouve lâche de lui avoir demandé de rester.

– Non, tu te trompes, c'était au contraire courageux de te battre pour ton amour, lui avait-il dit, lisant dans ses pensées, comme toujours. Tu trouveras Catherine, je crois en toi.

Pourtant, Theodora devait admettre son échec : elle avait mal interprété les notes de son grand-père. Il lui fallait se rendre à l'évidence : Alexandrie n'était qu'un leurre de plus. Ils avaient arpenté en long et en large les ruelles sombres de la ville, sillonné ses centres commerciaux flambant neufs, sans rien trouver, et la piste était à présent refroidie. Ils n'y voyaient pas plus clair qu'au tout début, lorsqu'ils s'étaient envolés de New York.

Durant leur dernière nuit là-bas, Theodora avait de nouveau scruté les notes et relu le passage qui l'avait convaincue que la fameuse porte se trouvait à Alexandrie.

Sur les rives du fleuve d'or, la cité du vainqueur renaîtra de ses cendres, un jour, au seuil de la porte de la Promesse.

27

Theodora regarda soudain Jack.

– Attends. Je crois que je tiens quelque chose.

La première fois qu'elle avait lu ce texte, elle avait immédiatement pensé à Alexandre le Grand, le conquérant du monde antique. Elle en avait naturellement déduit que la porte était située dans la ville à laquelle il avait donné son nom. Mais après sept mois passés dans le pays, elle connaissait quelques mots d'arabe, et la réponse était si claire qu'elle se maudit d'avoir perdu tellement de temps.

– Le Caire – *al-Qahira* – signifie, littéralement, « la Victorieuse ».

La cité victorieuse. La cité du vainqueur.

– La porte est au Caire, dit-elle à Jack, le cœur battant.

Ils partirent le matin même.

DEUX

L'enfer

Assise dans son siège de première classe, Mimi Force faisait tourner les glaçons dans son verre à cocktail. Pendant des heures, elle avait survolé un désert sans fin, un océan de dunes de sable doré ; et soudain, une ville entière s'élevait de la poussière, s'étendant dans toutes les directions, aussi immense et infinie que le néant qui l'avait précédée. La capitale de l'Égypte était une métropole brune et fauve, composée de bâtiments luttant au coude à coude pour gagner un peu d'espace, empilés comme un jeu de cubes, et traversée de part en part par les rives verdoyantes du Nil.

En voyant la ville, elle sentit son cœur se gonfler d'espoir. Ça y était. Cette fois, elle allait retrouver Kingsley. Il lui manquait plus que jamais, et elle se cramponnait à l'espoir, farouche et brillant, de revoir son sourire, de sentir la chaleur de son étreinte. Son acte de courage et d'altruisme pendant l'attaque des sang-d'argent, lors de la calamiteuse cérémonie d'union, avait sauvé l'Assemblée, mais avait consigné son âme au sein du septième cercle du Monde des Abîmes. En pensant à ce qu'il endurait, elle ne pouvait que frissonner. L'enfer n'était pas pour les faibles, et même si elle savait Kingsley fort et capable de tout supporter, elle ne voulait pas le laisser prisonnier là-bas un instant de plus.

L'Assemblée avait besoin de son courage et de son intelligence – Kingsley Martin avait été le plus brave et le plus efficace de leurs *Venator* –, mais Mimi avait encore plus besoin de lui. Jamais elle ne pourrait oublier comment il l'avait regardée avant de disparaître, avec une telle tristesse, un tel amour... Un amour qu'elle n'avait jamais connu auprès de Jack. Jamais, pendant tout le temps qu'ils avaient passé ensemble, son jumeau ne l'avait contemplée ainsi. Kingsley lui avait donné un aperçu de ce qu'était l'amour véritable, mais il lui avait été arraché si vite qu'elle en avait appréhendé toute la réalité d'un coup. Elle l'avait tant taquiné et agacé, ils avaient perdu tellement de temps... Pourquoi n'était-elle pas partie avec lui pour Paris comme il le lui avait demandé avant l'union ?

Cela n'avait plus d'importance. Elle était venue jusqu'en Égypte pour le sauver, et la perspective des retrouvailles la rendait euphorique.

Son humeur joyeuse faillit pourtant être assombrie par les petites contrariétés multiples qui accompagnent inévitablement les voyages internationaux. À la douane, on lui dit qu'elle n'avait pas le bon visa. Résultat : le temps qu'elle franchisse le contrôle des passeports et récupère ses bagages, le chauffeur envoyé par l'hôtel était parti chercher un autre client et elle dut affronter la foule pour trouver un taxi.

Une fois qu'elle eut réussi à en héler un, elle finit par

se disputer avec le chauffeur à propos du tarif, dispute qui se prolongea jusqu'à l'hôtel – le chauffeur réclamait une somme astronomique, mais Mimi n'était pas née de la dernière pluie, c'était le moins qu'on puisse dire. En arrivant au *Mena House Oberoi*, elle lui jeta sa monnaie par la portière avant de s'éloigner simplement à pied. Et lorsqu'elle rapporta l'incident à l'employé de l'hôtel, cet imbécile lui demanda pourquoi elle n'avait pas pris la voiture envoyée par l'hôtel, une solution tellement plus pratique et fiable...

Mimi fut tentée de montrer les dents et de lui jeter quelque chose à la tête, mais elle se souvint qu'elle était majeure, Régente de l'Assemblée : trépigner comme une adolescente gâtée n'était pas de mise.

Épuisée par le voyage, elle tomba tout droit dans son lit, et ne fut réveillée que par la femme de ménage venue faire la chambre et regonfler les oreillers. Heureusement pour son matricule, celle-ci avait apporté des chocolats.

À présent, un nouveau jour commençait, éblouissant, et, face à la vue sur les pyramides qui miroitaient dans le soleil, Mimi se préparait pour la journée la plus importante de sa vie.

La sorcière ne pouvait pas avoir menti, songea-t-elle en brossant ses cheveux jusqu'à ce qu'ils brillent comme de l'or. « *Helda a fait une exception, une fois, et depuis, l'Amendement Orphée fait jurisprudence. Les mêmes règles s'appliquent toujours.* » Ingrid Beauchamp, la bibliothécaire au physique de souris de North Hampton qui savait lire l'avenir, lui avait révélé, non sans réticence et seulement après un marchandage humiliant, qu'il existait bien un moyen de libérer une âme prisonnière du septième cercle du Monde des Abîmes.

C'était précisément pour cela que Mimi avait accepté de traiter avec ce laideron, une semaine plus tôt. La sorcière ne l'aimait peut-être pas, elle trouvait peut-être l'arrogante jeune vampire extrêmement pénible, mais elle ne lui aurait jamais menti. Ses semblables obéissaient à un ensemble de règles encore plus anciennes que le Code des vampires. Mimi en était certaine, assise dans son lit douillet.

Les sept derniers mois n'avaient pas été faciles, et Mimi avait eu du mal à ne pas craquer. La mort du Nephilim n'avait pas suffi à apaiser la peur et l'instabilité croissantes de l'Assemblée ; les Aînés étaient au bord de la révolte ; les rumeurs de dissolution et d'exode en sous-sol prenaient un peu plus d'ampleur chaque jour ; mais c'était la trahison des frères Lennox qui l'avait le plus perturbée. Au lieu d'aller chercher son fourbe de frère comme elle leur avait ordonné de le faire, ils s'étaient volatilisés sous un prétexte minable : une histoire de chasse aux Nephilim – des êtres mi-humains mi-démons qui se cachaient dans le monde entier –, avec les *Venator* de Shanghai. Une noble cause, assurément. Mais les ordres étaient les ordres, et l'insubordination suffisait à justifier un mandat d'arrêt. Sauf que Mimi n'avait plus de *Venator* à leur envoyer aux trousses. Les rares qui restaient étaient trop occupés à protéger ce qui restait de l'Assemblée. Les nouvelles qui arrivaient des avant-postes étaient mauvaises. Des vampires se faisaient massacrer aux quatre coins de la planète : un incendie à Londres lors d'une réunion de Conclave, d'autres jeunes retrouvés vidés de leur sang à Buenos Aires. La menace des sang-d'argent, loin de s'estomper, n'avait fait que croître.

Le prince des Ténèbres était toujours prisonnier derrière les portes de l'enfer, mais cela ne changeait pas grand-chose, car les Assemblées, minées par la peur et les conflits internes, étaient au bord de l'autodestruction. Lucifer avait frappé les sang-bleu en plein cœur lorsqu'il avait expédié son ennemi juré, l'archange Michel, dans les ténèbres blanches qui avaient volé à Mimi son grand amour. Quant à Gabrielle... Allegra s'était paraît-il réveillée et avait quitté l'hôpital, mais nul ne savait où elle était partie.

Débordée et surmenée, Mimi avait conclu qu'elle ne s'en sortirait pas seule. Elle voulait qu'il revienne. Elle n'avait pas d'autre raison de vivre, et seul Kingsley Martin, avec son sourire coquin et son accent sexy, pouvait l'aider à reconstruire les Assemblées et à créer un vrai refuge pour les vampires, à présent que Michel et Gabrielle étaient introuvables et que son lâche de jumeau s'était soustrait à ses devoirs pour aller rejoindre sa garce au sang mêlé. D'après la rumeur, Jack était allé jusqu'à épouser cette Abomination. Ils s'étaient *unis* !

Mimi n'éprouvait plus le moindre pincement d'amour pour Jack, mais c'était tout de même humiliant d'apprendre qu'il était allé jusqu'au bout avec Theodora. Il avait brisé leur lien et scellé son destin avec ce monstre. Gabrielle avait été la première à rejeter le lien sacré pour épouser son familier humain, et voilà qu'Abbadon faisait de même... Qu'arriverait-il ensuite ? Rien n'avait donc plus d'importance ? Et le Code des vampires, alors ? Fallait-il aussi le jeter au feu noir ? Devaient-ils désormais vivre comme les sang-rouge, qui nouaient et dénouaient leurs liens sans une once de réflexion ou de remords ? Peut-être fallait-il simplement renoncer, renier la civilisation, les anciens usages, et vivre comme des barbares !

Sur le conseil d'Oliver, elle s'était rendue en Égypte en décembre pour tenter une première fois de libérer Kingsley de l'enfer, sûre qu'à son retour à New York Jack serait enchaîné dans une geôle. Mais les *Venator* postés en Italie lui avaient rapporté que Jack leur avait fait faux bond à Florence, et qu'ils ignoraient où il se trouvait. Cela surprit sincèrement Mimi, qui avait toujours profondément cru que Jack reviendrait assumer ses crimes, par sens de l'honneur. Ce n'était pas un lâche, et elle n'avait jamais douté qu'il respecterait le Code et se défendrait lors de l'épreuve du sang. Eh bien, visiblement, elle se trompait. Peut-être le connaissait-elle moins bien qu'elle ne l'avait cru. Peut-être sa nouvelle épouse le rendait-elle faible, lui avait-elle fait miroiter l'illusion qu'il pourrait vivre en paix sans assumer les conséquences de ses actes.

En plus, son premier voyage en Égypte s'était soldé par un échec. Mimi était rentrée les mains vides. Sa mère l'avait persuadée de retourner au lycée, et en mai elle avait obtenu son diplôme de Duchesne, reçu sa couronne de fleurs blanches, et s'était tenue dans la cour pavée, en robe blanche, gants et souliers de satin, comme dans ses autres vies. C'était une mascarade, de même que tous les événements organisés par le Comité : les vieux sang-bleu se cramponnaient à leur calendrier mondain et à leurs rituels saisonniers pendant que leur univers s'écroulait. Jamais Mimi ne s'était sentie aussi vieille. « Votre avenir est devant vous, avait dit le proviseur. Vous êtes prometteurs et vous pouvez changer le monde. » Bla bla bla. Quel ramassis de fadaises ! L'avenir était terminé. Il n'y avait pas d'avenir sans l'Assemblée, sans le Code, sans Kingsley.

Avant de repartir pour Le Caire, Mimi avait recommandé aux membres du Conclave de la contacter si jamais il leur arrivait quelque chose d'incroyablement idiot ou terrible en son absence. L'Assemblée ne pouvait pas être dissoute, car Mimi avait pris la précaution d'emporter les clés du Sanctuaire, qui ouvraient les dossiers de cycle de la Maison des Archives et donnaient accès au matériel sacré. Ces pleutres pouvaient descendre sous terre, mais ils partiraient en sachant qu'ils avaient peu d'espoir de se réveiller dans un nouveau cycle, et rares étaient ceux qui avaient les épaules pour supporter de passer l'éternité entre la vie et la mort.

Mimi sortit sur son grand balcon pour mieux voir les trois pyramides de Gizeh, grandioses et intimidantes, toutes proches. Elle avait tenu à séjourner aussi près d'elles que possible. Par temps clair, elles étaient visibles de partout dans la ville : leurs silhouettes triangulaires s'élevaient juste derrière la ligne des derniers immeubles. Mais d'ici, elles étaient si proches qu'on aurait presque pu les toucher de la main, semblait-il, et le seul fait de les regarder la rapprochait de Kingsley. Elle n'avait plus très longtemps à attendre.

Elle bâillait, encore fatiguée par son arrivée la veille, toujours ensuquée par le décalage horaire, lorsque le téléphone sonna.

– Petit déjeuner sur la terrasse ? proposa la voix de son Intermédiaire, Oliver Hazard-Perry. Je vois qu'il y a d* *tameyas* aujourd'hui.

35

Mimi sourit.

– Mmm. J'adore ces petites galettes.

En approchant du buffet, elle trouva Oliver attablé devant les jardins qui faisaient face aux pyramides, en veste saharienne, panama et chaussures montantes en toile beige. Il se leva pour lui tirer une chaise. Le restaurant de l'hôtel était plein de riches touristes : Américains étalant du *fuul* – une pâte à tartiner à base de haricots, *le Nutella local*, pensa Mimi, amusée – sur des pitas croustillants, familles anglaises consultant des cartes géographiques, groupes d'Allemands riant bruyamment en regardant des photos sur leurs appareils numériques. Comme dans tous les hôtels de luxe, les lieux étaient imprégnés d'une tranquille autosatisfaction. Mimi, au cours de ses voyages, avait compris que, où qu'on soit, tous les buffets d'hôtel cinq étoiles étaient identiques : les mêmes plateaux de coûteuses viandes froides et de pâtisseries délicates, le même stand d'omelettes à la demande, et un assortiment de nourriture locale, le tout offert à la même *jet-set* internationale tirée à quatre épingles. Elle avait parcouru le monde entier, et nulle part, du Kilimandjaro au cercle polaire arctique, elle n'avait pu échapper à la bourgeoisie de l'Upper East Side. La même tribu de privilégiés se rencontrait sur les plages des Maldives et sur les sites de plongée de Palau. La Terre était plate, pas de doute, et on pouvait très bien la traverser en tongs Jack Rogers.

– Regarde-moi ça, on dirait que tu sors d'un roman d'Agatha Christie, dit-elle à Oliver en posant sa serviette sur ses genoux et en indiquant au serveur, d'un signe du menton, de lui verser une tasse de café noir bien fort.

– Tu me vois déjà *Mort sur le Nil* ?

– Pas encore.

– Parce que si tu veux bien, j'aimerais manger un morceau avant. On attaque ?

Il indiquait le somptueux buffet.

Ils remplirent leurs assiettes et retournèrent s'asseoir. Mimi lança un regard sceptique sur celle d'Oliver, où il avait empilé en équilibre instable des œufs, des fraises, des gaufres, des toasts, du pita, du fromage, des croissants et des bagels. Les garçons étaient vraiment des aspirateurs à nourriture, mais il n'avait peut-être pas tort. Comment savoir quand aurait lieu leur prochain repas ? Elle s'efforça de manger, mais ne put que chipoter dans ses victuailles : elle avait l'estomac serré, aucun appétit. De toute manière, avant de partir de New York, elle était allée voir son familier du moment et avait « fait le plein » de sang pour le voyage, tel un coureur de marathon se remplissant de sucres lents avant la course.

– Dommage qu'on ne reste pas, soupira Oliver avant de mordre voracement dans un biscuit sablé. Il paraît que le soir, il y a un son et lumières aux pyramides. Le concierge de l'hôtel m'a dit que c'était « narré par le Sphinx ». Ce qui amène la question suivante : si le Sphinx pouvait parler, que dirait-il ?

– C'est dingue, ce que les sang-rouge peuvent faire à quelque chose de si sacré. Ils n'ont donc pas de limites ?

– Ça pourrait être pire. Il pourrait y avoir un concert de Sting, comme la dernière fois, tu te rappelles ?

Ça, c'était un vrai désastre, songea Mimi. La première fois qu'ils étaient arrivés au Caire, atteindre la porte cachée dans les pyramides avait été une épreuve : non seulement ils avaient crevé de chaud, à jouer des coudes dans la foule pour atteindre l'entrée, mais pendant tout ce temps Sting était là, à brailler ses fades mélodies mollassonnes pour profs de yoga entre deux âges. Ce souvenir la fit frémir. Les rock stars ne devraient pas vieillir : elles ont le choix entre mourir avant trente ans ou disparaître dans leurs châteaux de l'île Moustique, et ne revenir que pour publier une énorme autobiographie pleine d'aventures sous héroïne.

– Reste, si tu veux, lui proposa Mimi avant d'avoir pu se raviser. Je peux descendre seule, comme la fois d'avant.

Elle découvrirait bien un autre moyen de satisfaire l'échange, songea-t-elle. Elle n'était pas obligée de lui imposer cela. Oliver était un peu coincé, un peu donneur de leçons, mais il était gentil et attentionné. C'était lui qui avait eu l'idée d'aller voir la sorcière blanche, c'était grâce à lui que Mimi savait désormais ce qu'elle devait faire pour arracher Kingsley aux Abîmes.

C'est ta dernière chance, pensa-t-elle.

Oliver sauçait son jaune d'œuf avec un toast. Suite à un effort héroïque de sa part, son assiette était presque vide.

– Tu as dit toi-même que tu avais besoin d'être accompagnée. Et puis ce n'est pas tous les jours qu'on a l'occasion de visiter l'enfer. On peut rapporter un souvenir ?

Mimi eut un rire bref. Si seulement il savait ! C'était lui, le souvenir. Car depuis tout ce temps, elle lui cachait un détail que la sorcière lui avait révélé à propos de la mission.

« L'Amendement Orphée exige un sacrifice en paiement de la libération d'un esprit. Une âme contre une autre. » Oliver facilitait trop les choses. Sincèrement, elle trouvait dommage de le perdre au moment même où elle commençait à l'apprécier, où ils étaient devenus plus ou moins amis, d'autant plus qu'il lui avait pratiquement sauvé la vie, récemment. Bon, d'accord, barrez « pratiquement ». Il lui avait sauvé la vie, et il était décidément un bon atout pour l'Assemblée, ayant découvert des indices qui avaient mené au Nephilim caché. C'était quelqu'un de bien, et un bon copain. Néanmoins, elle devait le faire. Si elle voulait revoir Kingsley, il fallait qu'elle passe outre son affection croissante pour Oliver. Elle n'avait pas le choix. Et c'était vraiment idéal qu'il se soit porté volontaire pour faire le voyage avec elle : à cheval donné, on ne regarde pas les dents. D'ailleurs, servir leurs maîtres vampires était le seul but des Intermédiaires humains dans la vie, non ?

TROIS

Le portrait

Allegra Van Alen avait fait bien des séjours à San Francisco au cours de ses cycles de vie passés, mais elle avait évité la ville pendant toute son existence actuelle, presque comme si elle y était allergique. Chaque fois que les affaires du Conclave nécessitaient un voyage vers la côte ouest, elle trouvait une excuse pour y échapper et envoyait quelqu'un d'autre à sa place, ou se débrouillait par téléconférence.

Mais en cet automne 1990, à présent qu'elle était majeure, en pleine possession de ses souvenirs et de ses pouvoirs, elle ne voyait pas quel mal il pouvait y avoir à retourner là-bas. Elle avait terminé ses études universitaires au printemps et avait fièrement reçu son diplôme en compagnie de son frère. C'était étonnant qu'elle soit arrivée si loin, étant donné que, pendant toutes ses études secondaires, elle avait été ballottée d'un lycée privé à un autre. Après son départ précipité d'Endicott en milieu de seconde, elle avait refusé de retourner à Duchesne, et avait donc erré sans but dans diverses institutions de la région, changeant même parfois d'établissement en milieu de trimestre sur un coup de tête.

Sa mère lui avait assuré qu'elle ne serait jamais admise dans la prestigieuse université qui venait juste de dérouler le tapis rouge pour Charles. Mais Cordelia sous-estimait le pouvoir d'attraction d'un grand nom ou d'une famille illustre (sans compter ses généreuses donations, année après année), et Allegra avait bien reçu une lettre d'admission. Les années de fac avaient été une longue série de fêtes et de psychodrames, et Allegra s'était jetée avec appétit dans la vie estudiantine, avec une énergie et une motivation qui lui avaient manqué pendant ses pérégrinations des années lycée. On aurait dit qu'elle surmontait enfin la terrible erreur qu'elle avait commise à Endicott : tomber amoureuse de son familier humain et mettre son lien en danger. Allegra avait accepté son destin et sa position dans la société sang-bleu, et Charles était satisfait.

Bientôt, elle serait unie à son jumeau et pourrait réclamer l'héritage qui lui revenait de droit. Allegra se réjouissait à l'avance de cette nouvelle existence commune, productive, tous deux montrant le chemin, donnant l'exemple pour tous les leurs, comme ils le faisaient depuis le commencement des temps. Ils avaient porté bien des noms au fil des siècles. Junia et Cassius. Rose et Myles. Mais ils seraient toujours Michel et Gabrielle, protecteurs du Jardin, les Incorrompus, archanges de la Lumière.

Si elle se trouvait à San Francisco, c'était à cause de Charles : tous deux se séparaient rarement, et lorsqu'il lui avait demandé de l'accompagner en Californie, elle avait naturellement accepté. Il était parti tôt ce matin-là pour un rendez-vous avec un groupe d'Aînés locaux, à propos d'un problème urgent concernant la toute dernière génération des vampires. Allegra s'était inquiétée, mais Charles lui avait assuré que ce n'était sans doute rien d'autre que les soucis habituels accompagnant la transformation. Il y avait toujours de petits ratés ici ou là : certains jeunes s'éveillaient trop tôt à leurs souvenirs, ce qui provoquait confusion ou catatonie, d'autres avaient du mal à contrôler leur soif de sang. Les Aînés s'inquiétaient pour un rien.

Ils logeaient à Nob Hill, dans une des luxueuses résidences de fonction placées à leur disposition dans le monde entier. Comme elle avait du temps pour elle, Allegra décida de passer l'après-midi à se promener dans ce joli quartier, retrouver les rues en pente, faire un peu de shopping, s'arrêter pour admirer la vue. Au bout d'une heure, elle traversa Union Square et s'engagea dans Maiden Lane : une ravissante ruelle remplie de boutiques et de galeries d'art. Elle entra dans la première.

L'employée, une jeune brune très chic portant des lunettes à monture rouge et une petite robe noire au décolleté intéressant, la salua.

– Bonjour. Nous venons de terminer l'accrochage. Prenez votre temps !

Allegra la remercia en se disant qu'elle se contenterait d'une visite rapide. C'était Charles, le féru d'art : il avait commencé tout jeune et avait rassemblé une collection impressionnante au fil des ans. Ses goûts le portaient vers ce qui était le plus coté sur le moment : il pariait massivement sur les artistes en vogue. Leur belle maison de New York était remplie de Schnabel et de Basquiat, des tableaux

43

pleins de vaisselle cassée et de graffitis. Elle pouvait comprendre leur valeur, mais ne tenait pas spécialement à passer sa vie en compagnie de ces œuvres.

La galerie Vespertine était apparemment spécialisée dans la nouvelle vague de la peinture hyperréaliste, et Allegra examina plusieurs portraits avant qu'un, en particulier, n'attire son regard. C'était une toute petite toile, de quinze centimètres de côté, qui représentait une jeune fille assise dans un lit, la tête bandée. Allegra l'examina de nouveau sans bien en croire ses yeux. Tout y était : l'assiette de biscuits, le mobilier en rotin. La jeune fille arborait un sourire un peu perplexe, comme si elle ne savait pas trop ce qu'elle faisait à l'hôpital. La peinture comportait des références à l'iconographie religieuse : l'auréole dorée qui entourait la tête du sujet, ainsi que les couleurs vives de la pièce, étaient peintes dans le style des miniatures des livres de prières médiévaux, avec leurs délicates images de saints et d'anges. Le tableau était intitulé : *Tout ce que je vois me fait penser à toi.*

Allegra eut un hoquet et rougit violemment, comme si elle était l'objet d'une farce cosmique, et elle se détourna en chancelant. Ce n'était pas possible... à moins que... ? Mais forcément... Cette chanson était une plaisanterie entre eux...

– Vous connaissez son travail ? demanda la jolie employée, qui était soudain apparue à ses côtés.

Elle arborait un sourire obséquieux, comme si elle avait su d'instinct à quel moment « je regarde » se transforme en « j'achète ».

– Je ne suis pas sûre, dit Allegra, le cœur battant comme un tambour sous son fin pull de cachemire, le feu aux joues, la bouche sèche. Comment s'appelle-t-il ?

– Stephen Chase. Il habite ici. Art Forum a publié une critique dithyrambique sur son expo de la saison dernière. Un talent fou. Tout le monde en parle. Il fait sensation, en ce moment.

Allegra hocha la tête, incapable de toute autre réaction. Stephen Chase. Un nom qu'elle ne risquait pas d'oublier, même si à l'époque où elle l'avait connu tout le monde l'appelait Bendix. C'était une toile de Ben, bien sûr, elle l'avait su à l'instant où elle l'avait vue.

– Combien ? demanda-t-elle sans même réfléchir.

De toute manière, il n'y avait aucun doute : elle savait qu'elle allait l'acheter.

L'employée lui donna un prix rondelet et murmura quelque chose à propos de frais supplémentaires d'encadrement et de livraison.

– Je le prends, dit Allegra qui cherchait déjà sa carte de crédit. Et j'aimerais l'emporter. Maintenant.

– Magnifique ! C'est une toile extraordinaire. Félicitations. Mais j'ai bien peur de ne pas pouvoir vous la laisser tout de suite. L'expo se prolonge jusqu'au mois prochain, et nous expédierons tout aux acquéreurs ensuite. J'espère que ce n'est pas un problème ?

Allegra fit non de la tête, bien qu'elle soit déçue. Elle aurait voulu l'avoir immédiatement, fourrer le tableau dans sa valise et l'emporter pour l'examiner en privé.

Toute cette année fatale lui revint comme un torrent. Alors comme ça, Ben ne l'avait pas oubliée. Il avait représenté le jour de leur rencontre, le jour où elle avait reçu une balle de hockey sur la tête, à Endicott, et avait été envoyée à la clinique, où ils avaient partagé une chambre

45

et un téléviseur. Il avait la jambe cassée, elle s'en souvenait à présent, et avait demandé à l'équipe de hockey – son équipe à elle – de signer son plâtre. En un éclair, elle revit tout comme si c'était hier.

– Combien de temps restez-vous en ville ? s'enquit l'employée tout en encaissant et en vérifiant l'identité d'Allegra.

– Nous partons demain.

– Dommage. Nous donnons une réception en son honneur samedi soir, et il adore rencontrer ses acheteurs.

Allegra réfléchit à toute vitesse. Elle pourrait proposer à Charles de rester encore quelques jours. Il avait manifesté l'envie d'assister au vernissage de la nouvelle exposition d'art olmèque à la galerie De Young. Bien sûr, il voudrait qu'elle l'accompagne, mais peut-être pourrait-elle inventer une excuse pour lui fausser compagnie et se rendre au dîner.

– J'ai un emploi du temps assez souple, dit-elle. Et je tiens à le remercier pour cette toile...

La fille inscrivit l'adresse sur le reçu qu'elle donna à Allegra.

– Formidable ! Il va être ravi.

Allegra n'était pas sûre que « ravi » soit le mot qui convenait. Elle se rappelait encore la dernière fois qu'ils s'étaient vus : c'était le jour où elle avait fait de lui son familier, la première fois qu'elle avait bu son sang et se l'était approprié. Ensuite, elle avait disparu de la surface de la Terre. Elle pensait ne jamais le revoir. Correction : elle *espérait* ne jamais le revoir. Tout cela à cause de la terrible vision qu'elle avait eue de leur avenir, un avenir qu'elle fuyait depuis cinq ans.

Toutes les fibres de son être immortel et tout le savoir qu'elle portait dans son âme lui criaient de sauter dans le premier avion pour partir, loin. C'était dangereux de revoir Ben. Elle était tombée amoureuse de lui une fois, et, à présent, son cœur avait retrouvé sa place légitime. Elle aimait Charles, et ils renouvelleraient leur lien comme ils l'avaient toujours fait depuis la nuit des temps, depuis qu'ils avaient quitté le royaume des Cieux pour apporter l'espoir aux anges déchus. Elle était destinée à aimer son jumeau comme avant... et pourtant, c'était ce même cœur obstiné qui lui disait de rester, c'était son cœur qui lui intimait de ne pas s'en aller.

Elle verrait Ben le samedi soir, elle en avait la certitude. Si le destin existait, Allegra sentait qu'il l'attirait dans une direction nouvelle et l'éloignait de la vie prévue, loin de l'Assemblée et de l'ange qu'elle aimait de toute éternité. Allegra s'attendait à être tourmentée par l'angoisse et la culpabilité, mais au contraire, en sortant de la galerie, elle éprouva une émotion étrange et nouvelle, qu'elle n'avait pas ressentie depuis bien longtemps : elle était heureuse.

QUATRE

Des couteaux au marché

L e Relais du Zambèze ne ressemblait à aucune des aires d'autoroute que Theodora avait vues dans sa vie. Non seulement c'était un gigantesque complexe de restaurants et de parcs où des familles nombreuses pique-niquaient dans l'herbe en profitant de la douceur de l'après-midi, mais il y avait aussi, carrément, une réserve d'animaux sauvages pour safaris photo. Le personnel expliquait volontiers que les parcs zoologiques étaient désormais très répandus sur les aires de repos prévues pour les nombreux voyageurs qui se déplaçaient en voiture entre les grandes villes d'Égypte. Le propriétaire avait conçu celui-ci à l'imitation de la savane africaine, avec zèbres et lions.

– Apparemment, le vendredi après-midi, c'est la chasse des lions, dit Jack qui lisait la brochure. Ils font entrer un cochon dans l'enclos, et les lionnes...

– Arrête ! lança Theodora en se retenant de rire. C'est horrible !

Ils se prirent par la main sous la table, soucieux de ne pas trop montrer leur affection en public. La capacité de

Theodora à transformer son visage et sa garde-robe lui permettait de se fondre facilement dans la foule, surtout si elle cachait ses cheveux sous un foulard de soie noire. En Égypte, elle avait remarqué que les jeunes filles n'étaient pas toutes voilées. Certes, on voyait des femmes en burqa, cachées de la tête aux pieds, mais beaucoup portaient un foulard coloré très mode avec un jean et un tee-shirt à manches longues. Les femmes riches, couvertes de bijoux, fréquentaient visiblement les salons de coiffure et sortaient à visage découvert. Le seul inconvénient que Theodora avait constaté en voyageant dans le pays, c'est qu'elle ne pouvait pas se déplacer sans Jack. Non que ce soit dangereux, mais simplement, cela ne se faisait pas, pour une jeune femme, de marcher seule dans la rue : elles étaient soit en groupe, soit avec un parent de sexe masculin, et comme elle et Jack ne voulaient surtout pas attirer l'attention, il était préférable qu'ils se conforment aux usages locaux.

Ils achevèrent leur déjeuner tardif et repartirent affronter la circulation sur la route. Une fois dans la capitale, Theodora trouva Le Caire aussi épuisant qu'au moment de leur arrivée dans le pays : les rues et les trottoirs étaient noirs de monde, pollués, encombrés de piétons et de voitures, le tout noyé dans un vacarme de klaxons. Non sans difficulté, Jack rendit leur véhicule au loueur et ils trouvèrent un taxi auquel ils demandèrent de leur dénicher un hôtel. Comme ils faisaient attention à leurs finances, ils prirent la direction du centre, où, d'après ce que Theodora avait entendu, on pouvait se loger pour moins cher que dans les hôtels de luxe qui longeaient les rives du Nil. Les auberges bon marché se trouvaient dans de vieux immeubles décrépis, dans des rues animées et bruyantes. Ils virent plusieurs taudis pour routards que Jack rejeta, bien que Theodora ait dit que cela ne la dérangeait pas. Ils finirent par se décider pour un petit hôtel situé dans un pâté de maisons relativement calme, et dont le hall paraissait un peu moins sale qu'ailleurs.

Jack appuya sur la sonnette de la réception et, après une longue attente, un hôtelier ensommeillé et bougon sortit d'une arrière-salle.

– C'est pour quoi ?

– Nous voudrions une chambre, dit Jack. En avez-vous de libres, monsieur ?

– Pour combien de temps ?

– Une semaine, peut-être plus. C'est possible ?

– C'est votre femme ? demanda l'homme en posant un regard soupçonneux sur Theodora.

– Oui, répondit Jack avec impatience.

Il montra son alliance à l'hôtelier. Theodora prit un air pudique et modeste. Jack tambourina sur le comptoir.

– Il y a un problème, monsieur ?

Sa voix était polie mais contrariée. Theodora savait que Jack répugnait à utiliser la compulsion sur les humains, mais le voyage avait été long et sa patience était à bout.

Après avoir compté la monnaie en prenant tout son temps, l'hôtelier décrocha enfin une clé du tableau et les emmena à l'étage. La chambre était dépouillée mais propre, et ils allèrent se coucher sans attendre, car ils comptaient se lever tôt.

Le lendemain matin, Jack se prépara à aller s'entretenir avec des membres de l'Assemblée locale.

– Je vais passer quelques coups de fil. Voir si je peux trouver quelqu'un pour nous aider à trouver des pistes concernant Catherine, dit-il en se levant. Reste un peu te reposer. Tu as l'air fatiguée, mon amour.

Il l'embrassa et sortit. Ses cheveux blonds cachés sous une casquette, ses yeux verts dissimulés derrière des lunettes noires couvrantes, en tenue de toile légère et chemise blanche, il semblait prêt pour l'action, et pourtant Theodora avait peur pour lui. Elle savait qu'il ne lui arriverait rien, car c'étaient les autres qui avaient tout à craindre d'Abbadon, mais c'était plus fort qu'elle. Elle craignait pour sa vie. Elle savait qu'elle avait eu raison de l'aider à éviter l'épreuve du sang, mais elle redoutait que ce ne soit pas suffisant, que Jack, d'une manière ou d'une outre, soit enlevé sans avertissement et sans qu'elle puisse jamais le revoir.

Pendant qu'il était sorti, Theodora se replongea dans les notes de son grand-père. Chaque fois qu'elle les relisait, Lawrence lui manquait. Elle l'imaginait la testant, la mettant au défi de trouver la vraie signification cachée derrière les phrases cryptiques. L'une de ses maximes favorites était : « En général, ce que nous cherchons est juste sous nos yeux. »

Jack revint dans l'après-midi. Il retira sa casquette et se frotta les yeux.

– Les bureaux du Conclave sont abandonnés. Mais j'ai retrouvé un Intermédiaire humain qui a servi un vieil ami à moi, autrefois. Il m'a dit que l'Assemblée subissait des attaques depuis un mois, et que les vampires se préparaient à quitter la ville. Rien que des mauvaises nouvelles.

Un instant, il eut l'air découragé. Le fait qu'une autre Assemblée parte se cacher sous terre était un coup dur, bien sûr.

– Bref, je lui ai demandé s'il avait entendu parler d'une certaine Catherine de Sienne. Ce n'était pas évident, mais parfois les légendes ont la vie dure, dans le vieux monde.

– Alors ? demanda Theodora avec un trait d'espoir.

– On tient peut-être une piste. Il m'a donné un nom : Zani, une grande prêtresse qui compte énormément d'adeptes. Nous avons rendez-vous avec un guide qui peut nous mener à son temple, au souk, dans une heure.

Jack la regarda droit dans les yeux.

– Il y a autre chose.

– Quoi ?

Theodora fut alarmée, tant il avait l'air sombre.

– Je crois que ma sœur est ici. Je sens sa présence... Elle cherche quelque chose.

Theodora se précipita à ses côtés.

– Alors on s'en va.

– Non. Je sais qu'elle n'est pas là pour moi.

– On ne peut pas prendre le risque...

– Si, dit-il doucement. Je ne crains pas Mimi ni sa colère. Nous irons voir la prêtresse, tu trouveras ta gardienne.

Ils se mirent en route, à pied, par les rues enchevêtrées du Caire, où il n'y avait ni passages piétons, ni feux de circulation, ni panneaux de signalisation, le tout dans un grand désordre de voitures, de cars, de minibus brinquebalants, d'ânes, de charrettes, de bicyclettes et de scooters filant dans toutes les directions. Comme sur l'autoroute, chacun passait en force, poussant et écartant les autres. Theodora vit une voiture, en plein milieu de la rue, dont le propriétaire changeait une roue : il ne lui serait pas venu à l'idée de la pousser sur le côté pour dégager la voie. Utilisant leur vitesse vampirique, ils zigzaguèrent rapidement entre les véhicules en mouvement et ne tardèrent pas à rejoindre le marché.

Le souk de Khan el-Khalili était un vrai labyrinthe. Jack expliqua que ce lieu avait été le centre du commerce au Caire dès le Moyen Âge, mais que désormais c'était principalement un marché touristique. Des douzaines d'échoppes proposaient des objets liés aux pharaons et des babioles égyptiennes : scarabées, pyramides de cristal, services à thé Néfertiti, cartouches dorés ou argentés portant votre prénom en hiéroglyphes. Précédemment organisés en districts, les commerces étaient à présent pêle-mêle : les marchands de tapis côtoyaient les boutiques d'informatique. Seuls les orfèvres, les artisans du cuivre et les marchands d'épices conservaient leurs quartiers historiques.

Theodora marchait rapidement, du même pas que Jack, en s'efforçant d'ignorer les commerçants qui lui fourraient leurs marchandises sous le nez et tentaient de l'attirer dans leurs échoppes. Elle ne voulait pas perdre son frère de vue : il était convaincu que sa jumelle n'était pas là pour lui, mais elle-même n'en aurait pas juré. Elle était certaine que Mimi ne les laisserait jamais en paix. Ils faisaient ce qu'ils pouvaient pour rester ensemble, mais la foule était dense et ils étaient souvent séparés par des marchands agressifs qui s'interposaient entre eux pour leur montrer quelque bibelot « authentique ».

– Très jolie bague, oui ? Pierre de jade authentique. Cent pour cent *made in Egypt* !

– Non, désolée, dit Theodora qui tenta de prendre la main de Jack mais sentit ses doigts glisser tandis que l'homme se plaçait entre eux.

– *Miss, miss, miss...* Venez voir... Vase en albâtre, trouvé dans les tombes. Très rare, très rare, dit un autre en brandissant un ornement probablement fabriqué en Chine.

Où était Jack ? Theodora le chercha des yeux en s'efforçant de ne pas paniquer.

– Un *ânkh* ? Pour éloigner le mauvais œil, *miss*... Venez voir. Entrez, entrez, pour le plaisir des yeux. Très joli.

– Non, non, désolée...

Passant son chemin, elle tenta de doubler un groupe de touristes russes qui regardaient, bouche bée, une copie du sarcophage de Toutankhamon. *Jack ?*

Je suis là. Ne t'en fais pas.

Il apparut à côté d'elle, et elle poussa un soupir de soulagement.

– *Miss* ! Pour vous ! Saphir, assorti à vos yeux !

– Non, désolée. Je vous en prie... dit Theodora en repoussant l'homme. C'est pas vrai, qu'est-ce qu'ils sont insistants !

– On est hors saison, ils le sont toujours un peu plus à ce moment-là. Ah, c'est ici, ajouta Jack en s'arrêtant devant une échoppe qui proposait toutes sortes d'ornements religieux, des crucifix aux ménorahs.

– C'est qui, ce guide ?

– Robertson m'a dit que c'était un fidèle de Zani, il est grand prêtre dans son église, quelque chose comme ça. Il

55

est censé chercher « le Yankee », expliqua-t-il avec un sourire plein d'ironie en montrant sa casquette de l'équipe de base-ball new-yorkaise.

– Pour vous ! Cent pour cent authentique ! s'écria un boutiquier particulièrement agressif en lui agitant une carpette devant les yeux.

– Non, merci, monsieur... dit Theodora en tâchant de l'éloigner à grands gestes.

À côté d'elle, Jack fut accosté par un autre commerçant qui tenta de lui fourguer un narguilé. Il restait poli, mais Theodora, elle, faillit sortir de ses gonds avec le marchand de tapis. Elle était encore en train de s'en dépêtrer lorsqu'elle s'aperçut que Jack avait disparu.

– Jack ? s'écria-t-elle, angoissée et dépassée.

Elle était certaine qu'il ne lui était rien arrivé, bien sûr, mais Mimi se trouvait tout de même au Caire. À cette idée, Theodora commençait à éprouver une terreur glaciale au creux du ventre.

– JACK ! *Jack, où es-tu ?* lui envoya-t-elle mentalement.

Lorsqu'elle se retourna, sa montre se prit dans la carpette et arracha des fils de laine.

– Il faut l'acheter ! Qui casse paie ! Achetez ! Achetez !

– Jack ! cria Theodora en repoussant le marchand.

Jack avait-il trouvé le guide ? Où était-il parti ? Pourquoi ne répondait-il pas à ses appels dans le *Glom* ?

Le marchand de tapis l'attrapa par le bras et lui beugla dans l'oreille :

– *Miss* ! Vous achetez ça ! Qui casse paie ! Cent dollars !

Cette fois, elle envoya carrément valser le petit homme replet, qui alla s'écraser dans un étalage de lampes.

– Oh, non ! Désolée ! lança-t-elle, ce qui le fit enrager encore davantage.

À présent, elle avait deux marchands à ses basques, réclamant un remboursement pour des objets cassés.

Elle commençait à se sentir prise dans un traquenard et chercha frénétiquement Jack autour d'elle. Lorsqu'elle le repéra enfin, elle vit avec horreur un assaillant encapuchonné arriver derrière lui, et une lame argentée briller au soleil. Le marché était si animé que personne ne remarqua rien : autour d'eux, touristes et boutiquiers évoluaient sans aucune conscience du danger.

Elle était paralysée, trop épouvantée pour hurler, mais au dernier moment, Jack fit volte-face et désarma prestement son agresseur. Il avait le dessus, mais là, il regarda dans sa direction et relâcha soudain son emprise.

Que faisait-il donc ? Theodora était sur le point de l'appeler lorsqu'une cagoule noire lui couvrit soudain la tête. Elle fut traînée de force, hurlant, lançant des ruades. Le bruit du marché et la zizanie engendrée par les marchands de tapis et de lampes, ivres de colère, noyèrent ses cris. Elle fut entraînée à l'écart de la foule, dans une ruelle tranquille et retirée.

Son agresseur la tenait fermement par le cou, mais Theodora ordonna à son esprit de se calmer et, vive comme l'éclair, agrippa la poignée dorée de son épée.

– Ton ami a déjà déposé les armes, cracha une voix de femme, glaciale. Je te recommande de l'imiter.

Theodora lâcha l'épée de sa mère.

CINQ

La pyramide de Gizeh

U ne longue limousine noire les attendait devant
l'hôtel. Un chauffeur en uniforme les salua en s'inclinant, puis leur tint la portière ouverte.

– Voilà qui est mieux, dit Mimi, soulagée de ne pas avoir
à marchander un tarif de taxi, du moins pour aujourd'hui.

– C'est ce que j'ai pensé, fit Oliver avec un sourire.
Après toi.

La voiture se mit à avancer à une allure de fourmi dans
les rues encombrées. On imagine souvent que les pyramides
se dressent au milieu d'un vaste paysage désertique,
triangles solitaires sur fond de ciel vide, mais il n'en est
rien : elles se trouvent juste à la sortie d'une banlieue surpeuplée nommée Gizeh, et le site tient nettement du carnaval. Il fourmille non seulement de touristes venus du
monde entier, mais aussi d'écoliers en sortie de groupe, de
marchands de souvenirs, de chameaux crachant et de
guides brandissant leur drapeau. Si Mimi avait pris la peine
de pratiquer ses exercices de mémoire, elle se serait rappelé
qu'il en avait toujours été ainsi. Les pharaons sang-bleu

avaient bâti les pyramides afin qu'elles servent d'*Oculi* dans le *Glom* : des phares qui guidaient l'esprit (le *ka*) vers sa demeure. Mais depuis leur construction, les sang-rouge s'étaient abattus dessus comme des papillons attirés par une ampoule, émerveillés par leur stature et leur beauté. Les vampires en avaient été les premiers étonnés, mais c'était ainsi : depuis que le tourisme existait, les pyramides étaient des attractions prisées.

Le chauffeur les arrêta le plus près possible de l'entrée du site. Une fois descendue de voiture, Mimi plaça sa main en visière devant ses yeux pour contempler ces superbes constructions. Elles étaient immenses : chacune de leurs pierres était plus haute que le plus grand des hommes. Mimi se souvenait toutefois qu'elles avaient été encore bien plus belles dans leur état d'origine, lorsqu'elles étaient encore couvertes de dalles de calcaire poli. Quel dommage que ces pierres blanches aient été arrachées, au fil des millénaires, pour être réutilisées ailleurs ! Seule la deuxième en taille, la pyramide de Khéphren, en avait encore un peu sur la pointe.

En face du complexe des pyramides se trouvait le *Giza Hut*. C'est ainsi que tout le monde appelait le *Pizza Hut* local. Au cours de leur premier voyage au Caire, Mimi et Oliver y avaient déjeuné, et Oliver avait pris une photo du logo moderne et criard du restaurant à côté d'une fenêtre donnant sur les tombes. Il n'y avait nul besoin d'être un sang-bleu pour apprécier l'ironie délicieuse de ce contraste, ni la pizza brûlante, d'ailleurs.

C'est par un pur hasard qu'ils avaient découvert ce passage vers le Monde des Abîmes. Oliver avait étudié en long et en large les archives du Sanctuaire, et en avait conclu que la porte de la Promesse se trouvait à Alexandrie. Mais à l'atterrissage au Caire, il avait soudain changé d'avis. En effet, un voisin de voyage avait appelé la ville « la grosse mangue », ce qui avait entraîné entre eux une conversation sur l'origine des noms des villes. Il avait eu bien du mal à cacher son excitation en apprenant que « Le Caire » signifiait « la cité victorieuse ». « La cité du vainqueur sur les rives du fleuve d'or », avait expliqué Oliver en consultant ses notes. Mimi, à vrai dire, ne comprenait pas un mot de tout ce charabia sur les portes de l'enfer. Ils n'étaient même pas allés jusqu'à Alexandrie, car Oliver était désormais convaincu que la porte se trouvait au Caire, et elle l'avait suivi les yeux fermés.

Tout en traversant le bazar, Mimi réfléchissait à la relative facilité de leur voyage vers l'enfer. N'était-ce pas une de ces fameuses portes que recherchait la nouvelle épouse de son frère ? À cause du prétendu héritage Van Alen ? Était-il possible que Jack se trouve dans les parages ? Elle percevait quelque chose dans l'air, ou plutôt dans le *Glom*, qui ressemblait à sa signature, mais sans certitude aucune. Il y avait si longtemps qu'ils n'avaient pas pu communiquer par télépathie, si longtemps qu'elle n'avait lu dans ses pensées... Mimi sentit le vieux bouillonnement de haine remonter comme de la bile dans sa gorge. Chaque fois qu'elle pensait à son jumeau, elle en avait la bouche sèche, comme remplie de cendres et de sable. Elle prendrait sa vie, un jour, elle se le promettait. Il lui devait une épreuve du sang, un combat à mort. Mais elle mit provisoirement de côté ces idées venimeuses. La descente dans le Monde des Abîmes réclamait toute son attention.

Même si leur périple n'exigeait pas d'arpenter la mort – un rituel bien plus dangereux, dont seuls les *Venator* les plus doués pouvaient se tirer, car il fallait dissimuler la trace de l'esprit pour imiter la mort –, la tâche qui les attendait était loin d'être facile et éprouverait forcément son compagnon humain. Mimi avait prévu qu'ils pénètrent dans le *Glom* avec une identité physique intacte : il n'y aurait pas de division entre le corps et l'esprit. Les Arpenteurs de mort, eux, avaient la capacité de se trouver partout à tout moment dans le Monde des Abîmes. Oliver et elle seraient des cibles bien plus lentes et faciles, mais ils n'avaient pas le choix, vu qu'Oliver était humain et incapable de séparer son âme de son enveloppe physique. De toute manière, Mimi n'avait nullement l'ambition de devenir une Arpenteuse de mort. C'était bien trop risqué.

Mais il fallait déjà atteindre la porte. Le meilleur moyen de gagner leur destination était à cheval ou à dos de chameau, et, une fois de plus, Oliver prouva sa valeur, car il s'était déjà organisé pour que deux superbes chevaux arabes et leurs guides les emmènent jusqu'aux tombes. Mimi, qui avait remporté de nombreux concours hippiques, partit rapidement au trot, tandis qu'Oliver, un peu mal à l'aise sur sa selle, avait plus de difficulté à contrôler sa jument.

– J'aurais dû laisser ma mère me persuader de faire du cheval plutôt que de la danse de salon ! dit-il avec une grimace.

Mimi fit claquer sa langue.

– Tiens un peu plus fermement les rênes. Montre-lui qui commande.

Ils passèrent ainsi devant l'entrée publique de la grande pyramide de Khéops, la plus haute des trois, et d'une autre qui jouxtait le Sphinx. Celui-ci, à l'inverse des pyramides, semblait plus petit en vrai qu'en photo. Il n'y avait pas grand-chose à voir à l'intérieur des pyramides, qui étaient pour l'essentiel des tombeaux vides, déconseillés aux claustrophobes. Le seuil du Monde des Abîmes se trouvait dans la plus petite, celle de Mykérinos. Ils laissèrent leurs montures aux bons soins des guides et s'approchèrent de l'entrée.

– L'accès est interdit par ici. Pour les visites privées, c'est par là, mademoiselle, dit un gardien en leur barrant la route et en désignant l'autre pyramide.

– Nous n'en avons que pour une seconde, répondit Mimi en utilisant la compulsion pour le faire regarder ailleurs.

Trop facile ! L'esprit des sang-rouge était si malléable... Mimi déverrouilla les portes à l'aide d'un sort et s'engagea la première dans l'escalier qui descendait vers les profondeurs.

L'Ordre des Sept avait posé les portes de l'enfer sur les chemins des Morts à l'époque du règne de Caligula, afin de protéger le domaine terrestre contre les démons des Abîmes. Ces portes gardaient les sang-d'argent prisonniers, mais, à condition de savoir par où passer, tout le monde pouvait entrer en enfer (les sang-rouge, toutefois, étaient habituellement obligés d'attendre la fin de leur vie pour pénétrer dans le royaume des Morts).

Mimi entraîna Oliver à sa suite dans le *Glom* vivant, le monde alternatif invisible depuis le monde physique.

– Comment ça va ? demanda-t-elle en le voyant se plier en deux, les bras serrés sur le ventre.

– Mal au cœur. Mais je survis, dit-il en s'essuyant la bouche avec son mouchoir.

Pour l'instant, en tout cas, songea Mimi.

Au loin, on distinguait un petit portail métallique, pas très différent d'un portail de jardin, fermé par un simple crochet.

– C'est tout ? s'étonna Oliver, sceptique. C'est ça, la porte de la Promesse ? On dirait une barrière de piscine.

– Oui, bon, grommela Mimi en soulevant le crochet. Je crois que chacun la voit différemment. De l'autre côté, c'est une vraie forteresse. Tu es prêt ? Tu risques d'avoir un peu la nausée.

– Encore plus que maintenant ? Tu aurais dû me dire d'emporter des sacs vomitoires.

Il s'épongea le front et inspira à fond, plusieurs fois.

Mimi leva les yeux au ciel. Elle lui tint la porte, et ils franchirent le seuil ensemble. À chaque pas, ils avaient l'impression de parcourir un kilomètre, ou sept lieues, et ils se retrouvèrent bientôt dans les Limbes, le premier cercle de l'enfer. Cette zone intermédiaire entre les mondes se manifestait sous la forme d'un vaste paysage désertique, assez analogue à celui qu'ils venaient de quitter, mais sans les pyramides.

– Ça facilite la transition, expliqua Mimi.

Oliver trouvait que cette étendue pierreuse et désolée ressemblait un peu à la Vallée de la Mort, dans le désert de Mojave, en Californie. Des palmiers se dressaient dans le lointain, et des boules d'herbes sèches roulaient le long

de la route, sous une chaleur écrasante qui le faisait trans-
pirer dans sa saharienne.

– Allons-y, dit Mimi en faisant sauter dans sa main les
clés d'un cabriolet Mustang décapotable qui s'était maté-
rialisé comme par magie. Monte, je conduis. Je connais le
chemin.

– Je n'en doute pas.

Oliver toussa, mais s'exécuta. Azraël, l'ange de la Mort,
était de retour dans son pays.

Six

Portrait de l'artiste en jeune héritier

A llegra arriva en retard à la soirée. Elle était restée trop longtemps devant la glace, angoissée, à se demander comment s'habiller. Rien de ce qu'elle avait apporté de New York ne lui convenait, elle détestait soudain toutes ses tenues. Charles s'était rendu comme prévu au vernissage ; elle l'avait convaincu qu'elle n'était pas d'humeur à faire des mondanités et qu'elle préférait rester lire au calme. Charles, impatient d'aller admirer la remarquable collection d'art sud-américain, n'avait heureusement pas insisté. Il appréciait le tourbillon de la vie mondaine, il aimait attirer le regard d'une Assemblée qui le vénérait, et Allegra savait qu'elle ne lui manquerait pas.

À l'instant où il eut refermé la porte derrière lui, elle sortit tout le contenu de sa penderie. La dernière fois que Ben l'avait vue, elle avait seize ans, elle était fraîche et débordante de jeunesse, de vie, d'énergie. Bien sûr, cinq ans ne faisaient pas une grande différence, et pourtant elle se sentait vieillie, bien plus consciente de sa beauté et des réactions qu'elle provoquait chez les membres du sexe opposé.

Elle s'était fait couper les cheveux très court, ce qui lui donnait presque l'air d'un garçon, et Charles détestait cela : il avait toujours adoré ses longues mèches blondes, adoré plonger ses doigts dans leur masse épaisse et légère à la fois. Il ne lui avait pas caché sa déception lorsqu'elle était rentrée de chez le coiffeur avec sa nouvelle coupe.

Mais Allegra, elle, avait adoré ce soulagement, cette libération : fini, ce poids dans sa nuque, qui l'étouffait de chaleur en été ; fini, les voitures s'arrêtant dans des crissements de pneus lorsqu'elle traversait la rue ; fini, les regards ébahis lorsqu'elle marchait sur le trottoir avec sa chevelure dorée flottant derrière elle comme une voile. Elle appréciait d'être un peu moins remarquée, un peu plus oubliable, un peu plus ordinaire, presque quelqu'un d'autre pour changer. Mais à présent, en passant les doigts dans ses mèches courtes, elle craignait que Charles n'ait eu raison, que sans ses cheveux elle ne soit plus elle-même. Elle avait peur d'être ordinaire et banale.

Elle se décida pour un look qu'elle affectionnait : chemisier en soie blanche, Levis masculin, gros ceinturon de cuir et vieilles santiags.

La soirée avait lieu dans une demeure de Pacific Heights, au sommet des collines. En franchissant les portes à dorures, Allegra prit une flûte de champagne sur le plateau que portait un serveur. Elle s'avança parmi des invités tous sur leur trente et un : femmes en fourrure et velours, hommes en veste sur mesure de marque japonaise. La fête se concentrait dans le salon, un espace confortable dont les murs étaient couverts de livres, avec une vue à couper le souffle sur le pont du Golden Gate et un vrai Monet accroché au-dessus de la cheminée. Malgré la présence d'antiquités rares et de tableaux de maîtres, les lieux étaient chaleureux et accueillants.

– J'ai l'impression de vous connaître. Je suis Decca Chase, bienvenue chez nous.

Cette femme, une des personnalités les plus en vue de San Francisco, était aussi la mère de Ben. Elle lui sourit.

– C'est vous, sur les tableaux, n'est-ce pas ?

Parce qu'il y en avait d'autres ? Allegra n'en avait vu qu'un à la galerie.

– Mme Chase, quel plaisir de vous revoir.

– Nous nous sommes donc déjà rencontrées ? lança la femme, ravie.

Elle était grande, comme son fils, et avait le même physique élancé, avantageux, athlétique. Elle était impeccablement vêtue, drapée dans du cachemire blanc. Allegra se rappela que sa compagne de chambre, au lycée, lui avait dit que la mère de Ben était l'héritière d'une grande fortune de San Francisco, et que le deuxième prénom du garçon, Bendix, lui venait de ce côté-là de la famille.

– J'étais au lycée avec Ben, à Endicott, expliqua-t-elle, un peu intimidée par son aimable hôtesse.

– Bien sûr ! Il sera enchanté de revoir une vieille amie.

Et Decca Chase, pivotant sur elle-même, plongea dans la foule en tenant Allegra par la main. Elles s'arrêtèrent devant un grand garçon en veste sport bleue, qui racontait à un vaste auditoire une anecdote fascinante et drôle.

– Regarde qui j'ai trouvé ! lui lança Decca.

Allegra se sentit soudain très gênée, et regretta même de ne pas s'être rendue au vernissage avec Charles. Que faisait-elle là ? Elle n'y avait pas sa place, d'autant que la mère de Ben était gentille à faire mal. Peut-être était-il encore temps de s'éclipser, de se faire totalement oublier... Mais elle était comme clouée sur place, et déjà Ben se tournait pour la saluer.

Il n'avait pas changé. Il était toujours grand, blond doré, avec ce même sourire joyeux et amical, les mêmes yeux bleus étincelants. Toute sa personne était aussi claire et ensoleillée qu'un après-midi d'été.

– Belles Gambettes ! s'exclama-t-il.

Ce vieux surnom, et surtout le fait qu'il l'utilise avec tant de désinvolture, meurtrit un peu Allegra.

Il l'embrassa spontanément, comme s'ils étaient de vieux camarades de classe et rien d'autre... comme si elle ne l'avait jamais marqué, n'avait jamais pris son sang, ne se l'était jamais approprié.

Elle se demandait ce qui lui avait pris de venir ce soir. Était-elle venue voir s'il était détruit, si elle l'avait anéanti ? Était-elle déçue de constater qu'il n'en était rien ? Non. Elle avait eu raison de partir d'Endicott quand elle l'avait fait, dès qu'elle avait eu sa vision. Le garçon était bien mieux sans elle. C'était le même bon vieux Ben, avec ses joues rouges et ses fossettes. Toujours aussi BCBG, il portait une vieille cravate d'université en guise de ceinture. Son jean, bien sûr, était élégamment taché de peinture. Mais s'il y avait un calcul dans sa manière de s'habiller, en revanche elle n'en voyait aucun en lui. Il se montrait naturel et aimable : on avait du mal à ne pas l'apprécier, c'était un de ces garçons adorés de tous, ce qui expliquait que Charles l'ait détesté dès le départ.

– Salut, Ben, dit-elle en lui faisant la bise.

Elle masquait derrière un sourire ses émotions à fleur de peau.

– Personne ne m'appelle plus comme ça, dit-il avant de boire une gorgée de bière, un regard pensif fixé sur elle.

– Et personne ne m'appelle « Belles Gambettes » à part toi, répondit-elle faiblement.

– Je te taquinais. Appelle-moi comme tu veux. Ou alors, ne m'appelle pas du tout !

La petite troupe qui l'entourait se dispersa, tant il était évident que cette superbe inconnue – Allegra n'aurait jamais dû douter de sa beauté, elle était toujours à tomber, même avec ses cheveux courts – monopolisait toute son attention.

– Les enfants, je vous laisse refaire connaissance, dit Decca Chase en les couvant d'un regard satisfait. Je vais voir ce que fabrique ton père, Stephen, j'espère qu'il n'a pas mangé tous les canapés au caviar.

Allegra avait oublié la présence de la femme. Celle-ci se déplaçait avec aisance dans la foule, serrant un coude ici, riant à une plaisanterie ailleurs, en hôtesse accomplie.

Un serveur se présenta pour remplir la flûte d'Allegra, qui fut ravie de cette diversion. Elle ne savait pas quoi dire à Ben. Elle ignorait toujours ce qu'elle faisait là. Tout ce qu'elle savait, c'est qu'une occasion de le revoir s'était présentée et qu'elle avait sauté dessus, tel un naufragé qui aperçoit une bouée de sauvetage.

– Elle est très sympa, ta mère. Tu ne m'avais jamais dit qu'elle était comme ça.

Il lui avait confié, au lycée, que ses parents n'avaient

71

jamais de temps à lui consacrer quand il était petit. Cette fête somptueuse était peut-être leur manière de se rattraper.

– Un oubli, sans doute... Ah, je sais. Je t'ai fait le coup du « pauvre petit garçon riche », non ?

Allegra éclata de rire, heureuse de retrouver leur camaraderie.

– Belle maison, fit-elle remarquer en contemplant le Picasso accroché dans la salle à manger.

Ben soupira.

– Mes parents... Ce qu'il y a de pire, à être aussi riche, c'est que je ne connaîtrai jamais la vie de bohême.

– C'est dur ? renchérit Allegra, moqueuse.

– Oh, affreux ! répliqua gaiement Ben. Je mange à ma faim, ma mère se sert de ses relations pour que toute la presse parle de mon œuvre... C'est pas facile tous les jours, je peux te le dire.

Allegra sourit. Le milieu privilégié dans lequel évoluait Ben faisait partie de lui, il n'était pas responsable de ce qu'étaient ses parents : il avait simplement la chance d'être leur rejeton.

Il l'observa attentivement.

– Tu t'es coupé les cheveux, remarqua-t-il, les sourcils froncés.

– J'ai eu envie de changer.

Elle s'efforçait d'assumer bravement, mais il détestait, elle le voyait bien. Pourquoi avait-elle tout coupé ? À quoi pensait-elle quand elle avait fait ça ?

– Ça me plaît, conclut-il avec un hochement de tête approbateur. Au fait, on m'a dit que tu avais acheté une de mes toiles.

– C'est vrai.

Elle remarqua qu'un groupe d'invités gravitait autour d'eux, attendant qu'elle le libère.

– Heureusement ! J'étais à découvert.

– Menteur.

Elle fit un geste vers ses admirateurs.

– Je crois que je gêne ton fan-club.

– Oh, qu'ils aillent se faire voir. Ça me fait sacrément plaisir de te voir, Belles Gambettes. Tu veux passer à l'atelier demain ? Voir d'autres pièces ? Je te promets de ne pas essayer de te les vendre. Du moins, pas toutes.

Il voulait la revoir ! Le cœur d'Allegra fit un bond dans sa poitrine.

– D'accord, pourquoi pas ?

Et elle haussa les épaules, nonchalante, comme si elle ne comptait y aller que si elle n'avait rien d'autre à faire.

Le visage de Ben s'illumina : il avait vraiment l'air heureux comme tout.

– Super ! Je vais demander aux gens de la galerie de te donner l'adresse.

Finalement, l'un des invités, un vieux monsieur à la barbe bien taillée, se fatigua d'attendre.

– Stephen, pardonne-moi de te déranger, mais il faut absolument que je te présente à un de nos meilleurs clients : il adore ton travail et il insiste pour acheter toute la collection.

– Une seconde, répondit Ben au marchand d'art. Pardon, Allegra. Le travail m'appelle. Mais reste, amuse-toi. Quelques copains d'avant sont là, des anciens du Cercle des

Péithologiens. Tu les trouveras en train de boire des coups au bar. Les vieilles habitudes ont la vie dure !

Et il disparut, enlevé par tous ceux qui étaient venus célébrer son succès.

Ben était heureux, amical, il allait bien. Il allait bien ! Elle résolut de s'en réjouir pour lui, et se félicita d'avoir fait ce qu'il fallait en étouffant leur histoire dans l'œuf. En se dirigeant vers le bar pour retrouver ses vieux camarades, elle ne put s'empêcher de sourire. Elle était contente qu'il ait aimé sa coupe de cheveux.

SEPT

Images miroir

L eurs ravisseurs les éloignèrent du souk, et Theodora fut projetée dans un véhicule qui s'éloigna rapidement sur les routes cahoteuses. Elle pensait sentir la présence de Jack auprès d'elle, mais elle pouvait se tromper. Le capuchon qui lui couvrait la tête la désorientait. Il n'était pas en toile noire ordinaire, mais conçu pour anéantir la vue vampirique : encore une arme de l'arsenal des *Venator*. Elle ignorait combien de temps s'était écoulé, mais on finit par l'extirper de l'habitacle pour la conduire dans un bâtiment. Elle commençait à avoir très peur, mais elle s'exhortait à être forte.

Ça va ? demanda la voix calme de Jack dans sa tête. *S'ils t'ont fait du mal, je les réduis en morceaux.*

Il était bien là. Profondément soulagée, elle lui répondit. *Je vais bien. Où sommes-nous ? Qui nous a enlevés ?* Elle se creusait la tête. Des *Venator* de New York ? À moins que la comtesse n'ait retrouvé et rassemblé ses forces ?

Avant que Jack ait pu lui répondre, on lui enleva sa cagoule, mais celle-ci fut aussitôt remplacée par un couteau sur sa gorge. Son agresseur la tirait par les cheveux pour exposer son cou. Jack était assis en face d'elle, maîtrisé de la même manière, les mains liées. Ses yeux vert bouteille étincelaient de rage, mais il gardait ses pouvoirs terrifiants pour lui. Il aurait pu les tuer d'un mot, mais, une fois de plus, il en était empêché par sa faiblesse : son amour pour elle. Quand Theodora était menacée, Jack perdait tout pouvoir, et c'était ce qu'elle haïssait le plus en elle-même : qu'on puisse l'utiliser, elle, pour le contrôler, lui.

La fille qui tenait un couteau contre sa gorge était une superbe *Venator* chinoise, vêtue d'un uniforme qui dénotait un grade élevé : trois croix d'argent étaient brodées sur le col.

Son compagnon, un grand garçon bien bâti au visage ouvert, fit un geste pour désigner Jack.

– Attends. Celui-ci est des nôtres. Général Abbadon, quelle surprise. Deming, tu ne l'avais pas reconnu ?

– Rujiel, dit Jack en employant le nom d'ange du *Venator* tandis que celui-ci lui retirait ses liens, soigneusement et expertement, comme s'ils avaient réellement été en cordes. Je n'avais pas compris que les Vents d'Ouest s'étaient alliés à des traîtres. Je suis déçu de vous trouver, toi et ton frère, sous les ordres de Drusilla.

– Nous ne sommes pas des traîtres, répondit Sam Lennox d'une voix tranchante. La comtesse a peut-être retourné l'Assemblée européenne, mais nous ne lui obéissons pas. Et nous ne travaillons plus non plus pour ta sœur.

– Ce qui vaut mieux pour toi, ajouta son frère Ted entre ses dents, sinon tu serais déjà dans l'avion pour New York.

– Très bien, dans ce cas, pourriez-vous avoir l'obligeance de dire à votre amie de relâcher ma femme ? S'il est vrai que nous ne sommes pas ennemis, cette animosité n'a pas lieu d'être.

La Chinoise interrogea Sam du regard, et celui-ci hocha la tête. Elle baissa son couteau. Theodora souffla.

– L'épée de ma mère. Où est-elle ?

Une autre fille – dotée exactement du même visage que la première –, lui jeta l'arme. Theodora la rattrapa habilement. Elle la laissa rétrécir et la remit dans sa poche. Les *Venator* chinoises et les jumeaux Lennox formaient un parallèle intéressant, des images miroir. Ils se mouvaient avec une grâce et une dextérité complémentaires, comme une machine bien huilée, alimentée par des siècles d'expérience. Ils avaient l'air endurcis et las.

Jack prit la situation en main, supposant naturellement qu'il lui revenait de faire les présentations.

– Theodora, voici Sam et Ted Lennox, aussi appelés Rujiel et Ruhuel, les anges des Vents d'Ouest. De bons soldats. Ils ont servi dans ma légion, il y a bien longtemps. À ma connaissance, ils étaient de l'équipe de Kingsley Martin à Rio. Et sauf erreur de ma part, ces charmantes demoiselles sont Deming et Dehua Chen. Je me rappelle vous avoir vues au bal des Quatre-Cents. (Puis il désigna Theodora.) Je vous présente Theodora Van Alen. Ma partenaire de lien.

– Le célèbre Jack Force, lâcha Deming d'un ton parfaitement méprisant.

Autant les jumeaux Lennox se montraient déférents devant leur ancien commandant, autant il était clair que la Chinoise n'avait aucun respect pour lui. Elle semblait plus forte et plus farouche que sa sœur Dehua, et Theodora comprit que Deming lui aurait tranché la gorge sans hésitation s'il l'avait fallu.

– Moi aussi, je me souviens de toi, lança cette dernière à Jack. On disait à New York que tu t'étais enfui avec l'Abomination de Gabrielle et que tu avais rompu ton lien avec Azraël. Je n'arrivais pas à le croire.

Elle le regarda avec un tel dégoût que, pour la première fois, Theodora comprit pleinement l'étendue de tout ce à quoi Jack avait renoncé pour elle : sa place d'honneur, très confortable, dans la communauté des vampires, son orgueil et sa parole. Aux yeux de la *Venator*, il n'était qu'un lâche, un vil individu, qui avait rompu une promesse faite aux cieux.

– Attention. Je n'apprécie pas ces accusations, ni ce mot. Je ne tolérerai pas que ma femme soit insultée ainsi.

Jack parlait d'une voix douce, mais ses paroles étaient lourdes de menace.

– C'est la vérité, insista Deming. L'erreur de Gabrielle était déjà terrible, mais tu l'as rendue pire en brisant ton serment et en t'unissant à sa descendance.

– Excuse-toi pour ta grossièreté ! lui ordonna Jack en se levant d'un bond.

Deming pointa le menton et se fit hautaine comme une impératrice de Chine.

– Tu oublies que nous n'avons plus à t'obéir. Azraël, elle, a gardé son honneur. Où est le tien ?

– Je vais te le montrer.

Et Jack, en souriant, tendit la main vers son épée.

En un éclair, tous deux croisèrent le fer, et des étincelles surgirent de l'acier céleste.

– Ne menace pas ma sœur, l'avertit Dehua qui dégaina elle aussi son arme, aussitôt imitée par Sam et Ted Lennox.

– Attention, Abbadon, dit Sam. Nous ne sommes pas tes ennemis, mais nous protégerons nos semblables.

C'en était assez. Theodora s'interposa dans la bagarre, les mains tendues afin de tous les forcer à baisser leur épée.

– Jack... Ça ne fait rien. Deming, tu ne me connais pas, mais j'espère que nous pourrons tous faire la paix, car il y a bien plus important en jeu. Je vous en prie. Si nous nous battons entre nous, nous aurons tout perdu.

Deming fulminait, mais Jack céda.

– Tu as raison, comme toujours, lui dit-il avec un regard tendre, avant de se retourner vers son adversaire. Je t'avertis, Kuan Yin, je ferai tout pour que ma femme soit traitée avec le plus grand respect ; mais je m'excuse de t'avoir menacée.

Les armes furent rapidement rangées, et les couples réunis : Sam et Deming, Ted et Dehua s'étaient instinctivement regroupés côte à côte. Ils considéraient toujours les nouveaux venus avec méfiance.

– Bien, reprit Jack comme si de rien n'était. Si vous n'êtes pas là pour me traîner au service de la comtesse ni me ramener à ma sœur pour l'épreuve du sang, pourquoi nous avoir pris en otages ?

– Nous traquons les Nephilim, lui apprit Deming.

Elle pointa son épée en direction de Theodora, et l'espace

d'une minute, il sembla qu'une nouvelle bagarre allait éclater, mais la *Venator* se contenta d'ajouter :

– Sa signature dans le *Glom* est souillée, c'est un mélange de divin et d'humain, comme la leur. Nous l'avons prise pour un Nephilim.

HUIT

Checkpoint Charlie

O liver se remémorait son voyage dans le désert de
Mojave, encore une expédition de dernière minute : ses
parents avaient des amis qui vivaient à Palm Springs, et leurs
enfants, deux ados californiens pourris-gâtés jusqu'au bout
des ongles, lui avaient demandé s'il voulait aller voir la Vallée de la Mort avec eux. Il était question de chercher une
ville fantôme, et Oliver ne s'était pas fait prier : tout valait
mieux que rester regarder les adultes se soûler au Pimm's-
Champagne en se racontant leurs tournois de tennis.

Au début, il s'était dit qu'ils avaient commis une grosse
erreur : les pistes de terre qui passaient dans les canyons
étaient inondées à cause d'un orage, et la promenade de
deux heures s'était transformée en odyssée de huit heures,
un vrai cauchemar. Mais heureusement, ses hôtes s'était
révélés de bonne composition, prêts pour l'aventure (et non
boudeurs et blasés comme il le redoutait). Ils s'étaient bien
amusés à traverser au volant le vaste paysage vide, qui
évoquait un peu la surface de la Lune : désolé, immobile,
étrange.

– C'était déjà comme ça, la première fois que tu es venue ? demanda-t-il à Mimi en regardant par la vitre poussiéreuse.

– Non. Ça change à chaque fois. Je crois que c'est comme ça parce que tu es avec moi. C'est un paysage sorti de ton esprit : des images que tu peux assimiler.

Oliver tripota le bouton de l'autoradio, mais la seule musique disponible était du Wagner.

– Logique, commenta Mimi. Helda adore. Tu devrais te reposer un peu. On en a encore pour un moment.

– On est là depuis combien de temps ?

– Le temps n'est pas le même, ici, lui expliqua Mimi. Il ne passe pas comme en haut. Dans le Monde des Abîmes, le passé et le futur n'existent pas, il n'y a que le présent. On arrivera quand on arrivera. C'est une épreuve d'endurance. On pourrait tourner en rond pour l'éternité, en punition.

– Seigneur.

– Ah non, pas lui ! plaisanta Mimi. Mais tu n'es pas mort, et je ne suis pas humaine : je pense qu'Helda joue simplement avec nos nerfs.

– C'est qui, cette Helda dont tu n'arrêtes pas de parler ?

– C'est un peu la chef, ici.

– Je vois.

Oliver fit plusieurs siestes, mais comme le temps ne comptait plus, il avait du mal à savoir ce qu'il ressentait. Avait-il faim ? Il avait pris un petit déjeuner gargantuesque, mais la sortie du *Glom* lui avait pompé beaucoup d'énergie. Servait-on à manger en enfer ? Aurait-il dû emporter un casse-croûte ? Pourquoi, soudain, ne pensait-il plus qu'à cela ? Il était fatigué et embrouillé, un peu comme quand on souffre du décalage horaire, ce qui était d'ailleurs encore son cas. Il espérait que Mimi savait où elle allait.

C'était volontairement qu'il l'avait accompagnée. Après la remise des diplômes, quand elle avait appris qu'il repoussait à plus tard son entrée à Harvard, elle lui avait proposé un poste d'Intermédiaire, et il l'avait accepté. Ses parents avaient tenté de l'en dissuader : ils auraient préféré qu'il conserve son emploi au Sanctuaire, où il aurait été en sécurité. Mais les clercs ne s'intéressaient qu'à classer et archiver, en préparation d'une éventuelle dissolution de l'Assemblée. C'était démoralisant. Il ne savait pas bien ce qui arriverait si les vampires descendaient sous terre, et ses parents ne semblaient pas avoir davantage de lumières sur la question. Travailler pour Mimi lui paraissait plus aventureux, et il tenait à se rendre utile. Il n'allait pas passer son temps à faire des inventaires.

Il voyait aussi de plus en plus clairement que Mimi ne pouvait pas assurer la régence toute seule, et qu'elle aurait besoin de la main ferme de Kingsley pour guider une Assemblée en pleine détresse. Il était déterminé à faire son devoir envers les sang-bleu en aidant Mimi à le retrouver, quelque sacrifice que cela exige de lui.

Et en plus, il la considérait comme une amie. Ils étaient parvenus à s'entendre, et Oliver s'étonnait même de voir à quel point ils se comprenaient. Il avait découvert, derrière ses attitudes de princesse, une vieille créature pragmatique, et il la respectait. Lorsqu'elle l'avait invité à descendre avec elle dans le Monde des Abîmes, il avait accepté sur-le-champ, par devoir, par curiosité, et par désir d'assurer sa sécurité. Elle avait beau être le redoutable ange de la Mort, elle avait un cœur, qui pouvait être brisé, et il ne voulait pas qu'elle se retrouve seule si elle échouait à sauver Kingsley. Si cela arrivait, elle aurait besoin d'un ami. Qu'avait-il à perdre, de toute manière ? Il avait déjà perdu Theodora.

Ils avançaient toujours, et ils continuèrent ainsi, sur des kilomètres, pendant des heures, et il n'y avait toujours rien d'autre que *La Chevauchée des Walkyries* à la radio, ce qui s'avérait nettement lassant à la neuvième reprise. Oliver percevait l'agacement croissant de Mimi, et c'est avec soulagement qu'ils atteignirent, enfin, un barrage routier rudimentaire : un simple cheval de frise posé en travers de la route, et, derrière, une petite station-service.

Deux hommes en sortirent... du moins, Oliver trouva d'abord qu'ils ressemblaient à des hommes. Mais à mieux y regarder, ils n'avaient rien d'humain : ils étaient bien trop grands – presque trois mètres de hauteur –, et leur corps, large et massif, était couvert d'une fourrure brune et sale. Ils avaient le visage tordu et déformé, le nez bulbeux, de petits yeux jaunes. Ils s'adressèrent à Mimi dans une langue inconnue.

Elle répondit par des bruits bizarres, comme si elle s'exprimait par grognements. Au bout d'un instant, ils s'en allèrent, comme pour aller consulter un supérieur.

– Qu'est-ce que c'était que ça ? chuchota Oliver.

– Des trolls. Ils travaillent ici... pour les démons.

– Quelles sales bêtes. Et ces colliers...

– C'est la seule chose qui les empêche de se jeter sur nous, expliqua Mimi d'un ton factuel.

Les colliers semblaient en effet douloureux : faits de fil de fer barbelé, ils étaient enroulés serré autour du cou des créatures, et les blessaient à chaque mouvement. Oliver éprouvait à la fois de la répulsion et de la pitié pour ces créatures.

Il regarda autour de lui.

– Alors, cette Helda que tu vas voir... c'est un démon ?

– Non.

Oliver parut soulagé.

– Ce serait plutôt... leur grand-mère.

Il blêmit, et elle poursuivit ses explications.

– C'est une déesse. Une de celles qui étaient là avant notre arrivée, comme la sorcière que nous sommes allés voir à North Hampton.

– Il y a tant de choses que j'ignore dans le monde, murmura Oliver.

Les trolls revinrent et firent des signes en direction de la station-service, de l'autre côté du barrage. Mimi gara la voiture.

– Attends-moi ici.

– Avec eux ? s'alarma Oliver.

Il regrettait de ne pas avoir pensé à recapoter la voiture, mais c'était trop tard. Les trolls le reniflèrent, l'un d'eux de si près qu'Oliver sentit son souffle chaud contre sa joue.

– Humain.

La créature s'était exprimée dans un anglais parfait.

– Vivant, approuva l'autre avec un sourire rusé.

– Il est à moi, *bestiæ* ! Si vous le touchez, vous tâterez de l'acier d'Azraël ! cracha Mimi.

Les trolls reculèrent, mais Oliver n'était pas sûr de se

sentir plus en sécurité. Ils le regardaient toujours comme on regarde un bon dîner.

– Ils sont joueurs, c'est tout, le rassura-t-elle. Ils ne mangent pas de viande.

Elle omit d'ajouter « seulement des âmes », mais c'était inutile qu'Oliver le sache : il avait l'air suffisamment terrifié.

– Arrête de faire ta chochotte. Et vous, les trolls, fichez-lui la paix.

Mimi s'approcha du petit bureau situé à l'arrière de la station-service. Elle n'avait pas voulu le dire à Oliver, mais ce voyage infiniment long l'inquiétait. Elle craignait que cela n'indique qu'Helda lui interdirait l'accès aux niveaux inférieurs, or elle devrait descendre jusqu'au septième cercle pour retrouver Kingsley. Un autre troll, une femelle à l'air féroce, à la crinière couleur de bronze, gardait la porte du bureau d'Helda. Elle portait une large ceinture de fer garnie de balles et une arme qui ressemblait fort à un AK-47. Elle fouilla Mimi au corps.

– Qu'est-ce que c'est que ça ? demanda-t-elle, la main posée sur son dos.

Étonnamment, le troll avait trouvé l'aiguille que Mimi cachait dans l'armature de son soutien-gorge.

– C'est mon épée.

– Vous allez devoir la laisser ici.

Mimi s'exécuta : elle sortit l'aiguille de sous son chemisier et la lui tendit.

– Je peux y aller ?

Le troll hocha la tête et ouvrit la porte d'un coup de pied.

Helda ne parut pas ravie de la voir. La reine des Morts était une femme d'un certain âge, sévèrement vêtue de noir, aux cheveux gris montés en chignon. Son visage était ridé, ses traits tirés, et elle avait les lèvres fines et serrées d'une vieille fumeuse ainsi que le regard dur d'une joueuse invétérée qui aurait perdu son dernier dollar aux courses. Rien à voir avec sa nièce de North Hampton. Elle avait quelque chose de cruel et d'immémorial, comme si elle avait vu le pire de ce que le monde avait à offrir et s'était contentée de hausser les épaules, lasse et blasée. Elle était assise derrière un bureau chargé de registres, de reçus, de notes froissées et d'enveloppes déchirées. On aurait dit le bureau d'une comptable débordée, et d'ailleurs, se dit Mimi, c'était exactement ça, le royaume des Morts étant une sorte d'administration qui collectait non pas les taxes, mais les âmes.

– Te revoilà, lâcha-t-elle froidement.

– Grâce à ta nièce.

– Laquelle ?

– Erda.

– Tu m'en vois déçue. Erda a toujours été la plus intelligente. Freya, elle, l'aurait fait uniquement pour m'embêter.

Helda la regardait sans sympathie. Elle ressemblait un peu à ces femmes riches qui dirigent les comités de charité et prennent plaisir à exclure les jeunes ambitieuses de leur cercle.

– Bien. Que viens-tu chercher sur mes terres, Azraël ?

– Tu sais ce que je veux. La même chose que la dernière fois. Je suis venue soutirer une âme à la *subvertio*.

– Je vois. Tu es là pour Araquiel, hein ? Quel dommage. Il nous est bien utile, en bas, il nous aide beaucoup à maîtriser les démons. Aucune chance que je puisse t'en dissuader ?

Mimi secoua la tête. Helda s'attendait-elle à ce qu'elle croie à ces fadaises ? Kingsley souffrait. Qui savait quelles douleurs et quelles tortures il avait endurées ? Elle ignorait à quoi jouait Helda, mais elle décida de se taire afin que la vieille chouette la laisse passer.

– Tu es préparée, cette fois. Tu as ta monnaie d'échange ?

– Oui, fit Mimi avec un geste vers la fenêtre.

Helda observa Oliver, qui s'efforçait de se pencher le plus loin possible des trolls sans avoir l'air trop dégoûté.

– Je vois. (Un soupir.) Un humain est un maigre substitut contre une âme que tu m'enlèves. Mais très bien. Si tu parviens à convaincre Araquiel de revenir avec toi, je te le laisse.

NEUF

Étude en atelier

L'adresse que l'employée de la galerie avait laissée sur son répondeur amena Allegra dans un quartier d'entrepôts proche de Market Street. Elle prit le monte-charge grinçant jusqu'à un loft au dernier étage. La veille, elle avait passé le reste de la soirée à évoquer des souvenirs de lycée avec ses anciens camarades, dont beaucoup se lançaient dans la vie en tant que banquiers fraîchement diplômés ou juristes ambitieux, assistants de production pour la télévision, jeunes reporters dans la presse, assistantes stylistes, plus quelques rentiers qui se contentaient d'enchaîner les fêtes, les galas de charité et les festivals. Toute une jet-set qui fréquentait Wimbledon, Art Basel et le festival du film de Venise. Ils s'étaient enthousiasmés pour sa coupe de cheveux et avaient voulu savoir pourquoi elle avait disparu de leurs vies sans explication. Les personnes telles qu'Allegra n'étaient pas censées faire une chose aussi désagréable que se volatiliser : dans ce monde, on restait en contact par habitude, pour se rappeler à l'infini l'époque héroïque où l'on n'était qu'un jeune lycéen de Saint-Paul ou d'Endicott.

89

Elle s'était excusée platement et avait promis de tous les inviter à New York aussitôt que la maison de la Cinquième Avenue, où elle devait vivre avec Charles après la cérémonie du lien, serait rénovée.

Elle frappa à une porte métallique entrouverte.

– Hello ?

– Par ici ! l'appela Ben.

Debout devant une grande toile, il se nettoyait les mains avec un chiffon humide.

– Tu es là, ajouta-t-il comme s'il avait encore du mal à le croire.

Il posa son chiffon et s'essuya les mains sur son jean, sans vraiment la regarder dans les yeux.

Elle s'étonna de constater qu'il était agité : sa nonchalance de la veille s'était envolée.

– C'est toi qui m'as invitée.

– Je n'étais pas sûr que tu viendrais, avoua-t-il.

– Eh bien me voilà !

Elle lui adressa un sourire hésitant. Elle se demandait pourquoi il se comportait si bizarrement. Avait-elle mal interprété ses intentions ? Il lui avait proposé de visiter l'atelier... et elle avait pris cela pour une invitation sincère, pas une de ces phrases courtoises que l'on se lance à un dîner sans aucune intention de donner suite. Était-ce encore une erreur de sa part ? Le matin, elle s'était réveillée impatiente de le revoir, espérant qu'il serait seul. Il la laissait sur le seuil depuis si longtemps qu'elle finit par trouver cela impoli.

– Alors, tu vas me laisser entrer ?

Ben rougit.

– Pardon, j'oublie les bonnes manières. Je t'en prie, entre, bien sûr.

Elle pénétra à l'intérieur. L'atelier était une vaste pièce dont tout un côté était occupé par de larges fenêtres avec vue sur la baie. Il y avait des boîtes de peinture partout, des bâches en plastique au sol, des pinceaux. Une odeur huileuse baignait les lieux.

– Ne fais pas attention au désordre.

Elle hocha la tête sans bien savoir quoi dire. L'atelier contenait des toiles de toute taille, dont quelques-unes faisaient bien trois mètres sur deux, et d'autres tableaux plus petits étaient posés sur des chevalets ou accrochés aux murs. Certains étaient déjà encadrés et emballés dans du plastique. En regardant autour d'elle, Allegra remarqua un point commun à toutes les œuvres. Toutes les peintures – de la fresque décrivant une jeune fille rêveuse couchée sur un lit, telle une odalisque moderne, aux miniatures qui ressemblaient à celle qu'elle avait achetée – la représentaient.

Elle parcourut l'espace de l'atelier, examinant chaque toile et chaque dessin dans un silence complet et stupéfait. Ben la suivait sans un mot, guettant sa réaction. Pour le moment, elle n'en avait aucune : elle se contentait de digérer l'information qu'il lui dévoilait. Les tableaux contenaient la quintessence de leur brève histoire d'amour : Allegra sur le lit, dans sa blouse d'hôpital blanche ; Allegra dans les bois, le soir de son initiation dans le Cercle des Péithologiens, « société secrète de poètes et d'aventuriers » (qui consistait à aller picoler dans les bois après l'extinction des feux) ; Allegra brandissant un livre de latin et riant de son niveau lamentable dans cette matière ; Allegra nue, le dos tourné. Il y avait aussi une petite toile sombre, toute noire à l'exception des cheveux blonds et des crocs d'ivoire. Allegra la princesse vampire.

Elle comprenait, à présent. L'artiste insouciant, l'heureux héritier de la veille, ce n'était que du chiqué. Le baiser du familier l'avait bien marqué à vie, transformé, et le seul moyen qu'il avait trouvé de surmonter son abandon avait été de célébrer son culte. Recréer de manière obsessionnelle chaque instant passé avec elle était sa manière de la garder auprès de lui. Il la peignait sans fin, encore et encore, afin de ne jamais l'oublier – tout était là, tout son amour pour elle, tout son besoin d'elle. C'était son cœur à nu, ouvert, exposé, sanglant.

À présent, elle comprenait ce que la mère de Ben avait tenté de lui dire la veille : « C'est toi, la fille des tableaux. » Decca Chase se faisait du souci pour son fils, et elle avait pensé que, peut-être, si elle lui amenait Allegra, il parviendrait soit à être avec elle, soit à tourner la page. Une femme intelligente.

Passant d'un pied sur l'autre, Ben rougit violemment. Puis il déglutit.

– Alors, qu'est-ce que tu en penses ?

– Je suis désolée de t'avoir quitté, dit lentement Allegra, fuyant son regard, une boule dans la gorge. Je suis navrée d'avoir disparu cette nuit-là. Tu ne comprends pas... Je ne suis pas libre... Je n'ai pas le choix d'aimer qui je veux. Il faut que tu m'oublies... c'est mieux pour tout le monde. Pour toi.

Ben se rembrunit.

– Non... non... tu ne comprends pas.

Mais déjà, Allegra était sortie, et cette fois elle ne reviendrait pas. Ç'avait été une erreur de chercher à le revoir, de mettre tout son avenir en danger, et elle ne recommencerait pas.

Parfois, mieux valait ne pas ouvrir la boîte de Pandore.

DIX

La cité des Morts

C'est seulement une fois que les *Venator* eurent abandonné leur attitude hostile que Theodora remarqua où ils se trouvaient. Dans une petite chambre de pierre. Elle n'aurait pu en jurer, mais on aurait dit que les étagères étaient faites avec des pierres tombales, et que deux stèles délicatement sculptées formaient une table.

– C'est bien ce que je crois, ici ? s'enquit-elle.

Sam confirma, s'excusa pour l'odeur, et expliqua pourquoi ils vivaient dans un mausolée. Ils se trouvaient dans la moitié orientale de la ville, dans la nécropole qui servait de logement aux gens dont les ancêtres étaient inhumés dans les catacombes et à ceux qui étaient chassés des quartiers d'habitation du Caire en raison du coût des loyers. Entre trente mille et un million de personnes vivaient parmi les morts, dit-il, les cimetières étant équipés d'un égout minimal et de l'eau courante, tandis que des câbles électriques reliés aux mosquées proches fournissaient la lumière et alimentaient les cuisines. Les tombes ayant été conçues pour héberger les familles pendant la période traditionnelle de deuil, où l'on demeurait en compagnie du défunt pendant quarante jours et quarante nuits, certains trouvaient tout naturel d'y rester à demeure, quand il n'y avait pas d'autre possibilité.

– Nous avons reçu un tuyau concernant un nid de Nephilim à Téhéran. Nous l'avons détruit, puis avons fait de même à Tripoli. Ensuite, nous sommes venus ici après avoir entendu une rumeur selon laquelle des jeunes filles disparaissaient de la cité des Morts.

Il raconta que les disparitions et les kidnappings ne ressemblaient pas aux crimes habituels des sang-rouge. Ils avaient une dimension systématique, voire rituelle, qui avait piqué leur curiosité.

– Ça puait le bâtard de l'enfer à plein nez. C'est pourquoi on s'est planqués ici, afin de se rapprocher de la cible.

– La semaine dernière, nous avons fait une descente dans leur repaire et on les a tous eus, sauf un qui s'est échappé, ajouta Deming.

– Vous m'avez prise pour lui, comprit Theodora.

Deming acquiesça, mais ne s'excusa pas pour cette erreur. Elle rapporta les événements de New York et sa capture du Nephilim tueur de vampires.

– C'est bien ce qu'on pensait, dit Theodora, estomaquée par toutes ces nouvelles. Ça fait un moment que ça dure.

Elle partagea leurs découvertes de Florence et confirma ce que les *Venator* savaient déjà sur l'œuvre sanglante des moines pétruviens, qui pourchassaient et tuaient les femmes humaines prises par les Croatan ainsi que leurs rejetons.

– La fille qui avait été enlevée portait une marque : trois

cercles entrelacés qui contenaient le *sigul* de Lucifer, un agneau et le symbole sang-bleu de l'union.

– Paul, le Nephilim de New York, portait le même symbole sur son bras, précisa Deming. On aurait dit une tache de naissance plutôt qu'un tatouage. Tous les Nephilim en sont marqués.

– Mais ils ne sont pas maléfiques de naissance, dit Theodora. Ces femmes et ces enfants sont victimes d'un crime affreux, ce sont des innocents.

– Ça, je n'en sais rien, objecta Deming. Paul Rayburn a pris deux vies immortelles. Qui sait combien de vampires il a tués au fil des ans.

– Alors, ces Pétruviens... ces moines assassins qui croient accomplir l'œuvre de Dieu... dit Sam. Je n'avais jamais entendu parler d'eux, jusqu'au moment où Deming nous a raconté ce qu'avait dit ce bâtard, et je parie que personne, dans aucune Assemblée, ne connaissait leur existence. Ce qui signifie qu'ils sont absents de l'histoire officielle. Comment est-ce possible ? demanda-t-il à son ancien commandant.

Jack était visiblement soucieux.

– Je l'ignore. Je ne faisais pas partie de l'Ordre des Sept, je n'étais pas dans la confidence des décisions prises à l'époque.

– Quoi qu'il en soit, le « nettoyage » des Pétruviens est totalement contraire au Code des vampires, qui oblige à protéger la vie humaine, insista Theodora.

– Les Nephilim ne sont pas humains, protesta Deming. J'ai des cicatrices pour le prouver.

Elle remonta sa manche pour montrer les marques blanches qu'elle avait gardées de sa bataille contre l'ennemi.

– Quelqu'un a déjà lu des rapports de *Venator* concernant cette zone ? demanda Jack. J'ai essayé de trouver les bureaux du Conclave local, mais personne ne m'a dit où il s'était relogé.

Sam secoua négativement la tête.

– L'Assemblée d'ici subsiste à peine. De nombreux membres ont été sauvagement assassinés, brûlés. Pas uniquement des jeunes, mais aussi des Aînés. Il y a eu une attaque à la tour du Caire, leur quartier général, le mois dernier. C'est pour cela que tu ne les trouves pas. Ils sont prêts à descendre sous terre. Et c'est pareil partout. Notre espèce bat en retraite. Tout le monde veut se terrer dans l'ombre.

– Et quelles sont les dernières nouvelles de New York ?

Deming et Sam échangèrent un regard.

– La Régente a disparu. À ce qu'il paraît, elle aurait emporté les clés du Sanctuaire avec elle, pour empêcher l'Assemblée de se dissoudre. Personne ne sait où elle est. Mais sans ta sœur, New York ne tiendra pas longtemps, dit Deming.

Donc, Mimi était bien Régente. Oliver avait dit vrai. Theodora observa Jack digérer l'information. Elle pensait savoir ce qu'il se disait : qu'il aurait dû être avec sa sœur, que sans eux deux, l'Assemblée n'avait plus personne.

– Nous pensions qu'Azraël était partie te chercher, apprit Ted à Jack. Pour l'épreuve du sang, comme tu n'étais pas rentré à New York.

– Nous ne l'avons pas vue, intervint Theodora. Pas encore, en tout cas.

– Et d'ailleurs, qu'est-ce que vous faites au Caire ?

Theodora prit soin de ne pas révéler la raison exacte de leur voyage.

– Nous cherchons quelqu'un. Catherine de Sienne, une amie de mon grand-père. Jack a entendu parler d'une prêtresse nommée Zani qui pourrait nous mener jusqu'à elle. Un de ses disciples devait nous retrouver au marché et nous y emmener. Vous avez dû lui faire peur. Vous savez où nous pourrions la trouver ?

– Ce nom me dit quelque chose... où l'avons-nous déjà entendu ? demanda Sam.

– C'est le nom d'une prêtresse du temple d'Anubis, dit Deming. Là où des jeunes filles ont disparu.

ONZE

Mariage blanc

O ù va-t-on, maintenant ? Tu as une carte ? demanda Oliver.

La tête de Mimi lui passa l'envie de plaisanter.

– D'accord, je promets de ne plus poser de questions idiotes. C'était juste pour faire la conversation.

– Il y aura un deuxième barrage, je pense.

Ils traversaient toujours le désert, mais au bout de quelques kilomètres, Oliver remarqua que la route longeait désormais une côte. Il voyait les vagues bleues d'un océan, et la brise soufflait. Si c'était cela, descendre dans les profondeurs de l'enfer, c'était étonnamment agréable. Mimi conduisit jusqu'à ce qu'ils repèrent un élégant hôtel en bord de plage.

– Je rêve, ou quoi ? On se croirait à Nantucket, observa-t-il.

Il reconnaissait l'hôtel, c'était un établissement célèbre de Martha's Vineyard. Il s'attendait presque à voir un groupe d'étudiants chics et ivres sortir en tee-shirts Black Dog.

Mimi se gara et regarda autour d'elle, l'air d'attendre quelque chose. Mais personne ne vint lui prendre les clés.

– Il n'y a pas de voiturier en enfer ? soupira-t-elle en avançant jusqu'au parking.

Oliver ricana.

– Exactement comme à Martha's Vineyard, je te dis. On est où, là ?

– On le saura bien assez tôt.

Ils descendirent de voiture et s'approchèrent de l'entrée. On entendait un quatuor à cordes ; une femme de chambre en chemisier amidonné blanc et pantalon noir apparut avec du champagne sur un plateau.

– La réception est à l'arrière, venez vous joindre à nous.

Oliver prit une coupe. Le champagne aux bulles légères sentait merveilleusement bon, un parfum teinté de pomme et de fraise, avec un courant plus profond, terreux, délicieux. Il ne s'étonna pas de constater qu'il portait un costume de toile et une chemise blanche bien repassée, tandis que Mimi était vêtue d'une simple robe de lin et de sandales, une fleur dans les cheveux.

– Si c'est ça, le Monde des Abîmes, ça ne m'a pas l'air trop mal, remarqua-il en trinquant.

– Bien sûr, c'est l'impression que tu as. Mais tu n'as jamais vu le paradis !

– C'est comment ?

– Ça remonte à si loin que j'ai presque oublié. C'était... autre chose. Paisible, dit-elle avec une certaine mélancolie.

– Barbant.

– Non. Ce n'était pas comme ça. Évidemment, les gens croient qu'on s'y ennuie, mais ce n'est pas vrai. C'est comme le meilleur jour de ta vie, pour toute la vie. Dis donc, j'ai l'impression qu'on est ici pour une sorte de mariage.

Ils suivirent les invités jusqu'à l'arrière de l'hôtel, côté plage, où des chaises pliantes blanches avaient été installées, et où une allée de sable menait à une treille fleurie. L'assistance était composée d'habitants de la Nouvelle-Angleterre aux joues rougeaudes, les hommes en costume de coton à fines rayures, les femmes en robe modeste. Les enfants couraient en soufflant des bulles de savon. C'était beau, festif, et il ne faisait pas trop chaud.

Et pourtant, quelque chose dans cette scène semblait trop familier, trop proche d'une chose qu'Oliver ne voulait pas reconnaître. Il ne toucha pas à son champagne.

– C'est le mariage de qui ? demanda-t-il, les dents serrées, tandis que le quartet commençait à jouer sa marche nuptiale préférée.

– Le nôtre, bien sûr !

Une fille était apparue à ses côtés. Un fille qui ressemblait trait pour trait à Theodora. Elle avait ses longs cheveux noirs et ses yeux bleu vif, et elle portait sa robe d'union, celle en soie bleu pâle, qui retombait de ses épaules. Elle avait des taches de rousseur sur les joues, comme toujours en été, ces étés qu'ils passaient ensemble sur cette même plage, autrefois.

Oliver ne savait pas quoi faire ni où regarder, il avait les joues en feu et l'impression que son cœur était exposé à tous les regards, pour être mieux humilié et mieux brisé.

– Ollie, qu'est-ce que tu as ?

Elle ne faisait pas que ressembler à Theodora, elle avait

aussi exactement sa voix et ses intonations. Qu'est-ce que c'était que ça ? Qui était-ce ? Un vrai mirage... cette diablerie avait créé un sosie, un double, pensa-t-il en tenant de s'éloigner d'elle. Où était Mimi ? Il jetait des regards fous partout, mais ne la trouvait pas. La fausse Theodora le prit par le bras, comme le faisait la vraie, et posa la tête contre son épaule.

– Tu m'as manqué, susurra-t-elle.

– Toi aussi, répondit-il automatiquement.

– Je suis si heureuse que tu sois là.

Il retirait ce qu'il avait dit. C'était bien l'enfer. Il savait précisément où il se trouvait, à présent, et ce qui se passait. C'était son plus cher désir, son plus profond secret, qu'il avait enfoui loin dans son cœur pour pouvoir sincèrement célébrer la vie avec sa plus précieuse amie lors de son grand jour à elle... Alors, voir son souhait intime si cruellement réalisé le forçait à reconnaître que, même s'il était guéri, même s'il ne souffrait plus du manque, même s'il n'était plus son familier ni son Intermédiaire mais simplement son ami, il l'aimait encore, et l'aimerait toujours.

Comment aurait-il pu éprouver de l'amour et du désir, mais pas de peine ? Freya, la sorcière qu'il avait rencontrée dans East Village, avait nettoyé son sang de la marque du familier ; mais son cœur, lui, se souviendrait et se languirait à jamais. Aussi longtemps qu'il vivrait, Oliver aimerait Theodora Van Alen.

– Ne me déteste pas. Je ne crois pas pouvoir aller jusqu'au bout. J'aime Jack. Je l'aime, vraiment. Mais te voir aujourd'hui... Ollie... Je suis désolée.

La fausse Theodora le regarda au fond des yeux et lui coupa le souffle.

– Désolée de quoi ?

Il se rendit compte, alors, qu'ils rejouaient la même conversation que la veille de son union... mais qu'elle se déroulerait autrement, et il sut précisément ce que la fille allait dire avant qu'elle l'ait dit, parce que c'était ce qu'il avait souhaité entendre.

– De commettre la plus grande erreur de ma vie, poursuivit-elle d'une voix rauque en resserrant son étreinte sur son bras.

Il huma son parfum. Elle n'avait commencé que récemment à le porter, lui avait-elle expliqué : une senteur élaborée à l'origine pour Catherine de Médicis, qu'elle avait achetée au couvent de Santa Maria Novella.

– Arrête, dit-il d'une voix étranglée en tirant sur son col, car il avait soudain du mal à respirer. Ne fais pas ça. Tu n'es pas Theo. Laisse-moi tranquille.

– Non, il faut que tu l'entendes.

Elle approcha les lèvres de son oreille et il sentit son souffle doux, tandis qu'elle lui chuchotait tous les mots qu'il aurait voulu entendre par cette belle journée de décembre, en Italie.

– Je n'aurais jamais dû te quitter. Je t'aime. *Je t'aime plus que lui.*

Et la voilà qui l'embrassait, et c'étaient les lèvres de Theodora, c'était l'odeur de Theodora, ses cheveux étaient souples et soyeux comme ceux de Theodora, et il sut que lorsqu'elle tournerait le dos, il verrait un grain de beauté, entre ses omoplates, qui était celui de Theodora. Elle *était*

Theodora, et elle lui retournait son amour, et Oliver ne voyait plus pourquoi il aurait dû faire semblant de ne pas vouloir ceci, de ne pas vouloir cette femme, de ne pas vouloir exactement ce qui était en train de se produire.

DOUZE

Sang service

– **C**harles ! Tu es rentré tôt ! dit Allegra en arrivant à l'appartement.

Elle était surprise de le voir et, tout en retirant son manteau et son écharpe, pria pour qu'il ne remarque pas ses mains tremblantes.

Mais le regard de Charles s'illumina lorsqu'elle entra dans la pièce.

– Tout a été bouclé plus vite que prévu. Où étais-tu passée ?

– Je suis allée voir des tableaux.

Puisque chacun pouvait lire dans les pensées de l'autre – dans une certaine mesure du moins –, le mieux pour dissimuler un mensonge était de donner une demi-vérité.

– Tu as acheté autre chose ?

Il était au courant de son acquisition de la veille, mais pas de l'identité de l'artiste ni du sujet.

– Pas aujourd'hui.

– C'est bien que tu t'intéresses de nouveau à la peinture, approuva-t-il chaleureusement.

Charles avait trouvé sa voie, au cours des dernières années. Il avait atteint sa stature d'adulte et enfin perdu la raideur maladroite qui le caractérisait à l'adolescence. Désormais, il avait de l'allure et de l'assurance. À vingt et un ans, il avait touché en héritage l'opulente fortune des Van Alen, et il parlait à présent de fonder une entreprise de médias pour laisser sa marque dans le monde. Récemment, la presse magazine l'avait présenté comme l'un des meilleurs partis de New York ; il était beau et élégant, avec sa chevelure d'un noir de jais et son physique d'empereur romain. Il n'avait pas la jovialité affable de Bendix Chase, mais dégageait une sorte de majesté qui lui valait crainte et respect au-delà même de la communauté vampirique.

Il tapota la place libre sur le canapé et Allegra vint se pelotonner contre lui. Ils allaient bien ensemble, comme de tout temps ; simplement, elle s'en était rendu compte trop tard dans ce cycle de vie. Elle commença à se détendre, et les angoissantes révélations du jour commencèrent à s'estomper en sa présence. L'incident avec Ben avait été une erreur depuis le début, un flirt adolescent, indigne de son attention. Elle était triste pour le garçon, bien sûr : la marque du familier était dure à supporter, mais il s'en sortirait. Il avait de l'argent, une vie confortable, et il finirait par l'oublier. Si seulement elle n'était jamais entrée dans cette galerie !

– Tout s'est bien passé avec les Aînés ? demanda-t-elle. Que voulaient-ils ?

Une ombre passa sur le visage de Charles, mais s'en alla sans qu'Allegra l'ait remarquée.

– Bah, les soucis habituels qui accompagnent la transformation. Je ne sais même pas pourquoi ils tenaient à me voir. Ils me font perdre mon temps.

– M. Van Alen ? Votre voiture est avancée, annonça le valet de chambre qui était entré sans bruit.

– Tu sors ?

Allegra se dégagea de ses bras. Charles était informé qu'elle comptait sortir ce soir-là avec ses anciennes copines de hockey, et c'était bien naturel qu'il ait prévu quelque chose de son côté.

– C'est Deedee, n'est-ce pas ?

Il confirma. Il avait commencé à prendre des familières et, en conséquence, il était robuste, plein de sang et de vie, puissant, invincible. En tant que chef de l'Assemblée, il avait droit à certains privilèges et entretenait un cheptel de femmes humaines dans toutes les villes. Une fille dans chaque port, pour ainsi dire. Il se montrait généreux avec elles, les couvrait de cadeaux, d'attentions et de babioles Cartier ou Buccellati. Allegra avait vu les factures, c'était elle qui les payait : des montres en or rose incrustées de diamants, au poids lourd et réconfortant, d'étincelants bracelets finement sertis de saphirs et d'émeraudes, les délicates boucles d'oreilles en pétales de chez Van Cleef.

– Elle a aimé la montre que tu lui as offerte pour son anniversaire ?

Allegra ne put s'empêcher de penser que trente mille dollars faisaient un beau cadeau. D'un autre côté, ce qu'offraient les sang-rouge était bien plus précieux encore.

Charles parut s'inquiéter de son ton tranchant.

– Tu n'es quand même pas jalouse, Allegra !

Il semblait dérouté, comme si elle avait changé les règles du jeu.

– Mais non.

Elle tendit la main pour lui ébouriffer les cheveux. C'était ainsi. Ils avaient toujours vécu de cette manière, la manière des sang-bleu. D'un côté il y avait le lien, de l'autre les familiers humains ; l'un nourrissait l'âme, les autres le sang immortel.

Il posa ses mains tièdes sur le visage d'Allegra.

– Tu es pâle et toute froide, dit-il en lui frottant les joues. Tu as besoin de croquer quelque chose. Et pas des biscuits.

– Je sais.

Elle baissa la tête. C'était là un différend muet entre eux deux. Elle savait que Charles n'appréciait pas le fait qu'elle n'ait pas repris de familier depuis le premier, depuis cette histoire catastrophique au lycée. Ils ne parlaient jamais de Ben, mais elle savait que Charles aurait été soulagé qu'elle en prenne un nouveau. Elle remettait sans cesse à plus tard, hésitante, craignant de retomber amoureuse de la mauvaise personne. Une inquiétude ridicule, certainement. Au cours de ses vies successives, elle avait eu des milliers de familiers humains, et ne s'était éprise que de celui-là. Il y avait aussi une autre raison, qu'elle ne voulait même pas s'avouer à elle-même. Elle ne désirait pas oublier Ben, or prendre le sang d'un autre aurait effacé en partie les souvenirs de leur proximité.

Charles se rembrunit.

– Si tu ne veux pas t'embêter, il y a toujours le service. Laisse les Intermédiaires s'occuper de toi. Tu te sentiras bien mieux après.

Allegra acquiesça. Les sang-bleu dont les familiers attitrés étaient indisponibles ou décédés avaient la possibilité de faire appel à un « service du sang » géré par les Intermédaires. Des humains triés sur le volet étaient offerts aux vampires à leur discrétion. Le service n'avait pas le côté louche des maisons de sang. Il s'agissait de transactions pragmatiques, un peu comme commander un steak au service en chambre d'un hôtel.

– J'y penserai, promit-elle.

Il l'embrassa sur le front.

– Je sais que tu t'inquiètes encore à cause de ce qui s'est passé l'autre fois, mais il faut tourner la page, tu sais.

Il n'y avait pas de secrets entre eux. Il n'y en avait plus. Charles savait qu'elle était tombée amoureuse de Ben, que son histoire d'amour avec son familier humain avait failli tout mettre en péril, y compris le lien qui était le fondement de l'Assemblée et les unissait à la terre et l'un à l'autre. Le fait qu'il lui ait pardonné, qu'il l'aime toujours, était une chose avec laquelle Allegra devait vivre chaque jour.

Elle s'affala sur le canapé, soulagée d'avoir quitté l'atelier de Ben aussi vite. Elle n'avait nullement été tentée de rester. À présent, elle était chez elle, en sécurité. Elle irait dîner rapidement avec ses amies, et peut-être bien qu'ensuite elle appellerait le service, comme l'avait suggéré Charles. Le temps était venu.

– Très bien. Mets ça sur mon compte, dit-il.

Il avait lu dans ses pensées, comme toujours.

En rentrant de sa soirée animée avec ses anciennes coéquipières, elle trouva un petit rectangle de bristol sur sa table de chevet. C'était une carte de visite portant le nom du service et un numéro de téléphone. On pouvait compter sur les Intermédiaires pour fournir quelqu'un de bien, peut-être même quelqu'un qui pourrait l'accompagner à New York par la suite. Elle décrocha, mais à ce moment précis, on frappa à la porte et le valet de chambre apparut.

– Une lettre pour vous, miss Van Alen.

Allegra ouvrit l'enveloppe et en sortit un mot griffonné à la hâte sur une élégante carte frappée d'un monogramme en relief. SBC. Stephen Bendix Chase.

Viens me retrouver au bar du Séquoia, hôtel Clift. Je t'en prie. C'est important. Ben.

TREIZE

La Maison de Cycle

Quelques jours après leur rencontre avec les *Venator*, Jack alla aux nouvelles et en revint porteur d'une information perturbante. L'Intermédiaire humain Alastair Robertson, l'homme qui avait parlé à Jack de la prêtresse qui était peut-être Catherine de Sienne, avait été retrouvé assassiné chez lui. La police sang-rouge était convaincue qu'il s'agissait d'un crime crapuleux, un cambriolage qui avait mal tourné, mais, sachant que des Nephilim rôdaient dans les parages et que l'Assemblée était sens dessus dessous, Jack n'en croyait rien. Il s'associa aux jumeaux Lennox pour suivre une piste à Gezira, une île proche sur l'autre rive du Nil, car de la boue trouvée sur la scène du crime était faite d'argile rouge typique de l'endroit.

Jack étant absent, Theodora se trouvait seule dans leur chambre d'hôtel lorsque Dehua Chen entra sans crier gare. L'ange de l'Immortalité semblait bouleversée, presque délirante, ce qui ne lui ressemblait pas ; une manche de son chemisier était déchirée, son visage couvert d'égratignures.

– Que s'est-il passé ? demanda Theodora en bondissant immédiatement pour saisir son arme.

– La Maison de Cycle du Caire est attaquée : le Nephilim qui s'est échappé est revenu avec des renforts. Les garçons ne pourront pas rentrer à temps. Deming se bat en ce moment même, mais elle ne tiendra pas longtemps. Je suis venue le plus vite possible. On a besoin de toi.

Theodora la suivit à toute allure dans les rues sinueuses, toutes deux formant une tache floue faite de soie noire et d'acier argenté. La Maison de Cycle se trouvait dans la Citadelle, un ancien complexe bâti par Saladin pour repousser les Croisés, au sommet des falaises qui dominaient la bordure orientale de la ville. C'était le point culminant de l'horizon cairote. La Maison de Cycle, attaquée ! Décidément, les Nephilim étaient assoiffés de vengeance, s'ils s'en prenaient même aux esprits sang-bleu qui attendaient là de renaître.

Dehua la guida sur les sentiers qui menaient aux chambres secrètes. La *Venator* lui expliqua qu'ils avaient reçu un signal de détresse des Sentinelles de la Citadelle. Quand elle était arrivée avec Deming, les vampires qui travaillaient pour la Maison des Archives étaient déjà morts, et une troupe farouche de *Venator* égyptiens était en pleine bataille avec une horde de Nephilim. Les rejetons du démon portaient des torches de feu noir, mais pour le moment ils n'avaient pas réussi à pénétrer dans la sacristie, où étaient conservés les vases qui contenaient les esprits du sang. Puis, d'autres Nephilim étaient arrivés, si bien que Deming avait envoyé Dehua chercher du renfort. Si l'ennemi réussissait à détruire le sang immortel, plus aucune naissance ne se produirait dans cette Assemblée.

– Ils ont massacré les anciens et les jeunes, et à présent ils s'attaquent aux non-nés, cracha Dehua d'un air écœuré.

La chaleur était écrasante, et une fumée noire avait envahi le couloir. La jeune Chinoise entra dans l'antichambre.

– Oh, non ! s'écria-t-elle.

Theodora et elle enjambèrent des cadavres de *Venator*, mis en pièces ou encore décapités, les yeux arrachés ou brûlés. La porte de la sacristie avait sauté, et Theodora craignit qu'elles ne soient arrivées trop tard.

Deming était encerclée par les monstres mi-démons mi-humains ; elle les repoussait, mais ils se rapprochaient. Elle tenait sous un bras une urne dorée, tandis que de l'autre elle maniait l'épée.

– *NEXIS INFIDELES* ! hurla-t-elle. *Mort aux impies ! Mort aux traîtres !*

Les Nephilim mugirent, et leur furie emplit la salle enfumée. Ils étaient dix, vingt, trente, et ils tombaient sur Deming, enragés, tels des cafards frénétiques. Bientôt, Theodora ne vit plus la vaillante combattante chinoise ni son épée dorée.

– Mon Dieu, ils sont trop nombreux, gémit Dehua en tombant à genoux. On n'y arrivera pas ! Deming !

Mais Theodora tenait bon.

– Ressaisis-toi ! lui ordonna-t-elle.

Elle aurait voulu que Jack soit là, mais puisque ce n'était pas le cas, elle devrait être brave pour lui. Jamais Abbadon n'aurait laissé mourir les esprits. Jamais il n'aurait abandonné la Maison de Cycle. Il serait plutôt mort en la défendant, et elle devait se montrer à la hauteur.

Il ne restait plus beaucoup de temps. La fumée du feu noir noyait la salle, et Theodora devait plisser les paupières pour y voir, tout en retenant son souffle pour ne pas suffoquer. Il fallait sortir de là dès que possible. Elle n'avait pas d'entraînement au combat, mais elle était légère et rapide. En travaillant ensemble, les Chinoises et elle pouvaient encore vaincre l'ennemi.

– Toi, va par là. Je les prends par devant, dit-elle à Dehua.

Celle-ci opina, essuya ses larmes et dégaina son épée. Elles se séparèrent et se mirent en position.

Lorsqu'elles furent prêtes, Theodora brandit l'épée de Gabrielle et scanda le cri de guerre des *Venator*.

– *À MORT ! À MORT ! MORT AUX IMPIES ! MORT AUX INFIDÈLES !*

Dehua bondit et, comme Theodora, poussa le cri de ralliement des sang-bleu. Elles étaient anges et guerrières, et s'il le fallait elles périraient au combat, il n'y avait pas d'autre issue. À grands gestes puissants, elles tranchèrent et tailladèrent dans la multitude sombre des assaillants.

QUATORZE

Les doubles

Mimi se débarrassa de ses sandales, car elle aimait sentir le sable sous ses pieds nus. Elle ignorait où était passé Oliver, et commençait à se dire qu'elle devrait bientôt partir à sa recherche, au cas où il se serait fourré dans les ennuis. Pour autant qu'elle puisse en juger, ils se trouvaient mêlés à une noce de Nouvelle-Angleterre, parfaitement ordinaire et plaisante. C'était un cadre étrange pour leur quête... mais lorsqu'elle repéra un certain jeune homme brun vêtu d'un costume de lin superbement coupé qui s'approchait d'elle, elle comprit soudain de quoi il retournait.

– Mimi, la salua-t-il avec le sourire coquin dont elle ne se souvenait que trop bien.

L'espace d'un instant, son cœur bondit de joie : le voir, lui, son amour, revenir à elle... mais cette joie s'éteignit aussitôt, lorsqu'elle le regarda dans les yeux.

– Je ne suis pas idiote. Je sais ce qui se passe. Tu n'es pas lui, dit-elle froidement.

Cependant, ses paroles étaient plus fermes que sa

conviction, car l'imitation semblait vraiment bonne : le garçon qui se tenait devant elle avait la tignasse brune de Kingsley, ses yeux noirs étincelants de malice. Il avait même son odeur, une odeur de cigarette et de whisky, de sauge brûlée et de café grillé, un mélange qui affolait le cœur de Mimi. C'était une souffrance de voir ce double, cela ne faisait que lui rappeler tout le temps qu'elle avait passé sans voir le vrai Kingsley, sans qu'il la serre dans ses bras forts, sans qu'il la taquine et la fasse sourire.

– Qu'est-ce que tu en sais ? Tu es venue jusqu'ici pour me chercher. Eh bien, me voilà, dit-il avec son sourire charmeur. Comment vas-tu ?

– Ça ne prend pas. Je suis d'ici, tu te rappelles ? Alors, à quoi tu joues ?

– En parlant de jouer : je me souviens que tu adorais nos petits jeux.

Il lui prit la main et lui frotta la paume. Lorsqu'il la toucha, un souvenir lui revint brièvement : un peignoir tombant au sol, et ses crocs sur son cou... Son corps, svelte et dur contre le sien... Elle secoua la tête.

– Je ne suis pas venue chercher un sosie minable.

Le faux Kingsley lui fit un clin d'œil.

– Comme tu voudras. Mais sans ton copain, tu ne pourras pas continuer à descendre, je crois. Et il me semble bien qu'il est à nous, désormais.

D'un geste, il indiqua la terrasse où Oliver embrassait la fille qui n'était pas Theodora.

– Oh, c'est pas vrai ! Ça suffit, maintenant !

Mimi jeta sa coupe de champagne par terre et fondit sur Oliver pour lui dire le fond de sa pensée.

– Oliver Hazard-Perry ! cria-t-elle, gênée pour lui.

Oliver et l'apparition étaient étroitement enlacés, au point qu'on avait presque envie de leur dire : « Il y a des hôtels pour ça ! » Si elle n'avait pas été au courant de la situation, Mimi aurait pu jurer que la créature était sur le point de planter ses crocs dans le cou du garçon.

– Faut qu'on bouge d'ici, mon pote, lança-t-elle en le secouant.

Oliver ouvrit les yeux. Hébété, comme drogué, il semblait sortir d'un rêve merveilleux.

Il fit lentement non de la tête.

– Je ne peux pas partir, je me marie aujourd'hui.

– Cette fille n'est pas celle que tu crois. Tu le sais très bien. Je sais que tu le sais. Tu n'es pas un idiot, trancha Mimi.

– La pauvre, elle raconte n'importe quoi, intervint la fausse Theodora avec une moue dédaigneuse. Reste ici pour vieillir avec moi, Ollie. Comme on l'a toujours prévu.

– Toi, la sirène, tu le lâches, aboya Mimi.

– N'écoute pas cette garce. Je sais que tu la hais. On l'a toujours haïe.

Oliver soupira à fendre l'âme et la repoussa.

– Non, on n'a jamais détesté Mimi. Elle nous faisait peut-être un peu peur, on a pu être intimidés, et je sais que sur la fin elle te faisait pitié. Mais nous ne l'avons jamais haïe. (Il se tourna vers Mimi.) On ne te déteste pas, Theo ne te déteste pas.

Mimi hocha le menton en l'aidant à s'extirper de la chaise longue.

– Je sais. C'est pour ça que je l'ai provoquée. J'ai bien pensé que ça t'aiderait. Allez, viens.

Le sosie jeta un regard mauvais à Oliver.

– Tu oses t'opposer aux désirs d'une sirène ?

Il retrouva sa langue.

– Oui.

Elle hurla de rage et plongea ses griffes dans son bras.

– LÂCHE-LE ! rugit Mimi tandis qu'Oliver s'efforçait de se dégager.

Il devint livide en voyant le visage de sa bien-aimée se transformer en masque de harpie.

– IL EST À MOI ! glapit la créature.

Mimi prit l'aiguille dans son soutien-gorge, la laissa gagner sa forme d'épée, puis en menaça l'usurpatrice. La lame lançait des étincelles argentées.

La sirène rugit et cracha de l'acide, mais elle recula devant l'arme. Mimi tint la lame contre sa gorge et, enfin, la créature relâcha son emprise sur Oliver et disparut dans une flamme couleur d'argent. La foudre tomba et la pluie suivit, cinglante. L'illusion avait disparu et repartait se fondre dans les ombres.

Oliver et Mimi retraversèrent la foule qui se dispersait pour revenir vers la Mustang garée près de l'entrée. La jeune fille referma le toit avant qu'ils soient trempés.

– Ça va ? demanda-t-elle en démarrant. Je sais que c'était un coup dur.

Ce n'était que la première épreuve, la première tentation ; le chemin serait semé d'embûches et Helda ne renoncerait pas facilement à l'âme de Kingsley.

Oliver se frottait le bras là où les griffes s'étaient enfoncées dans sa peau. Il commençait à comprendre qu'il avait peut-être sous-estimé le danger en acceptant cette petite excursion dans le Monde des Abîmes. Mais il constata avec soulagement qu'ils étaient de nouveau habillés normalement. L'affreux mirage du mariage s'était envolé pour de bon.

– Où étais-tu passée ?

– Ils ont essayé de me tenter avec un faux Kingsley.

– Et pourquoi as-tu eu si peu de mal à le repousser, alors que moi, j'en étais incapable ?

Mimi réfléchit avant de répondre.

– Je suis... originaire d'ici. Les anges des Ténèbres ont été façonnés dans la même argile que les démons des Abîmes. Si bien que moi, je savais que ce n'était qu'un leurre. Je connais toutes leurs ruses, ce qui me donne un avantage.

Et puis il y avait eu d'autres signes, songea-t-elle. Le vrai Kingsley était toujours mal rasé, or celui du mariage avait la peau lisse et douce. Trop douce. Kingsley était un couteau miroitant incrusté de diamants, et sa peau était rude comme du papier de verre. Et pourtant, même ainsi, résister à ce mirage n'avait pas été aussi facile qu'elle le prétendait. Lorsqu'elle avait vu pour la première fois le sosie sous les arbres, elle avait été convaincue que son amour était enfin de retour.

– Pardon, bafouilla Oliver. Pendant un moment, j'ai perdu les pédales. Ça ne se reproduira pas.

– Tant mieux, parce que je t'assure qu'il ne ferait pas bon rester coincé ici. Et puis tu sais, elle n'en vaut pas la peine. Elle t'a quitté.

Mimi l'avait dit sans intention de le blesser, elle ne faisait qu'énoncer un fait. Theodora et Jack s'étaient bien trouvés :

ils étaient aussi déloyaux et indignes de confiance l'un que l'autre.

Oliver décida de ne pas relever cette pique et de changer de sujet.

– Que se serait-il passé si j'étais resté avec cette... chose ?

– Je ne sais pas au juste, mais ce ne serait pas beau à voir.

Oliver pouvait l'imaginer : il avait suffisamment côtoyé les vampires pour comprendre un peu comment fonctionnait la magie. Il aurait épousé la sirène, se croyant dans la vraie vie, avec Theo à ses côtés, mais peu à peu, l'illusion se serait fanée, pas d'un coup comme pendant le combat, mais lentement, petit à petit : la créature se serait lassée de son rôle, le masque aurait commencé à glisser. Oliver aurait découvert qu'il était lié à une harpie, à un monstre, qu'il s'était enchaîné à une créature dépourvue d'âme qui se moquerait de lui jour et nuit, raillerait son amour maudit. Heureusement que Mimi était arrivée à temps !

En outre, il ne voulait pas penser à Theodora de cette manière, il refusait d'avouer que, même s'il était guéri du baiser du familier, il l'aimait encore. Il l'aimait déjà avant qu'elle ait pris son sang, et cet amour serait toujours en lui, qu'il soit ou non son familier. Il tenait à se souvenir qu'il avait été sincèrement heureux pour son amie lors de son union ; il s'était alors senti plein de force, de courage et de générosité. Il avait réussi à l'aimer de manière désintéressée, et voilà que le sosie lui enlevait ce sentiment. Il n'était pas fier de lui et il s'en voulait terriblement d'avoir succombé à ses fantasmes les plus sombres. Il n'était pas cet homme-là. Il avait renoncé à Theo, avait serré la main de Jack. Là, il avait l'impression de trahir tout le monde en s'adonnant à son désir le plus profond, le plus secret. Pire, il s'était trahi lui-même. Il valait mieux que cela.

– Tu n'as pas à t'excuser ni à t'expliquer, lui dit doucement Mimi. Cette épreuve, ce que tu viens de vivre... c'était cruel.

Elle s'efforçait de ne pas trop y penser non plus. Car après tout, elle prévoyait de l'abandonner ici-bas ; il était donc condamné, de toute manière, à une vie éternelle en enfer.

Oliver haussa les épaules.

– Ça n'a plus d'importance. Trouvons Kingsley et tirons-nous d'ici. L'enfer, ce n'est pas aussi marrant que je le croyais. Finissons-en, et n'en parlons plus.

QUINZE

Le diamant Bendix

L es séquoias, si hauts, immenses, sont des arbres merveilleux ; ils comptent parmi les créatures vivantes les plus majestueuses au monde. Allegra se souvenait de l'époque où ils avaient germé, à l'aube de l'univers, et régulièrement, elle était prise d'une envie terrible d'aller les voir pour humer l'air le plus proche, sur Terre, de celui du jardin d'Éden.

C'est pourquoi le *Séquoia* était un de ses bars préférés à San Francisco. Elle constata avec joie qu'il n'avait pas changé : c'était toujours un espace très haut de plafond, avec ce long comptoir sans fin – d'après la légende, il était taillé dans le tronc d'un seul arbre. Le bar était passé de main en main, mais puisqu'il appartenait désormais à l'hôtel *Clift*, très en vogue, il avait une réputation assez branchée pour que Charles n'ait jamais l'idée d'y mettre les pieds. En effet, le jumeau d'Allegra était terriblement conservateur ; il aurait détesté le mobilier de style Louis XV en plastique que l'on trouvait en abondance à l'intérieur.

Elle trouva Ben assis à une table au fond et se glissa sur la banquette. Elle se sentait penaude. Deux fois, elle l'avait fui en courant, et deux fois elle était revenue.

– Désolée pour ce matin. Je ne voulais pas partir comme ça, dit-elle.

– Apparemment, c'est l'effet que je te fais !

Il semblait s'être remis de sa gêne de tout à l'heure. Sa façade de jeune homme BCBG était de retour, de même que son charmant demi-sourire.

– Qu'est-ce que tu prends ? demanda-t-il.

– Un martini dry.

– À l'ancienne !

Il fit signe à la serveuse et commanda.

Après quoi ils se regardèrent à travers la table. Un lourd silence resta suspendu entre eux, jusqu'au moment où Allegra craqua.

– Ben...

– Attends, Belles Gambettes. Avant de dire quoi que ce soit, laisse-moi t'expliquer quelque chose. Je voulais que tu voies les toiles, parce qu'elles te représentaient. Mais je les ai peintes il y a des années, au moment où tu m'as quitté.

Il se pencha vers elle et allait poursuivre lorsqu'une fille s'assit à leur table. C'était la jolie brune de la galerie.

– Salut, mon cœur, dit-elle en embrassant Ben sur la bouche.

Puis elle sourit à Allegra.

– Allegra, je te présente Renny. Renny, tu connais déjà Allegra.

– Renny et Benny ! lança la fille en riant. Enchantée de te revoir. Ben m'a prévenue que tu serais ici. Tu aurais dû me dire que tu étais une vieille amie quand tu as acheté la toile.

Elle lui souriait, mais posa une main possessive sur l'épaule de Ben. Allegra aussi continuait à sourire et à hocher la tête, muette pendant un moment, et elle fut soulagée lorsque Renny s'excusa pour aller bavarder avec des amis qu'elle avait repérés à l'autre bout de la salle.

Ils la regardèrent partir, après quoi Ben se retourna vers Allegra.

– Je ne voulais pas que tu te fasses des idées. Renny n'a pas vu les autres tableaux de toi. Ma mère a voulu que je m'en débarrasse il y a des années. Mais je tenais à ce que tu les voies, j'en avais besoin. Comme je te l'ai raconté, ce sont des toiles que j'ai peintes juste après Endicott, quand tu as disparu de la circulation.

– Je suis absolument navrée.

Il balaya ses excuses d'un geste.

– Ne t'en fais pas... Je sais que tu m'as changé. Je l'ai senti. Parfois, je me réveillais et j'avais simplement... besoin de toi, terriblement. Mais je me suis mis à peindre et j'ai commencé à aller mieux, petit à petit.

– Et maintenant tu vas bien, constata-t-elle gaiement.

Il l'observa avec attention.

– Oui. Je ne voulais pas que tu rentres à New York en t'inquiétant pour moi. Il fallait que tu saches que j'ai traversé l'enfer, mais que ça va, j'ai survécu. (Il rougit.) Désolé de donner dans le mélo, mais c'est pour ça que je t'ai invitée à l'atelier. Je voulais juste que tu les voies.

Allegra lui décocha un sourire éclatant.

– Je suis très heureuse pour toi. Elle a l'air formidable.

– Oui. Elle est intelligente. Elle me permet de garder les pieds sur terre. (Il se racla la gorge.) On va se marier à l'automne.

Allegra hocha la tête, prit une gorgée de martini et força le liquide froid à descendre dans sa gorge. Elle ne pouvait pas lui en vouloir de se marier, d'autant qu'elle-même allait bientôt s'unir à Charles.

– J'ai pensé : pourquoi attendre, pas vrai ? Quand on a rencontré la personne avec qui on va passer le reste de sa vie, pourquoi perdre du temps ? (Il soupira.) Renny me fait du bien.

– Et ta famille ?

Allegra se devait de poser la question. *Est-ce qu'ils l'apprécient ? Ta mère aurait-elle préféré que ce soit moi ?*

Il eut un sourire ironique.

– Ma mère n'est pas ravie, elle trouve que je devrais prendre le temps de la réflexion.

Allegra tenta de cacher qu'elle était d'accord avec Mme Chase. Ben donnait en effet l'impression de se précipiter... Pour quelle raison ?

– Mais moi, je ne veux pas.

Elle vida son verre.

– Tant mieux pour toi. Ça me fait plaisir, pour vous deux.

Renny revint s'asseoir à côté de Ben.

– Qu'est-ce que j'ai raté ?

– Félicitations, Ben m'a annoncé la bonne nouvelle, déclara Allegra en souriant tandis que Ben embrassait la main de sa fiancée.

Elle ne put s'empêcher de noter le diamant de la taille d'une météorite que la fille portait au doigt. Renny rit et agita ses mains, envoyant des éclats de lumière dans la salle.

– Je sais, c'est un peu beaucoup, hein ? fit-elle remarquer à Allegra sur le ton de la confidence. J'ai dit à Ben que je n'avais pas besoin de bague, mais il a insisté. C'est le diamant Bendix. Il a été taillé pour son arrière-grand-mère par Alfred Van Cleef en personne !

– Il est superbe.

Sur quoi Allegra fit signe à la serveuse.

– Une bouteille de votre meilleur champagne, je vous prie. Nous avons quelque chose à fêter.

Ben semblait à la fois content et confus. Renny, elle, rayonnait. La serveuse apporta un magnum de champagne dans un seau à glace en argent, qu'elle posa au centre de la table. Ben fit sauter le bouchon et versa le liquide mousseux dans trois coupes. Le champagne était parfait. Froid, acidulé, avec un goût fumé. Sans même savoir comment elle y arrivait, Allegra réussit à garder toute la soirée un sourire plaqué sur son visage, commandant bouteille sur bouteille. Son sang de vampire était insensible aux effets de l'alcool, et c'est avec une petite satisfaction inavouable qu'elle entendit Renny se plaindre d'avoir le tournis au bout de quelques tournées.

Pendant que l'heureux couple se bécotait à table, Allegra résolut d'appeler le service à la première heure le lendemain. Charles avait raison, comme toujours. Elle se demandait pourquoi elle avait mis cinq ans à le comprendre, mais il était temps de tourner la page. Ben, lui, l'avait fait.

Seize

L'eau bénite

Les enfants du démon avaient des yeux écarlates aux pupilles argentées, et lorsqu'ils sifflaient ils montraient leur langue bifide. Ils s'écartaient quand Theodora et Dehua fonçaient dans le tas, mais c'est seulement en posant une main sur le poignet de Deming que Theo comprit pourquoi.

Deming était un mirage, un double, et elle partit en fumée lorsque Theodora la toucha. C'était un piège. En l'espace de quelques secondes, Theo et Dehua furent cernées par les Nephilim. Un hurlement s'éleva du coin le plus éloigné et elles virent la vraie Deming attachée à une colonne. Les flammes du feu noir lui léchaient les chevilles.

– NON ! mugit Dehua en bondissant pour sauver sa sœur.

Mais bientôt, elle aussi fut perdue dans une tempête de coups portés par l'ennemi.

Theodora lança sa lame en avant, et celle-ci rencontra l'acier lourd d'une hache de démon. L'humain né de l'enfer frappait avec un rire horrible, et elle ressentit une douleur froide et vive : la hache venait de l'entailler profondément en pleine poitrine.

Le Nephilim leva de nouveau son arme pour l'achever, mais soudain, une épée – brillant d'une pure lumière céleste – trancha la hache mortelle en deux. De l'aide, enfin ! Le *Venator* nouvellement arrivé eut tôt fait de terrasser les démons, et la salle s'emplit d'une odeur de sang et de mort. Les Nephilim rompirent les rangs et s'enfuirent sans demander leur reste. Dehua, ensanglantée et griffée de toute part, avait survécu. Elle courut détacher Deming.

– Quelles sont les pertes ? demanda aux jumelles leur sauveur inconnu.

Il était grand et brun, d'une beauté classique, avec une fossette au menton et une douceur rêveuse dans le regard.

Deming secoua la tête.

– Ils ont tout brûlé, ou presque. Je n'ai pu sauver qu'un vase, dit-elle en sortant de son sac une petite urne dorée.

– Le Régent du Caire va prendre une felouque pour rallier la planque de Louxor. Rejoignez le fleuve par les petites rues et donnez-le-lui.

Les *Venator* acquiescèrent et partirent livrer le dernier vestige des esprits du sang au leader de l'Assemblée égyptienne.

Theodora, toujours à terre, poussa un gémissement. L'arme du Nephilim était empoisonnée au feu noir, qui la brûlait atrocement. Le sang jaillissait de sa plaie et coulait sous sa chemise. La douleur était lancinante.

– C'est grave ? demanda le beau *Venator* en s'agenouillant auprès d'elle. Ton sang est rouge. Tu es le *Dimidium Cognatus.* La fille de Gabrielle.

Il le dit comme une constatation, sans jugement.

– Oui.

– Où es-tu blessée ?

Elle souleva sa chemise et lui montra la coupure, juste à côté du cœur. Une sale blessure, profonde. Il appuya de ses doigts sur la plaie.

– Tu as de la chance. Quelques centimètres plus à droite, et le poison aurait pénétré dans ton cœur. Tu n'aurais pas survécu. Mais tout de même, le temps presse.

Il la regarda avec gentillesse. Il avait les cheveux noirs et ondulés, des yeux violet foncé ourlés de cils noirs, une bouche pleine et bien dessinée. Ses mains étaient douces, mais Theodora sentit des larmes de douleur lui monter aux yeux lorsqu'il s'occupa de sa blessure. Il sortit de son vêtement un petit flacon gravé d'une croix dorée.

– Tu es un guérisseur, dit-elle en toussant.

Les *Venator* étaient ainsi organisés : enquêteurs, infiltrés, guérisseurs, soldats, officiers supérieurs.

Il opina et versa quelques gouttes du flacon sur la plaie. Theodora dut se mordre la main pour ne pas hurler. Le liquide brûlait comme de l'acide. Mais lentement, la blessure fut dissoute, le poison perdit son pouvoir, et à la fin il ne resta qu'une petite cicatrice.

– J'ai bien peur que tu ne gardes une marque. Tu la porteras à vie. Mais ça aurait pu être pire. (Il lui tendit le flacon.) Tiens, bois-en un peu. Cela chassera le poison restant. C'est de l'eau bénite.

Theodora en prit une gorgée.

– Ce n'est pas la même que dans les églises.

Il sourit.

133

– Non. Les sang-rouge... (Un haussement d'épaules.) Ceci est de l'eau de la Source. Du jardin d'Éden, il y a longtemps.

L'eau était la plus pure qu'elle ait jamais goûtée. Theodora avait l'impression d'être renouvelée, ravivée ; elle sentait presque son corps se reconstituer.

Elle tira sur sa chemise et se redressa.

– Merci.

Il eut un hochement de tête.

– De rien. Les *Venator* m'ont dit que tu étais à la recherche de Catherine de Sienne.

– C'est vrai. Que sais-tu sur elle ?

– Malheureusement, je la cherche aussi.

Il lui tendit la main.

– J'en oubliais les convenances. Dans cette région du monde, on m'appelle Mahrus Abdelmassih. Je vis en Jordanie à présent, mais il y a longtemps, j'ai été guérisseur à Rome. Catherine de Sienne est ma sœur.

DIX-SEPT

Le démon de l'Avarice

L a pluie tombait sans relâche, et ils roulèrent pendant des heures sous le ciel noir et orageux. La route changeait et ils n'étaient plus seuls : il y avait de la circulation dans les deux sens. Oliver se demandait où ils allaient : ils n'étaient plus dans le faux Nantucket, ni nulle part qui ressemble à la côte est des États-Unis, et la pluie tombait toujours à verse, inondant la chaussée. Pourtant, aussi soudainement qu'elle avait commencé, elle cessa, et la route à deux voies se transforma en autoroute à huit voies, rugissante, surmontée d'échangeurs qui tournaient dans toutes les directions.

Levant les yeux, Mimi avisa un panneau clignotant : PRENEZ LA PROCHAINE SORTIE.

– Je crois que c'est pour nous, dit-elle en serrant à droite.

La bretelle les mena sur un large boulevard longé par des gratte-ciel. Alors, un voiturier en chatoyante veste rouge lui fit signe de s'engager dans une allée entre les immeubles les plus hauts et les plus brillants de la ville. La file de voitures était pleine de coûteux bolides européens.

135

– Par là, dit l'homme en désignant les portes de verre d'un édifice. Vous êtes attendus.

– Tu vois, tu te trompais, commenta Oliver. Il y a bien des voituriers en enfer.

Il remarqua que celui-ci portait un collier argenté, serré autour de son cou. Mimi avait donc raison, les trolls étaient partout. Ils étaient les mains invisibles qui veillaient à ce que les trains arrivent à l'heure et que le dîner ne soit jamais en retard. Les esclaves du Monde des Abîmes. Oliver se frotta le menton, conscient que sa barbe repoussait. En franchissant les portes, il aperçut son reflet. Il portait une chemise en flanelle, un béret, des lunettes Aviator, un jean baggy et des baskets de marque.

– J'ai l'air d'un con, constata-t-il.

– Arrête de te plaindre, protesta Mimi en s'observant, les lèvres pincées.

Pour cette partie du voyage, elle était habillée mode : jean slim, talons hauts, grand pull noir. Des lunettes de soleil remontées en serre-tête, un sac coûteux au bras. Elle se sentait presque à nouveau elle-même.

Les portes s'ouvraient sur un spacieux hall de marbre. Mimi appela l'ascenseur. En sortant de la cabine au dernier étage, ils se retrouvèrent dans un autre espace grandiose. Tout y était conçu pour intimider et déconcerter, pour que les visiteurs se sentent petits, insignifiants et pas assez beaux.

Oliver suivit Mimi jusqu'à la réception, où trois jolies standardistes équipées d'un micro portatif triaient les appels. Lesdits micros étaient en argent, et leur enserraient le cou comme des colliers de chien. En revanche, on ne voyait pas de sang. La plus proche leur sourit.

– Oui ?

– Mimi Force et, euh... Oliver Hazard-Perry. Nous sommes attendus.

– Bien sûr. Asseyez-vous, je le préviens de votre arrivée.

Ils s'approchèrent des fauteuils inconfortables mais superbes. Une autre fille incroyablement belle, dans une tenue incroyablement chic, vint à leur rencontre. Son collier d'argent était un ruban serré autour du cou, et Oliver aurait pu jurer qu'il était couvert de diamants.

– Mimi ? Oliver ? Puis-je vous apporter quelque chose ? De l'eau ? Du café ? Du thé glacé ?

Mimi secoua la tête.

– Rien, merci.

– Pour moi non plus, dit Oliver.

Lorsqu'elle fut partie, il se tourna vers Mimi.

– Qu'est-ce que c'est que ça ? Où sommes-nous ?

– Je pense qu'Helda va me faire une offre.

C'était encore une tentation, encore un obstacle pour l'éloigner du véritable objet de son désir.

Dès que Mimi eut donné cette explication, Oliver eut un déclic et comprit pourquoi tout lui semblait si familier. Puisqu'il s'agissait d'une offre, le décor avait été conçu de manière à ressembler à une agence de production hollywoodienne moderne.

Ils patientèrent pendant une heure, toujours entourés par les assistantes, qui leur proposaient des boissons. Oliver commençait à trépigner d'impatience.

– Combien de temps vont-ils nous faire attendre ?

137

Il espérait que ce ne serait pas aussi long que leur traversée des Limbes.

– Impossible à dire.

Enfin, la belle assistante réapparut, et cette fois ce ne fut pas pour leur proposer à boire.

– Venez, dit-elle avec un sourire machinal d'hôtesse de l'air ou de serveuse de restaurant.

– Attends-moi ici. Ne bois pas ça.

Oliver recracha le café qu'il avait en bouche et Mimi suivit la fille dans un grand bureau avec une vue spectaculaire sur des collines verdoyantes parsemées de toits de tuiles.

Le démon assis derrière le bureau lui tournait le dos, les jambes posées sur l'accoudoir de son fauteuil. Il pivota et lui fit un clin d'œil.

– Elle est dans mon bureau en ce moment même. Oui, je vais le lui dire. Très bien. Un déjeuner. Il y a un nouveau restaurant qui vient d'ouvrir, tout le monde en parle. Impossible de réserver, mais je connais le propriétaire. D'accord. Au revoir. À plus.

Il retira ses écouteurs et se tourna vers Mimi avec un sourire rusé. Il avait les cheveux lissés au gel et un costume luisant, et il était beau à la manière des hommes de pouvoir : il dégageait une aura d'assurance, de richesse, quelque chose d'impitoyable. Ses boutons de manchettes miroitaient dans le soleil, projetant une lumière dure et argentée.

– Azraël ! Sexy ! Ça fait trop longtemps, ma belle, s'exclama-t-il en se levant pour la serrer dans ses bras.

– Mamon. Je vois que tu as changé la déco.

– Tu aimes cette ambiance ninja ? C'est très tendance,

138

du moins c'est ce que me raconte mon décorateur surpayé. (Il eut un large sourire.) Alors, comment ça va ? Il paraît que ce n'est pas la joie, là-bas, ces temps-ci. Michel et Gabrielle introuvables, les Assemblées qui veulent redescendre sous terre, etc, etc.

– J'ignorais que tu t'en souciais, je te croyais au-dessus des ragots.

– J'aime bien écouter aux portes, ou, en l'occurrence, au plafond. Alors, comment se passe le voyage pour l'instant ?

– Pas très confortable.

– Bon, bon, c'est normal, dit-il en remuant des papiers sur son bureau. Tu sais bien que tu ne peux pas t'attendre au tapis rouge.

Mimi était furieuse.

– Que veux-tu, démon ? Pourquoi suis-je ici ? J'ai besoin d'atteindre le septième cercle, et tu te dresses entre moi et ce que je désire. Je déteste ça.

– OK, d'accord. On se calme. Je t'ai fait venir ici parce qu'Helda a une proposition pour toi. Et avant de dire non, écoute-moi un peu.

Mimi haussa un sourcil circonspect.

– À moins qu'elle ne propose de me rendre Kingsley tout de suite, ça ne m'intéresse pas.

Le démon de l'Avarice lui agita l'index sous le nez.

– Tu sais bien que ce n'est pas ça. Mais nous avons encore mieux pour toi. *Rex* de l'Assemblée.

– Je suis déjà Régente, dit-elle. Et on m'a proposé le job l'an dernier. Je n'en ai pas voulu.

Contrariée, elle croisa les jambes.

– Ah, mais ils ne t'ont pas utilisée à ta juste valeur, pas

vrai ? En ce moment, tu les tiens parce que tu as chipé les clés. Mais si nous te faisons *Rex*, un seul mot de toi les unira, tu n'auras même plus besoin du Sanctuaire. L'âme de l'Assemblée sera entre tes mains.

Mimi haussa les épaules.

– Je sais ce que tu ressens depuis des années, Azraël. Ils ne t'ont jamais fait confiance, depuis la Chute, depuis que tu les as trahis. Des siècles à t'escrimer pour les Incorrompus, et tout ça pour quoi ? Ils te voient encore comme une des nôtres. Mais à présent que Michel est aux abonnés absents et que Gabrielle est Dieu sait où, si tu étais *Rex*, tu pourrais gagner le respect et le pouvoir que tu as toujours convoités. Tu pourrais régner sur tous les anges déchus. Tu pourrais être leur reine. Avec toi à la barre, tout le monde oubliera Gabrielle. Gabrielle ? C'est qui, ça ? Une petite garce qui est trop souvent tombée enceinte, voilà qui c'est.

Elle se refusait à montrer qu'elle était d'accord avec lui, bien que ce soit le cas. Il lui fallait se concentrer sur ce pour quoi elle était venue, ceci n'était qu'une diversion.

– Qu'est-ce que tu as d'autre ?

Mamon se renfrogna.

– Ça ne te suffit pas ?

– Loin de là.

L'élégant démon la regarda d'un air malin.

– D'accord. Et que penses-tu de ça ? Ton frère, pieds et poings liés.

– Vous pouvez m'amener Jack ?

Cette fois, Mimi fut incapable de dissimuler son excitation.

– Abbadon ? Bien sûr. C'est du gâteau. Tu n'as qu'un mot à dire, ma belle. Tu sais bien que c'est en notre pouvoir. Il suffit d'envoyer nos meilleurs Chiens de l'Enfer à ses trousses. Ils *vont chercher.*

Il sourit de toutes ses dents, effilées comme des dagues : une rangée de petits poignards dans sa bouche, qui étincelaient même dans le noir. Il sauta de son siège.

Mimi frémit. La puissance et la capacité de nuisance des Chiens de l'Enfer étaient légendaires dans cette dimension.

– Viens, pars en voyage avec moi, dit-il en lui tendant la main.

Lorsqu'elle rouvrit les yeux, Mimi était seule à côté de l'autel. C'était le lendemain de ce qui aurait dû être leur union, le jour où Jack l'avait quittée pour fuir à Florence avec Theodora. Mimi était venue remplir son devoir, mais il l'avait laissée en plan. Sa vieille colère bouillonnait jusqu'à la surface. Jack était avec sa demi-sang, sa petite Abomination, tandis qu'elle l'attendait, seule à l'église. C'était plutôt amusant que Theodora ne la déteste pas, mais Mimi n'était pas si généreuse. De toute son âme immortelle, elle haïssait Theodora. Elle la haïssait pour ce qu'elle avait fait : obliger Abbadon à trahir son lien, lui faire oublier le Code. Sans le lien et le Code, les vampires n'étaient plus rien ni personne. Personne ne justifiait un tel sacrifice. Aucun amour n'en valait la peine. La bâtarde avait du sang d'anges sur les mains. La fille d'Allegra était, paraît-il, censée les sauver. Tu parles.

– Ils ont tous bien ri, tu sais, lui susurrait Mamon à l'oreille. Quand ils ont appris qu'Abbadon t'avait posé un lapin devant l'autel. Que tu avais été rejetée. Ils se sont dit : « Pas étonnant qu'il l'ait quittée. Azraël ! Qui pourrait l'aimer ? N'a-t-il pas toujours aimé Gabrielle ? N'était-ce pas la faiblesse d'Abbadon pour la Lumière ? » Ils se moquent encore de toi derrière ton dos. Ils t'appellent Azraël la Répudiée.

Mimi referma les yeux et sentit des larmes de rage les brûler. Elle savait que chacun des mots du démon était vrai. Bien sûr, elle n'était pas la première à avoir été ainsi humiliée, même le plus formidable des anges avait été rejeté avant elle... mais Mimi n'était pas en cycle à l'époque et n'y avait pas assisté. Et même si elle avait été en vie, ce n'aurait pas été la même chose que ceci, pour elle. Tout ce qu'elle savait, c'était ce qu'elle avait traversé. La nausée froide de la honte et du rejet.

– Helda pourrait changer tout cela.

Elle ouvrit de nouveau les yeux. Jack gisait au sol devant elle. Son épée était brisée en deux par terre, et il la regardait avec des yeux pleins de terreur. Elle le domina de sa hauteur, brandit son épée et, sans sommation, l'enfonça en lui, en pleine poitrine, droit au cœur, si profondément qu'il fut coupé en deux, et que la chaleur de la lame mit feu à son corps.

Mimi sentit le sang de son frère lui gicler au visage, elle perçut la chaleur des flammes noires. Jack n'était plus. Sa joie était enténébrée, extrême, triomphante.

– Mimi ! Mimi ! Qu'est-ce que tu fais ?

Oliver courait vers elle, les yeux agrandis par la peur et l'inquiétude.

– Mimi ! Arrête ! Arrête-toi tout de suite ! Tu ne veux pas faire ça !

Debout au-dessus du corps mort et brisé d'Abbadon, elle hurla.

– Si ! Il m'a quittée ! Depuis des siècles, nous étions liés, faits de noirceur et attachés à nos devoirs. IL DOIT MOURIR !

Elle pointa son épée vers Oliver.

– Ne m'arrête pas.

– Tu ne veux pas cela. Tu veux Kingsley, tu te souviens ? Nous sommes venus chercher *Kingsley*.

– Fais ton choix, Azraël, tonna le démon. Tu n'as qu'un mot à dire et Abbadon sera à toi, tout ce que tu vois devant toi se réalisera.

Oui. Oui ! Oui !

– Mimi... Pense à Kingsley.

Kingsley. Si elle acceptait l'offre de Mamon, elle n'arriverait jamais jusqu'à lui. Elle aurait le pouvoir, sa vengeance, mais pas son amour. Elle n'aurait plus aucune raison de vivre une fois que le sang aurait séché sur son visage et qu'elle aurait essuyé son épée.

– Rappelle-toi pourquoi nous sommes venus, la supplia Oliver. Rappelle-toi pourquoi nous sommes ici.

– Un mot, et il est à toi. Sa mort sera ta gloire, chuchota Mamon.

La gloire. La vengeance. Le sang. Les rires se tairaient. L'humiliation prendrait fin. Elle retrouverait sa fierté et son nom. Elle montrerait à Abbadon ce qui arrivait à ceux qui ne respectaient pas leur lien.

Kingsley...

Mais lorsqu'elle pensait à ce dernier, elle n'éprouvait ni rage ni chaleur ; non, lorsqu'elle pensait à lui, elle songeait à son sourire et à ses paroles, et une douceur l'envahissait, une couverture de calme qui chassait la rage brûlante. Elle pensa à son sacrifice, à ce qu'il avait fait pour elle, pour eux, pour l'Assemblée. À ce qu'il lui avait dit le jour de son union.

Viens avec moi, partons à l'aventure.

Elle était descendue en enfer pour lui. Elle ne quitterait pas le Monde des Abîmes sans qu'il soit à ses côtés.

– Pas question, cracha-t-elle. Sortez-moi de là.

Avant même que les mots aient quitté ses lèvres, la vision s'éclaircit comme si un lourd rideau de velours rouge s'était levé sur une scène, et ils se retrouvèrent dans le septième cercle.

Debout au sommet d'une colline, ils contemplaient une haute cité.

Le Tartare. La capitale de l'enfer.

– Comme c'est curieux, constata Oliver. On dirait exactement New York.

DIX-HUIT

Vérités et mensonges

Les mois passèrent et Allegra se replongea dans sa vie new-yorkaise. Le portrait arriva, avec un petit mot gentil de Renny : « Merci encore pour cette soirée sympa, en espérant te revoir bientôt ! » Allegra déchira la missive en deux et rangea le tableau au grenier avant que Charles ne puisse la questionner. La rentrée mondaine de l'automne battait son plein et il y avait beaucoup à faire : travail caritatif, supervision des travaux dans la maison, présidence des divers comités qui composaient la société des vampires. La routine des immortels, songeait Allegra, qui trouvait ces jours-ci toute cette activité bien futile, et peu différente de la frivolité dans laquelle se roulaient sans vergogne les mondaines sang-rouge écervelées faisant la fête non-stop, sous prétexte de charité. Elle s'efforçait de ne plus penser à Bendix, et la plupart du temps elle y parvenait. Il vivait sa vie comme il le fallait : il se marierait, fonderait une famille et mènerait une existence heureuse, sans histoire. Il n'avait pas besoin d'elle, il n'avait jamais eu besoin d'elle. Elle ne lui aurait apporté que folie et désespoir. C'était une chance qu'il ait été assez fort pour survivre au fait qu'elle l'ait choisi comme familier.

Par cette fraîche matinée d'octobre, Allegra rentrait du Sanctuaire lorsqu'elle vit un gros fourgon blanc, garé juste devant chez elle, qui barrait le croisement de la 101ᵉ Rue. On aurait dit une ambulance, mais on n'y lisait le nom d'aucun hôpital ou clinique. Même si la circulation n'était pas très dense, les voitures avaient tout de même besoin des deux voies pour pouvoir passer, et une foule de curieux s'était attroupée autour du véhicule en attendant de voir si on allait faire sortir quelqu'un sur un brancard. Ils flairaient le sang et le malheur, et Allegra fut un peu révulsée par leur intérêt avide. Elle commença aussi à s'inquiéter. Était-il arrivé quelque chose à Charles ou à Cordelia ? Fendant la foule, elle entra dans sa maison, le cœur battant à tout rompre.

Pourtant, rien ne semblait clocher. Cordelia élaborait le menu du dîner avec le personnel de cuisine et Charles était dans son bureau, en pleine conversation avec Forsyth Llewellyn. Il s'efforçait de le convaincre de rentrer à New York pour siéger au Conclave. Allegra, qui ne portait pas Forsyth dans son cœur, regrettait que Charles dépende autant de lui. Il y avait quelque chose, dans la manière dont il la regardait, qu'elle trouvait dérangeant. Comme s'il avait su des choses sur elle, des secrets noirs et profondément enfouis qu'elle-même ignorait. Charles s'était rapproché de lui durant ce cycle. Elle n'oubliait pas que leur père ne l'avait jamais aimé. Ce qui ne ravirait pas Forsyth s'il l'apprenait.

Ils se turent à l'instant où elle entra dans la pièce.

– Charles, qu'est-ce que c'est que ce fourgon, dehors ? Il a un rapport avec nous ? Il barre toute la rue et crée un véritable attroupement.

– Forsyth, tu veux bien le déplacer ? demanda Charles.

– Bien sûr.

Forsyth se leva brusquement. Il semblait nerveux, nota Allegra. Pourquoi ?

– Que se passe-t-il ? s'enquit-elle lorsqu'il eut quitté la pièce.

– Il y a eu un incident. Mais rien qui doive t'inquiéter, ma chérie.

Il n'en dit pas plus, ce qui contraria Allegra.

– Tu recommences à m'exclure. Tu sais que je déteste ça.

Il parut blessé.

– Je ne voulais pas, c'est simplement que...

Allegra se mordait les joues, exaspérée. Elle savait pourquoi Charles se comportait ainsi. On en revenait perpétuellement à ce qui s'était passé à Florence, à l'époque de la Renaissance, lorsqu'elle avait commis cette terrible erreur qui leur avait fait tout perdre. Elle ne s'en remettrait jamais, elle ne se le pardonnerait jamais, c'était un souvenir qu'elle porterait en elle durant sa vie éternelle entière. Et le pire, c'est qu'elle ne savait même pas tout. Elle savait ce qu'elle avait fait, bien sûr, mais ce n'était pas toute l'histoire, elle en avait la certitude. Charles protestait qu'il ne lui cachait rien, il prétendait qu'elle savait « ce qu'elle devait savoir ». Elle avait tenté de découvrir le fin mot de l'histoire, une fois, de voir si elle pourrait accéder aux recoins cachés des souvenirs de son frère, mais elle n'avait jamais rien découvert. Soit il était très fort pour dissimuler ses pensées, soit il disait la vérité. Elle ignorait ce qui était le pire.

Charles soupira.

– En tout cas, nous contrôlons la situation. Mais puisque tu me l'as demandé, je vais te le raconter. Une maladie qui s'attaque aux humains a affecté plusieurs jeunes vampires de San Francisco. Dans l'ambulance se trouve un familier humain qui en est mort. Nous faisons analyser son sang par les médecins.

Allegra en resta bouche bée.

– Tu sais comme moi qu'aucune maladie humaine ne peut affecter les vampires.

Charles se rembrunit.

– À notre connaissance, non.

Elle croisa les bras.

– Charles, ne sois pas obtus. Même toi, tu sais que c'est impossible. Dis-moi ce qu'il y a réellement dans ce fourgon.

Il posa son journal et la regarda droit dans les yeux.

– Tu m'accuses de mentir ?

Sa voix était posée mais tendue, et Allegra vit la peine étinceler dans ses iris gris et sombres.

Ses épaules s'affaissèrent.

– Non... non, pas du tout. Tu sais que je ne doute pas de toi, concéda-t-elle. Mais c'est étrange.

– Je suis bien d'accord, c'est pourquoi nous observons la situation de près. (Il se racla la gorge.) Qu'est-ce qui te dérange, en vérité ? Tu es irritable depuis notre voyage en Californie. Il s'est passé quelque chose, là-bas ? Je ne veux pas être indiscret, j'imagine que tu m'en parlerais si c'était important.

Allegra haussa les épaules. Elle avait voulu tout lui relater, mais elle redoutait de provoquer une scène et elle comprit que, sans même le vouloir, elle avait de nouveau pris ses distances avec lui.

– J'ai revu Ben, finit-elle par reconnaître en se préparant à affronter sa réprobation. Ce n'est pas ce que tu crois... Il ne s'est rien passé. Il va se marier. (Elle souffla.) Mais ce n'est pas la raison. Je veux dire que... Tu sais ce que je veux dire.

Charles encaissa l'information en hochant la tête d'un air pensif.

– Je suis désolé que cela te bouleverse. Je sais qu'il a beaucoup compté pour toi.

Allegra eut la sensation qu'un poids énorme venait d'être soulevé de ses épaules. Elle s'assit à côté de son jumeau et posa la tête contre son bras.

– Ça va ? lui demanda-t-il d'une voix douce.

– Oui. C'est juste que ça m'a... ça m'a fait peur, de le revoir. À cause de ce qui s'est passé la dernière fois, tu sais ?

Elle avait oublié combien ils étaient proches. Charles était son meilleur ami, celui à qui elle racontait tous ses secrets, la personne à qui elle se fiait le plus, l'homme qui la connaissait intimement. Ils étaient les deux faces d'une même médaille. Ils partageaient une vie éternelle : des souvenirs sans nombre qui remontaient tout au début, à la première fois qu'ils s'étaient unis par le sang. Elle n'avait rien à lui cacher.

Il la serra contre elle.

– N'aie pas peur.

Forsyth revint en faisant sauter ses clés dans sa main.

– C'est dégagé, j'ai trouvé une place parfaite pour me garer dans Riverside Drive.

Charles se dégagea à regret de leur étreinte.

– Chérie, tu peux nous laisser seuls un petit moment ? Forsyth et moi avons à faire.

Allegra referma derrière elle. Elle se sentait mieux depuis qu'elle s'était confessée à Charles, et ce qu'il lui avait dit était vrai. Il ne lui avait jamais menti. Mais le péché par omission n'en était pas moins un péché. Elle ne pouvait s'empêcher de penser que Charles lui cachait encore quelque chose, quelque chose d'important, et qu'elle devait absolument découvrir ce que c'était.

Dans toute leur longue histoire, elle n'avait jamais entendu parler d'une maladie humaine capable d'affecter la physiologie des vampires. Rien ne les affectait. Oh, ils attrapaient bien des rhumes, comme tout le monde : ils étaient faits de la même étoffe que les sang-rouge, à une cruciale différence près, bien sûr, mais dans l'ensemble, ils étaient immunisés contre les maladies graves. Quand un cycle s'achevait et qu'il était temps de se reposer, la « mort » n'était qu'un profond sommeil, jusqu'au jour où le *sangre azul* se réveillait dans une nouvelle enveloppe charnelle. Le cancer ou les maladies cardio-vasculaires n'existaient pas chez les anges déchus.

Charles était-il capable de lui mentir ? Cela l'attristait, ne serait-ce que d'en envisager la possibilité : cela montrait à quel point ils s'étaient éloignés. Elle n'avait plus confiance en lui, pas complètement en tout cas, et ce n'était même pas sa faute à lui.

Allegra enfila une tenue de jogging. Elle aimait aller courir au parc l'après-midi, pour éclaircir ses pensées.

– Je sors ! cria-t-elle pour que personne ne s'inquiète.

Elle descendit vers le parc. Elle comptait longer le coude de la rivière qui la mènerait vers le petit lac où l'on canotait. Il y avait quelques autres coureurs sur la piste, ainsi que des rollers et des vélos, sans compter les mères qui couraient avec des poussettes tout-terrain. Elle avançait à son rythme, en écoutant le battement régulier de ses pieds sur le sol. Sur le chemin du retour, elle passa devant le fourgon que Forsyth avait garé à l'angle de Riverside et de la 99ᵉ Rue. Elle hésita un instant, mais sa curiosité et son scepticisme prirent le dessus et elle s'approcha du véhicule. La rue était déserte, et la serrure fut facile à ouvrir. Elle se glissa à l'intérieur par la porte arrière.

Par terre, il y avait un sac à fermeture Éclair. Il contenait un corps humain, avait dit Charles, un familier atteint d'une maladie.

Elle eut un flash : elle était *Venator* à Florence, elle s'appelait Tomasia à l'époque. Avec son équipe, elle passait alors ses nuits à voler de toit en toit, pourchassant les sang-d'argent restés coincés de ce côté-ci des portes de l'enfer. En tant que *Venator*, ils avaient capturé et tué tous les Croatan qui demeuraient sur Terre – c'était du moins ce qu'ils avaient cru. Comme Charles, elle était convaincue qu'ils étaient enfin libérés du mal, et pourtant, le massacre de Roanoke s'était produit par la suite. Ils avaient perdu une colonie entière. Cordelia et Lawrence avaient toujours été persuadés que les sang-d'argent n'étaient pas vaincus, que l'Assemblée était compromise, corrompue d'une manière ou d'une autre. Charles trouvait cette idée ridicule, bien sûr. Il plaçait toute sa confiance dans les portes. Mais si Lawrence et Cordelia avaient eu raison, et si Charles se trompait ?

Qui y avait-il – ou, sans doute, *qu'y avait-il* – dans le sac ?

Allegra baissa la fermeture à glissière, le cœur battant. Elle ne savait pas bien ce qu'elle cherchait, ou à quoi elle s'attendait. Elle avait déjà vu des cadavres de vampires saignés à blanc, elle avait rencontré des sang-d'argent qui parlaient avec la voix de ses amis tombés au combat, ses camarades morts, aspirés pour se fondre dans un être monstrueux, leur esprit immortel prisonnier à jamais, enchaînés à l'esprit démoniaque. Mais il ne s'était plus rien passé depuis Roanoke, et Charles était convaincu que la colonie perdue avait simplement décidé de se réfugier sous terre, malgré ce message cloué à un arbre qui indiquait le contraire. Les sang-d'argent étaient éradiqués de leurs livres d'histoire, Charles refusant que de vieilles terreurs viennent tourmenter leur existence dans le Nouveau Monde.

Qu'y avait-il dans le sac ?

Était-ce possible ?

Elle ne pouvait même pas articuler ce qu'elle redoutait.

Enfin, elle se décida à écarter les bords du sac pour regarder.

C'était une fille. Une fille humaine, à la peau déjà grise. Deux petites cicatrices, presque invisibles, dans son cou, indiquaient qu'elle avait été la familière d'un vampire.

De quelle maladie était-elle porteuse, pour être morte ainsi, si jeune et si seule ? Quelle tristesse. La vie des sang-rouge était déjà bien assez courte sans cela.

Allegra referma le sac. Elle rechignait à se l'avouer, mais elle se serait presque attendue à trouver un vampire mort là-dedans, aussi impossible que cela paraisse, et elle était soulagée de constater que Charles lui avait bien dit la vérité.

Dix-neuf

Le dernier des Venator

Il était tard, ce soir-là, lorsque Jack rentra de Gezira, et la première chose qu'il fit à son retour fut d'examiner la plaie de Theodora, déroulant les bandages qui entouraient sa poitrine pour étudier le travail de Mahrus. La peau était toujours un peu enflée, mais elle n'était plus rouge, et la cicatrice était visible mais pas affreuse.

– Une blessure de guerre, dit-il. Je suis fier de toi. Il fallait un grand courage pour se battre comme tu l'as fait.

Theodora reboutonna son chemisier, assise en tailleur sur leur lit d'hôtel. Elle commençait à se sentir chez elle dans cette petite chambre, malgré les regards soupçonneux que continuait à leur jeter l'employé de la réception.

– Je n'ai pas eu le choix. Je savais que tu aurais fait de même.

– J'aurais dû être là-bas avec toi.

Il avait écouté son récit sans l'interrompre, et avait gardé une façade stoïque, mais à présent toute la portée de l'incident – tout ce qu'il avait failli perdre – le frappait

155

lentement, et Theodora vit qu'il avait du mal à contenir ses émotions. Elle sourit et posa une main sur sa joue.

– Ne t'inquiète pas, mon amour. J'ai senti ta force en moi. Je n'y serais pas arrivée sans toi. Et toi... as-tu trouvé ce que tu cherchais de l'autre côté du Nil ?

Jack secoua la tête avec colère.

– Lorsqu'on est arrivés à la planque, les Nephilim étaient partis depuis longtemps. Je crois qu'ils ont fait exprès de nous égarer. Les frères Lennox sont allés au temple... mais on leur a dit qu'il n'y avait pas de prêtresse nommée Zani, qu'ils devaient être mal renseignés.

– Mahrus aura peut-être des nouvelles qui pourront nous aider dans ce domaine.

– Depuis le temps qu'il travaille dans la région, je l'espère bien.

Ils avaient prévu de rencontrer le *Venator* après le retour de Jack, afin d'échanger des informations et de mettre au point une stratégie. Les jumeaux Lennox avaient suivi Deming et Dehua, qui tentaient encore de dénicher les derniers membres de l'Assemblée égyptienne afin de leur remettre les esprits de sang.

Le café était rempli d'étudiants, de vieillards échangeant des souvenirs de guerre, de familles réunies pour un dîner tardif en écoutant du raï. Ils choisirent des places dans le fond, d'où ils voyaient toutes les issues. Jusque-là, les Nephilim ne frappaient pas en terrain sang-rouge – ils semblaient concentrer leurs attaques sur les places fortes des sang-bleu –, mais mieux valait être préparé et sur ses gardes. Mahrus, ponctuel, arriva à l'heure dite. Il était si beau que beaucoup de clients se tournèrent pour le regarder passer.

Jack se leva pour le saluer et lui serra énergiquement la main.

– Je te dois sa vie. Merci, guérisseur. Je sais que je ne pourrai jamais te rendre la pareille, mais mon épée sera à ton service chaque fois que tu en auras besoin, tu en as ma parole.

Mahrus s'inclina.

– Tout l'honneur est pour moi, Abbadon.

La serveuse arriva avec des tasses de café turc fumant, et pendant quelques minutes ils restèrent assis à profiter de la fraîcheur du crépuscule en buvant ce jus noir et fort. La caféine rassérénait Theodora, aiguisait ses sens : comme elle ne prenait plus de sang, elle devait s'en remettre à d'autres substances pour se réveiller et se revigorer.

– Je n'ai jamais entendu parler d'une prêtresse nommée Zani, déclara Mahrus. Si elle est célèbre, les Sentinelles doivent être au courant. Je demanderai.

– Il se peut qu'elle soit Catherine.

– Intéressant. C'est possible. Je pensais trouver ma sœur au musée du Caire. Elle s'intéressait beaucoup à l'histoire et à l'art égyptiens, autrefois. Mais elle n'y est pas.

Mahrus leur raconta sa vie en Jordanie. Après avoir quitté Rome sous le règne de Caligula, il avait voyagé vers l'Orient et s'était installé dans un avant-poste de l'ancien Empire ottoman.

– Nous formions une Assemblée paisible, dit-il. Pendant des siècles, nous avons vécu dans l'harmonie, jusqu'au moment où...

157

– Continue.

Son regard se voila.

– C'est arrivé si progressivement, de manière si insidieuse, qu'au début nous ne nous en sommes même pas rendu compte. Nous étions aveugles à la menace... l'Assemblée ne nous a pas mis en garde. Aucune nouvelle de New York, personne ne nous a informés des événements de Rio ou de Paris. Si seulement nous avions su, peut-être aurions-nous pu nous préparer, dit-il avec amertume. Mais là, nous étions des cibles faciles.

Theodora prit la main de Jack sous la table.

– Cela a commencé par des humains, des filles qui disparaissaient. C'était un problème de sang-rouge, avons-nous pensé, mais nous suivions l'affaire d'un œil. Ensuite, nous avons découvert un nid de Nephilim, mais pendant que mes *Venator* se battaient, les Croatan cachés dans notre Conclave en ont profité pour frapper.

Il les regarda avec un chagrin immense.

– Toute mon Assemblée est morte. (Il ferma les yeux.) Je suis le seul survivant. Le dernier des Chercheurs de vérité. (Un soupir.) Et c'est grâce à mes camarades *Venator* que je suis encore en vie.

– Deming et Dehua, tu veux dire ? Et Sam et Ted ?

– Oui. Ils ont combattu les Nephilim... Ils ont été la seule aide que nous ayons reçue de l'extérieur. Ils étaient en route pour Le Caire, sur la piste d'un nouveau repaire d'enfants du démon. Je les ai accompagnés, sachant que Catherine était là-bas et que je devais l'avertir de ce qui se passait. Il y a ici quelque chose qui est encore plus important que l'Assemblée.

– Tu savais qu'elle était membre de l'Ordre des Sept.

– Oui. J'étais présent quand nous avons construit la porte de Lutèce. Je savais pour quelle tâche elle avait été appelée.

– Tu crois que les Nephilim cherchent la porte, eux aussi ? s'enquit Theodora.

– C'est une certitude. Dans toutes les villes, il se produit la même chose. Ils s'attaquent d'abord aux jeunes, puis aux Aînés, et enfin aux non-nés. Les Nephilim savaient précisément où frapper la Maison de Cycle. Ils sont cruels et forts, mais ils ne connaissent pas nos arcanes, il leur faut un guide. C'était le travail d'un Croatan. L'un des alliés les plus puissants de Lucifer, qui abritait le prince des Ténèbres et gardait son esprit en vie sur Terre. À mon avis, c'est le même qui a détruit systématiquement toutes les Assemblées, à commencer par celle de New York.

Vingt

Un night-club au bout de l'univers

Oliver se trompait. En déambulant dans les rues bondées, il changea d'avis. Le Tartare ne ressemblait pas du tout à New York City, la ville où il était chez lui. New York était dynamique, vivante, elle respirait l'ambition et le désir, son énergie était contagieuse. Elle était d'une structure élégante, disposée en damier d'une rivière à l'autre, à l'exception de l'aberration charmante que constituaient les anciens sentiers à vaches sur lesquels était bâti West Village. L'existence de New York obéissait à un ordre, à une logique. On savait toujours où l'on se trouvait. Du moins Oliver. En grandissant, il en avait exploré chaque coin et recoin, il connaissait Manhattan comme sa poche et en était fier. Il aimait cette ville et, comme bon nombre de ses concitoyens, il ne pouvait imaginer vivre ailleurs.

Par comparaison, le Tartare était mort, pourri de l'intérieur, grouillant d'asticots. Ce n'était pas seulement la capitale de la mort, c'était un cadavre de ville gisant dans une morgue. Il n'y avait pas de soleil, mais l'air était chaud et poisseux. Quant à la foule... Les corps se déplaçaient mollement sur les trottoirs, visiblement épuisés, brisés. Il n'y avait pas d'enfants. Oliver se dit qu'il n'avait jamais vu un lieu si dépourvu d'espoir. C'était un endroit horrible, affreux, écrasant. Il y avait des mouches partout, les plus grosses qu'il ait jamais vues. Elles volaient vite, se hâtant de répandre leurs maladies.

En baissant les yeux sur les rues qui serpentaient en contrebas, il songea qu'on pouvait facilement se perdre à jamais dans ce dédale. Comme l'avait dit Mimi, en enfer il n'y avait ni passé ni futur, seulement le présent, si bien que le Tartare était un méli-mélo dantesque, un monstrueux patchwork d'édifices, sans queue ni tête, sans raison d'être ici plutôt qu'ailleurs. Rien n'était harmonieux : ni les couleurs, ni les styles, ni les quartiers. Il n'y avait aucun plan d'ensemble. À certains endroits, on aurait dit un centre commercial sous stéroïdes : un chaos d'enseignes lumineuses clignotantes et de petites échoppes à la peinture écaillée montrant de vieilles affiches de vidéos. Ailleurs, on trouvait des dizaines de bâtiments vides, abandonnés, et presque tout – les murs, les trottoirs, les rues – était couvert de poussière et de suie.

– Viens, on n'est encore qu'à la périphérie, il va falloir aller dans le centre, déclara Mimi en l'entraînant vers une station de métro.

La rame qui entra en rugissant dans la station était couverte de tags du sol au plafond, tous les sièges étaient éventrés, les vitres rayées, et quand le machiniste fit une annonce au micro, les haut-parleurs grésillaient tellement que ses paroles furent inintelligibles. Ils montèrent. Mimi semblait savoir où elle allait, et Oliver la suivit en toute

162

confiance. Elle s'attirait quelques regards avec ses cheveux platine, qui étaient sans doute ce qu'il y avait de plus lumineux dans cette cité obscure. À part cela, on les laissait tranquilles. Personne ne menaça Oliver. La seule émotion qu'il put percevoir fut une indifférence massive. Personne ne se souciait de personne. Oliver pouvait presque toucher du doigt cette absence totale d'intérêt ou de curiosité à leur égard. C'était un désintérêt actif, hostile, comme il n'en avait jamais vu. Cela faisait froid dans le dos.

Le métro démarra brusquement et ils parcoururent quelques stations. À chaque arrêt, le machiniste faisait une annonce à laquelle personne ne comprenait rien.

– Ça ne sera jamais réparé, hein ? nota Oliver.

Mimi eut un sourire ironique.

– À ton avis ?

Ils finirent par arriver à destination.

– C'est ici qu'on descend.

Au-dessus de la sortie, Oliver remarqua un panneau : Vous qui entrez ici, abandonnez tout espoir.

Il se demanda, une fois de plus, ce qu'il faisait là. Ce n'était pas un endroit pour un être humain, et encore moins pour un humain vivant.

Dehors, le bas de Manhattan était encore plus laid que le centre, ou du moins ce qui en tenait lieu. Les rues étaient encore plus noires de monde, l'air sentait la cendre, et respirer devenait difficile. Il vit les trolls, entravés par leur affreux collier argenté : ils travaillaient comme chauffeurs de taxi, comme serveurs, et balayaient des rues qui semblaient impossibles à nettoyer. Il reconnut les démons, avec leur visage légèrement rouge et les petites cornes au-dessus

163

de leur front, et puis ce rictus horrible. Mais le pire, et de loin, était ces créatures au visage si beau qu'on avait du mal à les regarder, aux yeux froids et inexpressifs, les plus indifférents de tous.

– Les Croatan, chuchota Mimi.

Oliver frissonna. Les démons étaient bestiaux et rustres, mais les sang-d'argent, qui avaient été des anges, avaient une beauté corrompue, comme des peintures souillées.

– Ils ne nous embêteront pas, ici, affirma Mimi. Même si on croisait le prince des Ténèbres en personne, il s'en ficherait.

– C'est pour ça qu'ils veulent la Terre ? s'enquit Oliver.

– Oui. L'enfer est mort. Rien ne pousse ici. Ça n'a pas toujours été ainsi, mais c'est comme ça que le monde a été divisé au départ. Toute la lumière en haut, tout le noir en bas.

– Mais où est Lucifer ?

Histoire que je n'y aille surtout pas, poursuivit Oliver dans sa tête.

– Sans doute au-delà du neuvième cercle.

– Qu'est-ce que c'est que ça ?

– Le noyau. Le centre du Monde des Abîmes. Là où les anges des Ténèbres ont été façonnés. Personne n'a le droit d'y entrer. On a déjà eu du mal à obtenir l'autorisation de venir jusqu'ici, au septième.

Elle lui expliqua alors la hiérarchie de l'enfer. Au sommet du pouvoir, les Croatan, Lucifer et ses sang-d'argent, et juste en dessous les démons de la Glace et du Feu qui habitaient le Monde des Abîmes, puis les âmes perdues, ces humains qui avaient été jugés au moment d'entrer au royaume des Morts et étaient consignés là pour l'éternité. Encore en dessous, les trolls enchaînés – qui n'étaient ni anges, ni démons, ni humains, mais de tout autres créatures : personne ne savait au juste ce qu'ils étaient, si ce n'est qu'ils faisaient le bon vouloir des démons. Ils étaient la lie de ce monde, la classe inférieure, la caste la plus basse, les Intouchables.

– Et puis il y a les Chiens de l'Enfer, bien sûr. Mais ils sont très rares... Ils habitent sans doute le neuvième cercle avec Lucifer : il les a toujours gardés près de lui.

Oliver tâchait de s'orienter. Si le Tartare était New York, ils se trouvaient apparemment dans Lower East Side, avant l'arrivée des jeunes branchés, des bars à vin et des hôtels chics, mais sans les chouettes petits traiteurs italiens devant lesquels des hommes en survêtement jouaient aux cartes.

Au centre du quartier se trouvait un bâtiment sombre, avec beaucoup de monde devant. Une musique – sans mélodie, monotone, mais de la musique tout de même – tonnait à l'intérieur. Oliver remarqua que les gens attendaient avec impatience, et qu'une superbe démone dont les petites cornes effilées pointaient de manière coquine, assise sur une haute chaise de maître nageur, observait la foule avec dédain. Une fois de temps en temps, elle pointait le doigt, et les gros trolls – des videurs – jouaient des coudes pour aider les élus à se frayer un chemin jusqu'au cordon de velours.

Oliver ne connaissait que trop bien cette pratique. Cela s'appelait le « contrôle au faciès », et c'était un vrai trafic de rejets et d'humiliations, allouant les deux à la pelle, ainsi que la haine de soi. C'était l'enfer, et Oliver se dit qu'il devrait réellement arrêter de penser cela : cela devenait un peu cliché. Si ça continuait, il allait se retrouver coincé dans un ascenseur avec des inconnus : encore une version de l'enfer.

Mimi avançait toujours vers la foule anxieuse.

– Alors, tu viens ? demanda-t-elle en se retournant lorsqu'elle s'aperçut qu'il traînait les pieds, hésitant.

– Oui, oui, j'arrive, se résigna-t-il à répondre.

Peut-être qu'avec Mimi ils n'auraient pas à attendre éternellement dans la foule.

– Autant commencer par ici. Dieu sait que Kingsley adorait les boîtes de nuit, dit-elle. Il faut juste que cette chienne me remarque.

Mimi fourra deux doigts dans sa bouche et émit un sifflement strident.

Tout le monde se retourna pour les regarder, y compris les videurs, qui les toisèrent pendant une éternité, et l'espace d'un instant Oliver se sentit minuscule, sans valeur, comme quand il avait quatorze ans et qu'il n'arrivait pas à entrer au *Moomba*. Mais finalement, la diablesse agita la queue dans leur direction, en signe d'approbation.

Mimi se redressa, rayonnante. La foule s'ouvrit en deux telle la mer Rouge, les videurs les accueillirent et, en un clin d'œil, ils se retrouvèrent dans la boîte.

Vingt et un

La maison de rêve

Au printemps de l'année suivante, Charles acquit une entreprise de médias et prépara sa conquête des ondes, qui comprendrait un concurrent à la chaîne actuelle d'actualités continues, un cinquième réseau, et de multiples holdings de radio et de presse écrite. Il visait la domination des communications planétaires, cherchant à influencer la culture des sang-rouge à travers ses mécanismes d'information les plus insidieux. Il s'achetait une tribune.

La maison de la Cinquième Avenue était presque prête, et Allegra passait l'essentiel de son temps avec des décorateurs, à débattre de la couleur des murs, du choix des rideaux et de la sélection du mobilier. Ils prévoyaient de conserver une petite partie de leurs anciennes affaires : Cordelia leur avait promis le canapé Chesterfield et l'argenterie en cadeau d'union, mais Allegra avait surtout hâte qu'ils prennent un nouveau départ. Dans certains cercles, seuls les meubles de famille étaient considérés comme convenables ; Allegra, cependant, n'était pas d'accord. Les traditions avaient du bon, certes, mais elle souhaitait que tout, dans la nouvelle maison, soit clair et neuf, que rien ne rappelle leur lourd passé ni ne contienne trop de souvenirs.

Toutefois, elle s'accrochait encore à quelques coutumes. Depuis l'Égypte, où ils avaient régné sous les noms de Ménès et Méni, ils avaient toujours symbolisé leur union par le fait que la jeune mariée apportait ses possessions dans le nouveau logis. Les déménageurs se chargeraient des pièces lourdes, mais Allegra comptait apporter elle-même certaines choses : son coffret à bijoux, le petit flacon à huile en cristal, un bol de riz, et une cruche d'eau en guise de porte-bonheur.

Elle se tenait dans le salon presque achevé.

Charles entra.

– Je ne savais pas que tu étais là.

– Je voulais juste revoir le papier peint. Je craignais qu'il ne soit trop vif pour la pièce, mais je trouve que ça va.

– C'est très joli, confirma-t-il.

– Ça te plaît ?

– Beaucoup.

– Tant mieux.

Charles lui sourit.

– Ça me fait plaisir de te voir heureuse.

– Je le suis, affirma Allegra.

À force de le répéter, elle finirait bien par le croire.

VINGT-DEUX

Mauvais sang

– Tu n'as rien dit de toute la soirée, fit observer Jack lorsqu'ils regagnèrent leur chambre après leur longue conversation avec le *Venator* venu d'Amman.

Theodora hocha la tête et s'assit au bord du lit pour envoyer valser ses chaussures et retirer ses boucles d'oreilles. Elle digérait encore tout ce que Mahrus leur avait dit sur l'éradication systématique des Assemblées. Rio, Paris, Kiev, Shanghai, Amman et Le Caire n'étaient plus ou se cachaient sous terre. New York tenait à peine ; c'était un des derniers refuges, et qui savait combien de temps il résisterait ? Il fallait absolument qu'ils trouvent Catherine et bloquent la porte avant que les sang-d'argent ne parviennent à la défoncer et à se déverser depuis l'autre côté.

Voyant sa détresse, Jack posa une main sur son épaule.

– N'abandonne pas tout espoir. Nous traversons une période maudite, mais je suis sûr que nous trouverons le moyen d'arrêter le mal, et que nous survivrons.

Theodora opina. Elle réfléchissait à la manière d'entrer

en contact avec Catherine. Où se cachait-elle ? Elle était quelque part dans la ville, Theo le savait, même Mahrus avait admis que son hypothèse tenait debout. C'était ici que l'activité des Nephilim était la plus forte. C'était l'endroit. Restait à comprendre comment la débusquer.

– Tu ne trouves pas ça bizarre ? demanda-t-elle soudain à Jack. S'il est plus facile, pour protéger le monde des démons, de supprimer complètement les chemins, comme l'a fait Kingsley en libérant la *subvertio*, pourquoi Michel a-t-il créé les portes ?

– Il devait avoir une bonne raison. La loi de la Création stipule que ce qui a été créé par le Tout-Puissant ne doit pas être détruit. Les portes de l'enfer ont gardé ce monde en sécurité pendant des siècles. Michel a mis toutes ses forces dans leur construction. Elles sont affaiblies parce que lui-même est affaibli, expliqua Jack, songeur.

– Tu penses que Mahrus a raison quand il dit que le sang-d'argent qui est derrière tout cela vient de New York ?

C'était là que les meurtres avaient commencé, après tout, là que les premiers décès par consomption complète avaient été constatés. En Italie, Oliver leur avait raconté la disparition de Forsyth Llewellyn. Mimi et les *Venator* l'avaient désigné comme traître. Bliss avait confirmé que son père de cycle, Forsyth, le plus respecté des associés de Charles, était en réalité le Croatan caché dans leurs rangs, celui qui avait maintenu l'esprit de Lucifer en vie dans le corps de sa fille.

– Tu crois que Forsyth est ici ? demanda-t-elle avec un frisson. Que c'est lui qui a organisé ceci ?

170

– Nous le découvrirons. Et le cas échéant, nous le détruirons, promit Jack. Nous n'avons rien à craindre, et surtout pas ce traître.

Theodora se blottit contre lui et Jack posa sa tête contre son cou. Elle porta une main à sa joue, caressa sa barbe naissante. Puis elle se tourna vers lui et ils retombèrent lentement sur le lit. Bientôt, elle sentit ses crocs lui percer la peau et commencer à aspirer le sang.

Theodora était dans l'état d'ivresse heureuse qui suivait toujours le Baiser sacré. Elle sentit Jack la relâcher et se retourner pour éteindre la lumière. Elle allait sombrer dans le sommeil lorsqu'elle ressentit une douleur aiguë au ventre et se redressa, prise d'un spasme, les bras serrés sur l'estomac.

– Qu'est-ce que tu as ? s'alarma Jack. Je t'ai fait mal ? Theo... Dis-moi quelque chose.

Elle secoua la tête. Elle souffrait tellement qu'elle ne pouvait pas parler. Elle avait l'impression de se déchirer en deux ; la tête lui tournait, elle était désorientée, nauséeuse, et elle s'efforça de respirer, non sans difficulté.

– Ça va... ça va, dit-elle avant de rendre tout son dîner par terre.

– Theo !

Elle s'agrippa à la table de chevet, les épaules agitées de convulsions, incapable de lui répondre. La vague de nausée finit par passer et elle en profita pour inspirer. Puis une nouvelle vague se fracassa en elle, plus forte cette fois, et là ce fut encore plus effrayant : elle vomit du sang et de la bile, qui formèrent une flaque sombre et visqueuse.

171

Jack nettoya rapidement avec une serviette prise dans la salle de bains. Il releva ensuite les yeux vers elle.

– Allonge-toi.

– Je ne peux pas, je me sens mieux debout.

Il jeta la serviette dans un coin et se plaça à côté d'elle.

– Alors appuie-toi sur moi.

Elle s'accrocha à lui, tremblante. Jamais elle ne s'était sentie si malade. C'était pire que la transformation, pire que l'époque où elle était restée trop longtemps loin de l'Assemblée et où son sang s'était dilué. Elle avait l'impression d'être mourante. Mais cette sensation passa, et son estomac se calma. Elle se sentit bien mieux.

– Ça va, maintenant, dit-elle, toujours accrochée à lui. Ça doit être un virus quelconque. J'ai peut-être fini par attraper la tourista !

– Tu es sûre ?

– Oui. Ça va. Un peu barbouillée, mais ça m'est déjà arrivé.

Elle lui lança un sourire rassurant.

Jack, lui, ne cachait pas son inquiétude. Il n'avait pas remarqué qu'elle n'était pas dans son assiette, alors qu'ils partageaient tout. Il était consterné par sa propre ignorance, mais il devait y avoir une raison... Alors il comprit.

– Ça dure depuis combien de temps ? demanda-t-il calmement. Dis-le-moi, mon amour.

Theodora haussa les épaules. Quelques semaines, peut-être un mois au maximum. Il avait raison, elle le lui avait caché.

– Je ne voulais pas t'inquiéter, avec tout ce qui se passait. Mais je vais bien, je te le promets.

Jack ne répondit rien mais continua de la soutenir. Ils restèrent ainsi, en silence. Chacun avait des secrets qu'il cachait à l'autre, des secrets qu'il gardait par amour. Mais lentement, et sûrement, les deux seraient bientôt exposés.

VINGT-TROIS

Les feux de la rampe

U ne fois à l'intérieur, Oliver se rendit compte que la
boîte de nuit était située dans un espace qui ressemblait à une ancienne cathédrale : c'était une église désaf-
fectée, transformée en antre du péché. La musique était
assourdissante, le club sentait la fumée et la sueur, ils pouvaient à peine bouger tant la foule était compacte :
l'ensemble était très désagréable. Oliver avait peur de regarder ce qu'il portait, mais il constata qu'il avait eu tort de
s'inquiéter : il était vêtu comme ce matin, en veste saharienne et jean. Ses vêtements ordinaires. Peut-être qu'au
Tartare on se fichait des illusions, à moins que le styliste
du Monde des Abîmes ne soit en congé ce jour-là. Il voulut
poser la question à Mimi, mais celle-ci ne songeait qu'à
avancer, regardant dans toutes les directions, cherchant
Kingsley des yeux. Elle semblait bien connaître ce club, et
l'entraîna dans l'escalier qui menait aux salons VIP.

Les cabinets privés étaient disposés en enfilade : chacun
menait à un autre, et Oliver avait l'impression qu'on aurait
pu passer l'éternité à traverser cette succession de pièces

de plus en plus petites, de plus en plus sombres, de plus en plus chaudes, tandis qu'un rythme de techno obsédant vous martelait la cervelle, *bumf, bumf, bumf*, jusqu'à vous rendre aussi fou que les démons qui hantaient les lieux. Chaque pièce était surveillée par une chienne de garde et un videur, mais Mimi déambulait comme si elle était chez elle, sans ralentir le pas un instant.

Elle finit par s'arrêter, enfin, et Oliver faillit lui rentrer dedans. Elle avait atteint le dernier des salons VIP. Il n'y avait plus de porte à l'autre bout. Fin du voyage.

Elle s'assit à une table et fit signe à Oliver de l'imiter. Ils s'enfoncèrent dans les moelleuses banquettes rouges. Ils n'étaient pas plus tôt assis que le gérant, un vrai boule-dogue affublé d'un affreux costard brillant, vint à leur rencontre.

– Ange déchu, gronda-t-il en désignant Mimi. Tu n'es pas des nôtres. Va-t'en ! On ne sert pas les gens comme toi, ici.

Mimi se redressa et commença à argumenter.

– Helda m'a donné la permission de...

– Helda est là-haut, la coupa le démon avec un geste brutal du pouce. Je me fous de ce qu'elle dit. Pas de déchus dans mon club. Si ton sang n'est pas d'argent, dehors, ma belle. Ça met tout le monde mal à l'aise.

Il montra du geste deux trolls postés à la porte, qui venaient d'ailleurs de les laisser entrer. Ceux-ci extirpèrent Mimi et Oliver des banquettes.

– Lâchez-moi ! exigea Mimi. Vous ne pouvez pas faire ça ! Vous ignorez donc qui je suis ?

– Et lui, alors ? demanda un des trolls à son patron avec un hochement du menton en direction d'Oliver.

– Quoi, lui ? grogna le démon.

– Il est vivant, souffla le troll avec appétit. On peut l'avoir ?

– Ouais, je m'en fous.

Les trolls, ravis, se mirent à saliver en poussant des exclamations gutturales.

Mimi se débattit, mais les créatures étaient trop fortes. Celles-ci commençaient à la faire sortir, avec Oliver, du salon VIP, lorsqu'une voix trancha le vacarme ambiant.

– Laisse-les, Belzébuth.

Une voix bien connue. Mimi se figea, le souffle coupé. Elle n'osait croire, après tout ce qu'ils avaient enduré, qu'elle touchait enfin au but. Elle se retourna : un garçon élégamment vêtu se tenait dans un coin, le visage dissimulé dans l'ombre.

Rien ne se passa. Le démon gronda.

– Laisse-les, j'ai dit. Je ne suis pas assez clair, peut-être ?

– OK les gars, faites ce qu'il veut, céda l'horrible démon, et la poigne des trolls se desserra de leurs bras.

Oliver plissa les paupières pour mieux voir la silhouette sombre qui venait d'intercéder en leur faveur. Il était pratiquement certain de savoir qui parlait, mais pour le moment il ignorait s'il pouvait être soulagé ou s'il devait continuer d'avoir peur. Tout de même, conclut-il, n'importe quoi valait mieux que de voir ces trolls saliver sur lui.

– Mais, patron, ils empuantissent toute la boîte, protesta faiblement le démon d'un air craintif.

– C'est toi-même que tu sens, répondit le garçon, apparemment amusé par sa délectable injure. Va-t'en, trouve d'autres clients à persécuter si tu veux, mais laisse mes amis tranquilles.

Il s'avança dans la lumière et tendit la main.

– Force, salua Kingsley Martin, plus suave et nonchalant que jamais.

Il avait quelque chose de changé, mais ce n'était pas physique : il était toujours absolument sexy, avec sa mèche coquine, ses yeux sombres et étincelants. Kingsley semblait toujours partant pour s'amuser, mais également détendu et à l'aise, parfaitement chez lui dans son nouvel environnement. Il ne paraissait ni malheureux ni torturé, et Mimi dut se retenir de lui sauter au cou : quelque chose, dans son expression, l'incitait à se maîtriser.

Kingsley n'avait pas l'air étonné de la voir. Ni stupéfait, ni excité, ni aucune des émotions qu'elle s'attendait à trouver lorsqu'ils seraient enfin réunis. Il se comportait comme si un incident mineur venait de survenir.

– Quel plaisir de te voir ici. Tu bois quelque chose ?

Mimi se demandait à quel jeu il jouait. Voulait-il cacher ce qu'il éprouvait pour elle devant les trolls et les démons qui les entouraient ? Lui, l'homme aux doigts impatients et au désir insatiable ? Elle se rappelait comme il était rapide à la déshabiller lorsqu'il la voulait... et il l'avait voulue si fort et si souvent, à l'époque... Malgré sa terrible envie de se jeter dans ses bras, elle s'interdit toute démonstration d'enthousiasme. Elle était Mimi Force, et si Kingsley voulait le jouer ainsi, si c'était une partie de chasse qu'il voulait, elle la lui donnerait.

– D'accord. Qu'est-ce que tu nous offres ? demanda-t-elle

en rejetant ses cheveux par-dessus son épaule et en se ras-
seyant à la table du coin.

Kingsley claqua des doigts et une superbe virago apparut.
Haute d'un bon mètre quatre-vingts, elle portait une
minuscule robe en lamé qui mettait en valeur ses atouts
plantureux.

– Sirène, débrouille-toi pour que mes amis aient tout ce
qu'ils veulent, ordonna-t-il avec ses intonations noncha-
lantes.

– OK, patron.

La serveuse posa deux cartes des boissons reliées de cuir
sur la table.

– Qu'est-ce que vous prendrez ? C'est la maison qui offre.

Mimi ouvrit sa carte pour faire son choix, et lorsqu'elle
releva la tête, Kingsley n'était plus là. Elle jeta à Oliver un
regard interrogateur, mais celui-ci haussa les épaules.

– Il était là il y a un instant, dit-il.

– Alors comme ça, vous êtes amis avec Araquiel ? souffla
la serveuse. Vous avez de la chance !

– Pourquoi ? C'est lui le propriétaire ? demanda Oliver.

– Mieux que ça. C'est le *Consigliere*.

– Il est dans la mafia ? s'étonna Oliver.

– Si on veut, dit Mimi en s'adossant à la banquette. Le
Consigliere est le bras droit d'Helda. Qu'est-ce que tu dis
de ça ?

Elle prit un instant pour évaluer la situation. Ce n'était
pas étonnant que le Monde des Abîmes ait posé tant d'obs-
tacles à leur voyage. Helda ne tenait sûrement pas à perdre
son conseiller le plus proche sous prétexte que Mimi souhaitait revoir son amoureux.

179

– Ah, oui. Bah, c'est toujours bien d'avoir des amis haut placés, hein ? plaisanta Oliver avec un sourire nerveux.

Mimi ne répondit pas. Elle avait trouvé Kingsley, mais il semblait qu'Helda ait dit la vérité : il n'était pas perdu, loin de là, et il n'avait aucune envie d'être retrouvé.

VINGT-QUATRE

La mariée était en orange

Tu es superbe, dit Charles lorsqu'il vit Allegra se préparer devant le miroir de son dressing.

Elle se retourna et sourit en finissant d'accrocher ses boucles d'oreilles.

– Tu te souviens de celles-là ? demanda-t-elle. Tu me les as offertes à Rome.

– Oui. Je les avais achetées à des artisans grecs, elles m'avaient coûté une fortune !

– Heureusement que Cordelia ne les a pas vendues aux enchères. J'avais peur de ne plus rien retrouver après son grand nettoyage de printemps.

Elle prit avec précaution un collier dans son coffret. C'était un bijou carnélien, venu d'Égypte.

– Tu peux m'aider ?

Charles le disposa soigneusement autour de son cou et le ferma, après quoi il embrassa tendrement sa nuque.

– Et maintenant va-t'en, tu sais bien que ça porte malheur de voir la mariée avant la cérémonie, dit Allegra bien qu'elle ne craigne rien de cette superstition, car ceci n'était qu'une des innombrables unions qu'ils partageaient depuis l'aube des temps.

Elle se sentait plus légère – et pour la première fois depuis Florence, elle ne doutait pas d'elle-même. Elle avait hâte d'avancer dans sa vie, dans leur vie commune, et se réjouissait déjà de la noce qui suivrait la cérémonie.

L'Assemblée était réunie au temple de Dendour, et bientôt elle s'avancerait vers l'autel pour prononcer les mots qui la lieraient à son jumeau pour cette vie entière.

Elle avait choisi une tenue qui rappellerait à tous leur riche histoire : les boucles d'oreilles gréco-romaines, le collier égyptien, et une robe étroite en lin et soie. Hattie avait tressé de la lavande dans ses cheveux, qu'elle portait coiffés comme pour son union de Rome. Sa robe n'était pas blanche, mais d'une ravissante teinte orangée, exactement comme au temps du Nil. Vive, joyeuse et festive. Et puis il y avait le voile, un fin rideau de soie qui couvrirait sa tête.

Comme le voulait la coutume, Charles se rendrait à l'union seul, suivi de son cortège, et Allegra arriverait quelques minutes plus tard. Ils se retrouveraient devant les marches du temple au coucher du soleil.

Elle était presque prête lorsqu'on frappa à la porte de sa chambre.

– Il y a un monsieur en bas qui demande à vous voir, il se présente comme un vieil ami, lui annonça Hattie d'un air un peu sceptique.

– Qui est-ce ?

– Il n'a pas voulu le dire. J'ai ordonné à Julius de ne pas le laisser entrer. Je ne voudrais pas qu'il vous mette en retard.

– Le moment est mal choisi, en effet. Vous ne pouvez pas l'envoyer promener ?

– Nous avons essayé, mais il refuse de bouger. Il le fera peut-être si c'est vous qui le chassez.

Allegra descendit lentement l'escalier dans ses escarpins en strass. À la porte, elle trouva Ben, qui attendait sur le perron, sous la surveillance de Julius, le chauffeur.

– Salut, dit-elle en lui touchant l'épaule. Qu'est-ce que tu fais là ?

– Salut. Pardon, je te dérange ? (Il observa sa robe et son voile.) Tu vas à un bal costumé ?

– Non. C'est...

Elle se trouva incapable de lui révéler ce qu'elle portait. Bien sûr, il ne pouvait pas deviner que c'était sa robe de mariée : les sang-rouge se mariaient en blanc.

– Qu'est-ce que tu fais là ? répéta-t-elle.

Il enfonça les mains dans les poches de son manteau et inclina la tête en direction du parc.

– Tu veux aller faire un tour avec moi ?

– Maintenant ?

Elle regarda sa montre. Elle aurait déjà dû être en route pour le Metropolitan Museum, qui abritait le temple. Julius l'observait avec curiosité.

– Nous allons être en retard, mademoiselle.

Mais d'un autre côté, les mariées étaient toujours en retard, non ?

Et s'il y avait un bon moment pour entendre ce que Ben avait à lui dire, c'était bien celui-ci. Après, il serait trop tard.

– D'accord.

Elle se débarrassa de ses escarpins et enfila une paire de savates rangées dans l'entrée.

Ils descendirent vers Riverside Park, à quelques rues de là, et longèrent le fleuve. Le feuillage commençait à changer de couleur. Bientôt viendrait l'hiver, le froid. Les feuilles mortes crissaient sous leurs pas. Sa robe froufroutait sur l'herbe. Dans une heure, elle serait unie à Charles.

Ce fut Allegra qui parla en premier.

– Que fais-tu ici ? Tu ne devrais pas être... en voyage de noces ?

Sans même y penser, elle avait remarqué la date : il avait dû se marier le vendredi précédent.

– Je ne me suis pas marié.

– Hmm.

Elle ne savait pas quoi penser, mais quelque part elle n'était pas surprise. Lorsqu'elle l'avait vu sur le perron, son cœur avait fait un grand bond et elle avait su, dans l'instant, que c'était ce qu'il allait lui annoncer. Même si elle croyait consciemment que cette période de sa vie était révolue et que le danger était passé, on aurait dit que quelqu'un rouvrait sans cesse le livre à la même page, insistait pour que Ben et elle se revoient... Qui était ce « quelqu'un » ? Elle ? Lui ? Et pourquoi lui était-il si facile, soudain, d'oublier les préparatifs savamment orchestrés de sa cérémonie d'union ? Elle était censée monter en voiture, tout de suite, et dans quelques minutes elle était censée attendre au temple.

Charles se tiendrait devant l'autel, dans son smoking. Les invités, disposés autour d'eux, tiendraient des cierges. Ils prononceraient les paroles rituelles. Elle avait déjà apporté ses possessions dans la maison, le matin même, une tradition héritée de l'Égypte ancienne, du temps où aucune cérémonie n'était nécessaire, où la mariée signait son union en emménageant chez son époux. On avait beaucoup de bon sens, à l'époque, en vérité.

Et pourtant, en un clin d'œil, en un battement de cils, elle avait jeté ses projets aux quatre vents. Elle avait accepté d'aller se promener avec Ben. Peut-être, finalement, auraient-ils dû être superstitieux. Peut-être le fait que Charles l'ait vue dans sa robe leur avait-il porté malheur.

Mais peut-être, au contraire, était-ce le bonheur qui frappait... Car qu'est-ce qui avait poussé Ben à se trouver là, justement, en ce moment tellement inopportun ? S'il était venu le lendemain, elle ne l'aurait pas reconnu, et s'il était venu la veille, elle aurait eu davantage de temps pour réfléchir avant d'agir, du temps pour revenir à la raison et reprendre ses esprits... Mais le moment, c'était maintenant. Il n'y avait pas de temps à perdre, pas le temps de penser, il n'y avait que le battement fou de son cœur. Elle portait sa robe de mariée. Elle avait de la lavande dans les cheveux...

Ben trouva un banc l'invita à s'asseoir avec lui.

– Je n'ai pas pu te le dire plus tôt, parce que je pensais que ça ne changerait rien. Mais maintenant, ça compte. Renny était enceinte. Ou elle le croyait, mais elle ne l'est plus.

– Que s'est-il passé ?

– Je ne sais pas, au juste. J'ai l'impression qu'elle ne l'a jamais été, qu'elle y a simplement cru. Ma mère pense qu'elle intriguait pour épouser le fils du patron. Mais elle croit ça de toutes les filles avec qui je sors. (Il soupira.) Je comptais me marier quand même. Quelle importance, qu'elle attende un enfant ou non ? Je l'aimais.

Allegra hocha la tête. C'était dur de l'entendre déclarer son amour pour une autre, mais elle l'avait vu de ses yeux un certain soir au bar du *Séquoia* : sa douceur avec Renny, l'affection évidente qui les liait.

Il s'adossa contre le banc et retira son écharpe, qu'il tortilla dans ses mains.

– Finalement... Je n'ai pas pu. J'ai tout annulé. J'ai rompu avec elle la semaine dernière. J'ai compris que je devais poursuivre mon bonheur, et voilà pourquoi je suis ici aujourd'hui.

Il se tourna vers elle avec le regard bleu le plus limpide qu'elle ait jamais vu.

– Ben... Ne me dis rien que tu ne penses pas vraiment, l'avertit-elle. Tu sors tout juste d'une crise. Ce n'est pas facile de rompre avec quelqu'un qu'on allait épouser. (*Et je sais de quoi je parle*, songea-t-elle.) Tu ne sais pas ce que tu dis.

– Mais justement, si. Je sais ce que je veux, maintenant. Et c'est ce que j'ai toujours voulu, seulement je croyais que c'était impossible.

Allegra commençait à paniquer. Ce n'était pas ce qu'elle souhaitait : elle avait reçu l'onction, les épées étaient bénies, les alliances sorties du coffre.

– Tu compliques les choses et je veux que nous soyons amis. Tu ne sais pas ce que tu fais.

– Écoute-moi jusqu'au bout, Belles Gambettes. Je t'en prie.

Elle opina, le cœur battant à tout rompre. Il fallait qu'elle parte, tout de suite, elle ne pouvait pas rester à écouter cela, ça ne ferait que tout compliquer... Mais au lieu de penser à ses invités au temple, ou à la succession ordonnée d'événements qui ne commençait que maintenant à se déliter lentement – elle savait que dans une minute Julius serait envoyé la chercher pour la ramener sur le bon chemin, et non sur cette étrange déviation que sa vie venait d'emprunter – elle voulait, elle voulait tant entendre ce que Bendix avait à lui confier...

– Le soir où tu es revenue dans ma vie... Je n'ai jamais pu l'oublier. Ça a remué tant de choses en moi... poursuivit-il en faisant des cercles avec ses mains au-dessus de sa poitrine.

– Ben. Je ne peux pas. Je t'ai dit... (Sa voix monta dans les aigus, étranglée par l'émotion.) Je t'ai dit que je ne pouvais pas.

– Je sais ce que tu es, et je t'aime. Je te veux. Je me fiche que tu... ne sois pas humaine.

Il ne pouvait se résoudre à proférer le mot.

Elle secoua la tête.

– Mais ce n'est pas tout. Il y a bien plus que cela. Il y a une chose que tu dois savoir.

Elle lui raconta la vision qu'elle avait eue lors de leur premier tête-à-tête, lorsqu'elle avait bu son sang. Elle lui parla de leur bébé, puis d'elle-même, dans le coma, sur le lit, et de sa certitude que s'ils étaient ensemble il mourrait, que l'amour qu'elle lui portait scellerait sa perte, que leur union serait la fin de son existence.

Ben garda le silence un moment.

– Donc, si nous restons ensemble, je mourrai ?

Allegra garda une expression ferme et résolue.

– Je ne sais pas. Je crois.

Alors il sourit, et ce fut comme quand le soleil perce les nuages. Il lui prit le menton.

– Eh ! Écoute, Belles Gambettes, il faut bien mourir un jour, quand on est humain comme moi. Je ne sais pas pour toi, mais moi, je ne crois pas aux visions. Je crois qu'on choisit son destin. Tu ne m'as pas laissé le choix la dernière fois. Tu es partie. Mais maintenant, je suis là. Et je t'aime. Reste avec moi. Ne crains pas l'avenir, nous l'affronterons ensemble.

Il essuya les larmes d'Allegra. Ses mains étaient tièdes et douces.

Vingt-cinq

Les vestales

Pendant toute une semaine, l'équipe passa Le Caire au peigne fin pour y chercher la moindre trace des Nephilim, mais on aurait dit que les enfants du démon s'étaient évaporés. Comme toutes les pistes demeuraient stériles et que les jours passaient sans solution ni progrès, Theodora finit par conclure qu'ils s'y prenaient mal. Elle était encore barbouillée et nauséeuse le matin, et l'odeur de la viande grillée pouvait la faire vomir, mais dans sa tête, tout était clair. Elle avait l'impression de savoir d'où venait son malaise, mais elle gardait ses espoirs pour elle-même. Elle ne voulait pas en parler à Jack avant d'être certaine. Et en attendant, ils avaient du travail.

S'ils ne parvenaient pas à débusquer les Nephilim, ils devraient trouver une ruse pour que l'ennemi vienne à eux. Elle se rappelait une chose que Sam leur avait confiée : ils avaient pourchassé les rejetons du démon jusque dans la cité des Morts parce qu'ils avaient l'intuition que les jeunes filles qui y disparaissaient étaient enlevées vers le Monde des Abîmes.

En effet, les jeunes disparues étaient des fidèles du temple d'Anubis – l'ancien dieu égyptien des Morts. Si l'Égypte moderne s'était distanciée des anciens usages, les habitants du cimetière, eux, n'avaient jamais oublié, et des vestales entretenaient toujours la flamme sacrée. Theodora formula un plan et s'en ouvrit au reste de l'équipe. Ils passèrent le reste de la soirée à peaufiner les détails. Lorsqu'ils furent satisfaits, chacun rentra chez soi.

– Ça ne me plaît pas, déclara Jack le lendemain matin. C'est trop dangereux, tu prends trop de risques.

– Il n'y a pas d'autre moyen de trouver la porte : ils faut qu'ils m'y emmènent, lui rappela-t-elle.

Il n'était plus temps de protester ni d'attendre : il fallait agir sur-le-champ, avant que les sang-d'argent ne rompent les digues et ne se déversent sur Terre.

– Mais tu es encore malade. C'est dangereux.

– Ça va, ça vient, dit-elle avec un sourire. Je m'en tirerai très bien. J'aurai Deming et Dehua avec moi. Elles peuvent faire face à n'importe quel démon. (Theodora enfila la robe blanche des vestales du temple et cacha son visage sous un voile.) Et puis tu seras juste derrière moi. Une fois qu'ils nous auront amenées à la porte, les jumeaux et toi parviendrez à les vaincre.

Theodora avait demandé au prêtre chargé du temple de ne pas y envoyer d'autres filles ce jour-là, car les deux *Venator* chinoises et elle avaient prévu de vaquer à toutes les tâches. Elles avaient appris que les jeunes vierges étaient généralement enlevées de nuit, lorsqu'elles quittaient le temple pour rejoindre les confins du cimetière sud, où elles allaient ramasser du bois pour le feu du lendemain matin.

Le temple se trouvait dans un quartier animé de la nécropole, non loin de boutiques et de cafés. C'était un simple cube de pierre, avec une cour où se réunissaient les fidèles et un sanctuaire intérieur où seul le prêtre et les vestales avaient le droit d'entrer. Dans l'Égypte ancienne, seuls les pharaons et les prêtres pouvaient faire des offrandes au dieu à tête de chacal, mais au XIXe siècle, les règles avaient changé, si bien que des filles très jeunes – certaines n'avaient que quatorze ans – étaient appelées à exécuter une grande partie des rituels de purification et des prières. On pensait en effet que seules les prières de jeunes filles pures et virginales étaient exaucées par le dieu des Sépultures.

En arrivant, Theodora et les *Venator* plongèrent leurs mains et leurs pieds dans un petit bassin, un geste de purification symbolique (dans le passé, le bassin était profond et les prêtres s'y baignaient entièrement avant d'entrer). Theodora fit de rapides ablutions, après quoi elle suivit Deming et Dehua dans un imposant couloir longé de hautes colonnes de pierre. Le temple, qui datait de l'époque de Ptolémée, était soigneusement entretenu par les habitants du cimetière.

Puisqu'elles se faisaient passer pour des disciples, Theodora et les filles durent vaquer à toutes les tâches que des vestales ordinaires auraient exécutées : si jamais les Nephilim les épiaient, ils ne devaient rien soupçonner. Le premier geste à exécuter consistait à allumer les chandelles pour purifier l'atmosphère. Toutes trois pénétrèrent dans les chambres intérieures avec leurs bougies allumées, en psalmodiant doucement comme on le leur avait enseigné. Elles se rapprochèrent ainsi de la chapelle et du saint des saints, où se trouvait le tabernacle de pierre qui contenait la statue d'Anubis. Elles posèrent leurs cierges sur des supports et attendirent un peu avant de commencer à nettoyer la statue.

Anubis avait un corps d'homme et une tête de bête, et Theodora se sentit un peu mal à l'aise en commençant à frotter et huiler la pierre. Deming apporta le vêtement de lin plié d'une arrière-salle et habilla la statue, tandis que Dehua se chargeait d'appliquer du rouge sur ses joues et une huile sacrée sur son front.

– Et maintenant ? demanda cette dernière en admirant son ouvrage.

La statue luisait doucement dans la pénombre.

– Les fidèles attendent, dit Theodora. Au travail.

Elles passèrent la journée dans la cour, à diriger les prières, entretenir le feu, oindre les fidèles d'huile sainte. Theodora avait demandé au prêtre de ne pas prévoir de funérailles ni de cérémonie du souvenir ce jour-là, car ç'aurait été mal de tromper des humains qui priaient avec ferveur.

– Il fait chaud, là-dedans, constata-t-elle lorsqu'elles furent de nouveau seules dans la chambre intérieure.

Elle transpirait sous sa robe de lin.

Mais les jumelles se contentèrent de hausser les épaules : en tant que vampires, elles régulaient facilement leur température corporelle.

Theodora avait légèrement le tournis, elle commençait à se sentir faible, et elle se demanda si Jack avait eu raison de s'inquiéter pour son état physique. Elle s'était persuadée qu'elle n'avait pas le choix : Deming et Dehua étaient des combattantes expérimentées, mais c'était elle qui devait perpétuer la mission héritée de son grand-père. Elle ne pouvait pas les laisser trouver la porte sans elle.

Comment ça se passe, là-dedans ? lui demanda Jack dans sa tête.

C'est calme. Vous avez vu quelque chose ?

Rien.

Les trois jeunes filles, nerveuses, observaient les fidèles un à un, avec suspicion. Mais la journée se passa sans incident, après quoi le soleil se coucha et elles durent partir chercher le bois. Jack et les frères Lennox les suivraient à quelques mètres.

Elles s'engagèrent à pas lents dans des rues sombres, inhabitées, car la plupart des gens vivaient dans le nord de la nécropole. Il n'était pas recommandé de se promener dans la partie sud la nuit : on disait que c'était le royaume des dealers et des voleurs. Il n'y avait pas d'éclairage, et le silence qui régnait était angoissant. Elles ne se parlaient pas, et Theodora sentit sa nuque se hérisser. Mais elles atteignirent le tas de bois sans être inquiétées, prirent ce qu'il leur fallait pour ranimer la flamme, et regagnèrent le temple saines et sauves.

– Et maintenant ? demanda Dehua en posant sa brassée de bois à côté du foyer.

Theodora haussa les épaules. Y avait-il quelque chose qu'elles faisaient mal ? Les Nephilim avaient-ils remarqué un élément suspect ?

Ils ne mordent pas à l'hameçon, fit Jack.

Les jumeaux et lui surveillaient le temple depuis un toit, de l'autre côté de la rue.

193

Si, ils vont venir, je le sens, répondit Theodora. Elle ferma les yeux et écouta le vent. Elle percevait quelque chose dans l'air, comme une attente, comme le calme qui précède une bataille, quand tout est tendu jusqu'au moment où le premier coup est tiré.

Deming échangea un regard dubitatif avec sa sœur.

– Peut-être qu'ils sont partis. Ils ont détruit les esprits du sang et l'Assemblée se cache sous terre. Que voudraient-ils de plus ? On devrait passer à autre chose, Mahrus pense que leur prochaine cible sera Jérusalem.

Theodora allait protester lorsqu'une forte bourrasque souffla toutes les chandelles du temple, plongeant la pièce dans le noir. *Ça y est. Ne résistez pas*, rappela-t-elle silencieusement aux filles. *Ne bougez pas. Laissez-les nous emmener. Rappelez-vous que pour l'occasion, nous sommes humaines et faibles.*

Un groupe d'hommes les cernait, surgi de la brume. Theodora découvrit, à sa grande surprise, que leurs ravisseurs étaient humains et n'avaient pas la langue fourchue ni les yeux écarlates des rejetons de l'enfer. Des mains rudes l'attrapèrent des deux côtés. Elle poussa des cris de frayeur, comme les jumelles chinoises. C'était un bon numéro d'actrices. Toute la pièce résonnait de leurs cris de panique.

Theodora n'avait pas beaucoup d'efforts à faire pour être crédible : une terreur glacée lui enserrait l'âme. Mais elle faisait confiance aux *Venator* et à son bien-aimé pour les retrouver.

– La Zaniyat va connaître l'amour ! annonça leur chef, et le groupe lança des acclamations lubriques.

194

Leur rire démentiel avait quelque chose d'écœurant, comme celui des hyènes se disputant une charogne. Theodora en frémit.

Elle remarqua que les hommes portaient un tatouage sur le bras : le triglyphe qu'elle avait déjà vu sur Maria Elena, la marque de Lucifer associée au symbole sang-bleu de l'humanité, qui symbolisait l'union contre-nature des deux races.

– Lâchez-nous ! cria-t-elle. Laissez-nous en paix !

Deming et Dehua, elles aussi, firent semblant de se débattre faiblement. Les hommes n'en avaient cure, et le chef, en ricanant, enfonça sa lance dans le feu. Alors, le sol du temple se déroba. Cette fois, le hurlement de Theodora fut authentique tandis que tous tombaient dans le vide. Ils dégringolaient à travers le *Glom* vivant, en route pour le Monde des Abîmes.

Jack ! Tu m'entends ? Ils sont là ! envoya-t-elle, tout en sachant que c'était peine perdue. Elles étaient hors de vue et hors d'atteinte.

Elle pouvait se battre, et elle le ferait, pensa-t-elle. Peut-être y avait-il encore moyen de tourner leur faiblesse à leur avantage. Les Nephilim croyaient avoir enlevé trois humaines sans défense. C'était toujours une bonne chose d'être sous-estimé.

VINGT-SIX

La seule fille au monde

– Dis, tu es sûre qu'on peut boire ça ? demanda Oliver en désignant les cocktails posés devant eux.

L'un semblait fait de lave brûlante : d'un rouge sombre, il bouillonnait et fumait dans un calice en argent. L'autre était vert vif et lançait des étincelles grésillantes. Oliver n'avait jamais rien vu de tel et n'avait aucune idée de ce que Mimi avait commandé. Même s'il était encore terrifié par ce qu'il voyait dans ces lieux, il était curieux de savoir quel goût cela pouvait avoir. Tous deux n'avaient rien bu ni mangé depuis leur arrivée ; le garçon n'avait aucune idée de l'heure ni du temps passé ici-bas, mais il commençait à se sentir faible et affamé.

– Je ne sais pas et je m'en fiche, trancha Mimi en cherchant Kingsley du regard dans la boîte.

Oliver trempa prudemment ses lèvres. Il avait soif, et il lui fallait quelque chose pour se calmer. La concoction volcanique était tiède et onctueuse, délicieuse, mais presque trop sucrée. Le cocktail vert, lui, avait un vague goût de melon d'Espagne, sauf que là aussi, on avait l'impression que le fruit était trop mûr et presque – mais pas tout à fait – pourrissant. C'était une constante qu'Oliver commençait à remarquer dans le Tartare : même quand quelque chose était bien, ce n'était jamais tout à fait parfait ; dans la boîte, il faisait soit trop chaud soit trop froid, on n'y était jamais complètement à son aise ; comme si la température idéale, l'état idéal de toute chose, en fait, n'existait pas. Tout était toujours un poil trop ceci, un chouïa trop cela. Cela pouvait rendre fou, se dit-il, si ce qu'on absorbait était systématiquement trop fort ou trop fade, trop salé ou trop sucré, trop dur ou trop pâteux, et si rien n'était jamais comme on l'aurait aimé. En même temps... c'était l'enfer, hein ? Oliver s'en voulait de faire des blagues, mais c'était plus fort que lui. Il ne lui restait plus que cela.

Il ne savait pas trop quoi penser de Kingsley. Il ne l'avait pas bien connu à Duchesne, mais son numéro d'indifférence ne l'étonnait pas. Oliver ignorait si Kingsley jouait la comédie, ou s'il était dans le Monde des Abîmes depuis tellement longtemps qu'il avait réellement oublié ses sentiments pour Mimi. La pauvre, elle ne s'attendait pas à cela. Elle paraissait un peu perdue, un peu désolée, scrutant le club des yeux, les traits légèrement tombants, son armure fragile se fissurant. Oliver se sentit désolé pour elle. Elle ne méritait pas cela, après tous les efforts qu'elle avait fournis pour arriver jusque-là. Il aurait bien voulu lui remonter un peu le moral, la consoler autant que possible, et lorsque le DJ lança un nouveau morceau – un morceau qui n'était pas pénible ni conçu pour vous vriller les oreilles, qui avait une mélodie et un rythme discernables –, il sauta sur l'occasion.

– Viens, dit-il à Mimi. Allons danser.

Mimi n'avait jamais pu résister à une piste de danse, et si son premier mouvement fut de dire non, elle ravala son agacement et sa déception. Si Kingsley voulait jouer à ce petit jeu débile, un jeu dans lequel ils faisaient semblant de ne rien éprouver l'un pour l'autre, elle n'y pouvait rien. Elle commençait même à douter de ses propres souvenirs de leur soi-disant amour. Qu'y avait-il eu entre eux ? Ils s'étaient envoyés en l'air une poignée de fois, et bien sûr, Kingsley était revenu à New York pour la convaincre de renoncer à son lien, et aussi, il s'était sacrifié pour la sauver – pour les sauver tous –, mais il ne lui avait jamais rien promis, il ne lui avait même jamais dit ce qu'il ressentait pour elle. Et si elle s'était trompée ? Que faisait-elle ici ? Elle respira plusieurs fois à fond. Elle ne voulait pas penser aux implications de cette idée. Si bien qu'elle prit plutôt la main d'Oliver et qu'ils s'engagèrent sur la piste, parmi les corps qui ondulaient. Ces démons n'étaient pas près de l'oublier.

Oliver était un bon partenaire de danse : contrairement à beaucoup de garçons, il ne faisait pas n'importe quoi. Il avait le sens du rythme et tous deux bougeaient élégamment ensemble, Mimi se trémoussant près de lui tandis qu'il gardait les mains légèrement posées sur ses hanches.

Tournant et virevoltant, elle sentait le tempo courir dans ses veines, savourait la libération qui accompagnait le fait de se mouvoir avec la musique, de se fondre en elle. Essouf-flée, les joues rouges, elle commença à briller d'une lumière intérieure, et pour la première fois depuis le début de leur périple, elle se détendit et sourit. Oliver l'imita et tapa dans ses mains.

C'est drôle, songea Mimi. Il y avait très longtemps qu'elle n'avait pas fait quelque chose juste pour s'amuser, et l'espace d'un instant elle ne fut de nouveau plus qu'une adolescente, sans un souci au monde. En fermant les yeux, elle aurait pu se croire à New York, où il y avait eu autrefois une boîte identique à celle-ci. C'était étrange que le paysage new-yorkais change ainsi, tandis que les immeubles restaient les mêmes. Des synagogues du XIXe siècle abritaient des défilés de mode ultrachics, d'anciennes banques et cathédrales étaient reconverties en bars à cocktails ou en discothèques.

Les danseurs se firent plus frénétiques et la foule était si serrée que Mimi bouscula Oliver. Ou du moins c'est ce qu'elle crut ; mais en tournant la tête pour s'excuser, elle l'aperçut sur leur banquette, en train de siroter ses cocktails démoniaques. (Elle aurait probablement dû le mettre en garde, mais c'était trop tard.) Il haussa les épaules, totalement inconscient de ce qui venait de se passer.

Mais alors, à qui appartenaient ces mains posées sur ses hanches ? Qui se pressait contre elle de cette manière possessive, familière ? Elle se retourna lentement, mais elle connaissait déjà la réponse.

Kingsley lui décocha son sourire malicieux, et elle sentit le corps du garçon réagir au sien tandis qu'ils pirouettaient en rythme avec la musique. Il s'inclina et posa le menton à la base de son cou, et elle sentit sa sueur glissante et chaude sur sa peau. Les mains du garçon vagabondaient, de sa taille à ses hanches, et il l'attirait de plus en plus fort, de plus en plus près, contre lui. Mimi sentait tambouriner son cœur, mais aussi celui de Kingsley, comme s'ils étaient seuls tous les deux, comme si la chaleur de la piste et l'obscurité qui les entouraient formaient un cocon qui les isolait du monde.

– Tu bouges bien, Force, murmura-t-il.

Alors elle se dégagea. Elle n'allait pas céder si facilement. Il la fit expertement tourner, puis la renversa en arrière, si loin qu'il se retrouva le nez dans son décolleté. Bon sang, il savait y faire ! Mais à quoi s'attendait-elle ? C'est à ce moment seulement qu'elle comprit que pendant leur séparation, elle s'était construit une image idéale de lui, ne se remémorant que les aspects les plus scintillants de sa personnalité et le regard qu'il lui avait lancé pour la dernière fois avant de disparaître dans les ténèbres blanches. Ce regard, c'était ce sur quoi elle avait fait reposer tous ses espoirs, tout son cœur. Elle avait oublié comment il était en réalité. Imprévisible. Provocant. Rusé. Après tout, il ne lui avait jamais avoué qu'il l'aimait. Elle n'avait fait que supposer...

Mais voilà qu'il l'attirait de nouveau à lui, et qu'ils se retrouvaient face à face, elle la tête sur son épaule, lui la main dans son dos. Elle reconnut la musique. Marvin Gaye. *Let's Get it On*. Trop de ses familiers humains aimaient passer cette chanson avant la *Caerimonia*. Un grand classique des parties de crocs en l'air. Presque aussi cliché que *Moondance* de Van Morrison. Kingsley lui chantait doucement les paroles à l'oreille, et sa voix avait cette gravité enfumée qu'elle avait toujours tant aimée. « Giving yourself to me, can never be wrong. If the love is true... »

Mimi tenta de ne pas rire. C'était vraiment quelque chose, ce mec. Était-il sérieux ? Il ne pensait vraiment qu'à ça, tout le temps ? Il croyait réellement qu'elle avait fait tout ce chemin jusqu'aux enfers pour coucher avec lui ? Elle n'était rien de plus, pour lui ? Elle s'efforça de ne pas être trop vexée.

La musique cessa et elle le repoussa. Comprenant le message, il s'éloigna, sans se départir de son petit sourire narquois. Il n'avait pas besoin de le dire, mais elle savait qu'il trouvait idiot de prétendre qu'ils n'allaient pas se retrouver au lit tôt ou tard.

Je me trompe ? Elle le recevait cinq sur cinq dans sa tête, et elle entendait clairement son assurance.

Mais Mimi décida de ne pas s'en soucier pour l'instant. Elle ne voulait pas retomber dans leurs anciens travers : faire comme s'ils ne ressentaient rien l'un pour l'autre, comme si leur relation n'était qu'un petit avantage de la vie de *Venator*, comme s'il n'avait pas tant sacrifié pour elle, comme si elle était descendue dans le Monde des Abîmes pour autre chose que le sortir de là. Toutes les émotions de la journée, le faux mariage d'Oliver, l'offre de Mamon, le trajet jusqu'au Tartare, sans compter le fait de revoir réellement Kingsley... tout cela l'épuisait soudain. Elle avait un peu le tournis et l'impression qu'elle allait fondre en larmes. C'était trop, et elle sentit que ses genoux commençaient à céder. Elle allait tomber dans les pommes.

– Eh ! lança Kingsley d'un air inquiet. (Il l'enlaça affectueusement par les épaules et l'attira contre lui.) Allez, allez. Je plaisantais, c'est tout. Ça va ?

Elle fit oui de la tête.

– J'ai besoin de prendre l'air. Il fait trop chaud, là-dedans.

– Non, tu crois ? (Il la raccompagna à sa table.) Tu loges où, en ville ?

– Je ne sais pas.

Elle n'y avait pas encore réfléchi.

– Va voir mon pote au *Duke's Arms*. Il te donnera une belle chambre. Et fais gaffe à ce que le petit Hazard-Perry ne se fasse pas choper par les trolls, ou pire, par les Chiens de l'Enfer.

Il inscrivit une adresse au verso d'une carte qu'il lui tendit.

– Qu'est-ce qu'il t'a dit ? s'enquit Oliver lorsqu'il fut parti.

– D'aller à l'hôtel.

De nouveau, elle avait pleinement conscience de l'absurdité de la situation. Elle avait pris tous les risques pour lui, et voilà...

– C'est bizarre, la boîte ferme juste au moment où on commençait à s'amuser, nota Oliver.

– Ouais, bah, tant pis.

– Alors, patronne, qu'est-ce qu'on fait, maintenant ?

Mimi tripotait la carte entre ses doigts. Elle avait mal à la tête. Elle qui était venue jusque-là, elle n'allait quand même pas renoncer maintenant. Il fallait qu'elle sache si Kingsley avait toujours les mêmes sentiments pour elle. S'il la voulait toujours autant qu'elle le voulait – et non pour une histoire d'un soir, une liaison qui ne signifierait rien. L'amour, le vrai. Celui qui lui avait manqué pendant toute sa vie éternelle passée avec Jack.

Si Kingsley n'avait pas voulu d'elle, il ne lui aurait pas

demandé de rester, n'est-ce pas ? Ah, les garçons... Même dans le Monde des Abîmes, leurs intentions étaient difficiles à déchiffrer. Elle pensa à la manière dont ils avaient dansé ensemble, à ses sensations à ce moment-là. Il y avait autre chose qu'une simple attraction physique entre eux, cela voulait forcément dire quelque chose, n'est-ce pas ? Elle s'était toujours moquée des pauvres filles qui pensaient que, juste parce qu'un garçon avait couché avec elles, cela impliquait qu'il les aimait. Et voilà qu'elle se retrouvait comme elles, complètement accro, piteuse. C'était ridicule : elle découvrait que son cœur était bien plus vulnérable qu'elle ne l'aurait jamais imaginé. Comment avait-elle pu se laisser aller à tomber amoureuse d'un mec comme Kingsley Martin ? C'était à devenir folle. Il était une étoile filante qu'elle tentait d'attraper à mains nues. Elle ne pouvait que se brûler.

Mais elle était d'une autre étoffe que cela. Mimi jouerait le jeu. Elle resterait jusqu'à ce qu'il l'oblige à partir. Jusqu'à ce qu'il lui dévoile la vérité de son cœur.

Elle nota mentalement l'adresse et rangea la carte dans son sac.

– Bon, eh bien allons nous installer. Je crois qu'on est là pour un moment.

VINGT-SEPT

Le pigeonnier

S on moment préféré de la journée était l'heure qui précédait le coucher du soleil. L'été, dans la Napa Valley, la nuit ne tombait pas avant vingt et une heures. La chaleur de la journée se dissipait en fin d'après-midi, et une brise fraîche agitait les arbres, parmi les collines couvertes d'une lumière chaude et rousse : un moment de splendeur éphémère, intemporelle. Les salles de dégustation et les caves étaient vides, les touristes et les amateurs de vin étaient partis, ainsi que les vendangeurs et vignerons qui étaient devenus leurs amis et collègues, et il ne restait plus qu'eux deux. Ben rentrait alors lentement de son atelier, et Allegra ouvrait une bouteille de leur dernier cabernet : c'était le moment de dîner sous les arbres en regardant les colibris voleter de fleur en fleur. La vie n'aurait pas pu être plus douce.

– Quelle chance on a que ta famille ait acheté cet endroit, dit Allegra en trempant un morceau de baguette croustillante dans leur huile d'olive maison. C'est un rêve.

Ils s'étaient installés au vignoble, officiellement pour

aider aux préparatifs des vendanges de l'automne, quand les raisins seraient ronds et gorgés de jus. Le père de Ben avait acquis toutes les terres sur un coup de tête, un après-midi, quelques années plus tôt : en passant boire un verre dans son œnothèque préférée, il avait découvert que son cabernet franc favori n'était plus disponible, car le vignoble fermait pour cause de banqueroute. C'était une chose que ses parents faisaient souvent, lui avait expliqué Ben : ils achetaient ce qu'ils appréciaient pour le garder en existence. Ainsi, au gré de leurs hobbies et de leurs passions, ils avaient racheté de petits restaurants grecs de New York qui servaient encore de la crème aux œufs, ou encore toute une ligne de cosmétiques français. Ils étaient conservateurs, attachés aux traditions, et l'un des grands avantages de leur fortune était qu'elle leur permettait de maintenir en vie tout ce qu'ils aimaient dans le monde avant que cela ne disparaisse à jamais.

La question du lieu où ils s'installeraient avait été réglée le jour où Allegra avait mentionné en passant qu'elle s'y connaissait en fabrication du vin. Il avait été décidé sur-le-champ qu'ils ne s'installeraient pas dans la région de San Francisco, mais plus au nord, dans le vignoble.

Allegra avait tout plaqué l'après-midi où elle était allée se promener dans Riverside Park pour ne jamais revenir. Elle n'avait pas laissé de lettre d'explication, avait coupé toute communication télépathique avec Charles, et était même allée jusqu'à masquer sa signature dans le *Glom*. Elle avait pris cette précaution extrême afin de s'assurer qu'il ne la retrouverait jamais. Car elle ne voulait pas être retrouvée. Charles pouvait envoyer une armée d'enquêteurs et de *Venator* à ses trousses, il ne pourrait pas les localiser. Il ne lui pardonnerait jamais cela – l'avoir laissé en plan le jour de leur union –, et elle ne voulait même pas penser à la peine qu'elle avait provoquée. Tout ce qu'elle savait, c'est que quelque chose, en elle, ne pouvait plus encaisser la vie qu'elle avait vécue jusque-là, et même si chaque fibre de son sang et de son être immortel lui hurlait qu'elle commettait une énorme erreur, son cœur était fermement résolu.

Ç'avait été une folie, vraiment, de quitter sa vie ainsi, les mains vides. Elle portait encore sa robe de mariée lorsqu'elle avait sauté dans un taxi avec Ben. Elle n'apportait rien avec elle : pas de brosse à dents, pas un vêtement de rechange, pas même assez de monnaie pour prendre un bus.

Mais cela ne faisait rien. L'argent n'était pas un problème puisque Ben avait tout prévu, et ils avaient quitté la ville le soir même : elle avait été enlevée dans son jet privé – l'avion familial – pour atterrir directement à Napa. À présent, ils se cachaient dans leur pigeonnier, songeait Allegra. Comme deux tourtereaux.

Pendant la journée, Ben peignait dans son atelier, installé dans une petite maison sur leurs terres. Il y avait une belle lumière et, par les vastes fenêtres, il voyait la vigne pousser sur le coteau. Allegra, elle, faisait tourner l'affaire : elle avait un instinct très sûr pour tout ce qui touchait au vin, et elle adorait cela, de la taille des vignes au design des étiquettes, testant les tonneaux pour voir comment se déroulait la fermentation, vendant les millésimes dans la petite salle de dégustation. Elle était très bronzée à force de travailler au grand air, et elle était également réputée dans la petite communauté agricole pour son fromage et son pain. Elle commençait à se faire un nom. Elle avait invité les enfants du voisinage à fouler le raisin, dans quelques semaines, car le vignoble était un des derniers à perpétuer la tradition du foulage aux pieds. Leur sommelier, de renommée internationale, s'était inspiré d'elle pour baptiser leur dernier chardonnay. *Golden Girl*, pouvait-on lire sur l'étiquette.

Le soleil se coucha enfin, et ils rentrèrent les assiettes et les bouteilles vides. Après avoir débarrassé, Ben lui annonça qu'il voulait peindre encore un peu, et Allegra l'accompagna dans son atelier.

Elle se pelotonna dans le vieux canapé couvert de grosse toile pour le regarder se mettre à l'œuvre. Il travaillait sur une série plus abstraite ces derniers temps, et Allegra savait qu'il était doué. Il deviendrait célèbre, s'il ne l'était pas déjà, et ce ne serait pas grâce à sa famille mais à son talent. Ben se retourna et trempa ses pinceaux dans l'essence de térébenthine.

– Que dirais-tu d'un nouveau portrait ? lui demanda-t-il.

– Est-ce bien raisonnable ? le taquina-t-elle avec une pointe de coquetterie. Ça pourrait faire remonter de vieux souvenirs...

– Justement !

Il était si beau, songea-t-elle, avec sa tignasse blonde, son grand sourire, son rire généreux. Elle aimait l'état dans lequel il la mettait : légère, joyeuse. Elle aimait leur manière d'être ensemble, à l'aise, rieurs. Avec lui, elle se sentait humaine. Elle ne pensait pas à l'avenir ni à ce qu'il leur réservait. Elle avait fui tout cela. Ici, au cœur de cette vallée endormie, elle n'était plus Gabrielle, l'Incorrompue, elle n'était pas une reine vampire, mais simplement Allegra Van Alen, une ex-New-Yorkaise partie à la campagne pour faire du vin.

Elle monta sur l'estrade, s'assit sur le drap et retira lentement ses vêtements. Elle déboucla sa salopette et la laissa tomber au sol, ainsi que le vieux tee-shirt qu'elle portait pour travailler aux champs, pas dans la boutique. Elle regarda Ben par-dessus son épaule.

– C'est bien, comme ça ?

Ben opina lentement de la tête.

Allegra tint la pose. Elle ferma les yeux et respira profondément. Elle sentait que son homme la regardait, mémorisait chaque ligne, chaque courbe de son corps pour en faire son œuvre.

Il n'y avait aucun bruit, à l'exception des doux tapotements du pinceau sur la toile.

– C'est bon, dit-il pour lui indiquer qu'elle pouvait bouger.

Elle se drapa dans un peignoir et alla regarder son ouvrage.

– C'est ton meilleur jusqu'à présent.

Ben posa ses pinceaux pour la prendre sur ses genoux.

– Je suis heureux que tu sois là.

– Moi aussi, dit-elle en se laissant aller dans ses bras.

Elle suivit du doigt les veines qu'il avait dans le cou. Puis elle y plongea les crocs, profondément, et but à grands traits.

Ben se renversa en arrière, bientôt le peignoir tomba, et ils s'unirent intimement.

Jamais Allegra n'avait été si heureuse. Elle pouvait presque se convaincre qu'ils pourraient vivre là pour le restant de leurs jours.

VINGT-HUIT

Les fiancées de Lucifer

Ils étaient loin sous terre, sous la nécropole, sur un chemin qui menait à un escalier souterrain. Theodora trébucha sur la roche et s'écorcha la cheville ; elle avait du mal à garder son équilibre, tour à tour poussée et portée par les hommes qui l'encadraient. Leurs assaillants leur avaient bandé les yeux après la chute dans le vide, et si elle savait qu'ils se trouvaient quelque part dans le Monde des Abîmes, elle ignorait au juste jusqu'où ils étaient descendus. Avaient-ils déjà franchi la porte ? Son plan avait-il fonctionné ? Mais s'ils avaient passé la porte de la Promesse, où était le gardien ?

Et que faire, à présent que Jack et le reste de l'équipe ne pouvaient plus les localiser ? Se battre ? Attendre ? Theodora opta pour la seconde solution. La marche forcée finit par s'arrêter, et le bandeau fut retiré de ses yeux. Elle regarda autour d'elle. Elle se trouvait dans une sorte de salle d'attente, et ne voyait ni Deming ni Dehua. Elle était seule avec ses ravisseurs, deux hommes basanés qui la toisaient avec des airs de connaisseurs. Le sang-rouge

211

qui se trouvait à côté d'elle lui bavait pratiquement dessus.

– Nos maîtres vont nous récompenser. Tu fais un beau butin.

Son estomac se serra, et elle se rassura en se disant que l'épée de Gabrielle était cachée dans sa robe. Le moment venu, elle pourrait contre-attaquer pour se tirer de ce mauvais pas.

La porte s'ouvrit et un démon femelle entra. Theodora n'en avait jamais vu, mais Jack lui avait parlé des différentes créatures qui peuplaient le Monde des Abîmes et des démons qui le hantaient, façonnés dans les ténèbres, respirant le feu noir.

– Qu'avez-vous rapporté ? demanda la créature. Nous avons des jumelles dans l'autre salle. Belle prise. Les gars seront contents. Qu'avons-nous ici ?

Ses agresseurs poussèrent Theodora en avant.

– Pour celle-ci, on peut demander le plus haut prix, celui des fiancées, annoncèrent-ils.

– Retire ton *hijab*, aboya la démone. Je veux voir ce qu'on achète. Allez !

Theodora releva le voile sur sa tête et en profita pour prendre dans son poing l'épée de Gabrielle, qui n'était pas plus grosse qu'un couteau de poche. Elle resta debout dans sa simple robe, les bras croisés.

La démone s'inclina en avant pour la renifler.

– Qu'est-ce qu'on a dans la main, petite demoiselle ?

Avant que Theodora ait pu réagir, elle lui avait saisi le poignet et serrait, fort.

La douleur fit céder les genoux de Theodora, qui n'eut

pas le choix : elle dut ouvrir la main et renoncer à son arme.

La démone la ramassa, et le couteau se transforma en long sabre miroitant.

– C'est bien ce que je pensais. Une épée d'ange déchu. Que Baal l'examine de près. Et avertissez les autres : les jumelles en sont peut-être aussi. (Elle posa ses mains charnues sur ses cuisses et sourit.) Beau boulot, les garçons. Les patrons trouveront des anges dans leur lit ce soir. Allez, disparaissez. Les trolls vous paieront à la caisse.

Les hommes sortirent et la démone observa attentivement Theodora.

– Voici une proposition intéressante. Tu n'es pas exactement ce que nous avions demandé, mais je crois que nous allons trouver quelqu'un qui t'aimera comme tu es.

Sur quoi elle s'en alla en claquant la porte derrière elle.

Une fois seule dans la pièce, Theodora fit les cent pas, à la recherche d'une issue... mais la salle était entièrement creusée dans la roche. Elle essaya tout, mais aucun sort, aucune incantation ne fit bouger le moindre caillou. Tâchant de maîtriser la panique qui menaçait de la submerger, elle se força à réfléchir. Elle avait perdu son épée, mais elle trouverait bien autre chose pour se défendre. Cependant, avant même qu'elle ait ne serait-ce qu'esquissé un plan, la démone revint. Elle n'était pas seule.

Celui qui l'accompagnait était un Croatan, un ange aux cheveux d'argent – beau, mais au regard écarlate, froid et dur, et marqué de balafres qui révélaient son appartenance à Lucifer. Le Corrompu la regarda avec concupiscence, et Theodora ressentit son désir comme une agression physique. Il lui envoyait des images mentales auxquelles elle ne pouvait pas échapper : fermer les yeux ne servait à rien, car les visions pénétraient directement dans son esprit, et elle vit précisément le sort qui l'attendait si elle ne s'évadait pas. Elle sentit son courage faiblir ; elle était prisonnière de ces lieux, désarmée, vulnérable... Mais elle releva le menton, les yeux étincelants de rage. Elle pouvait toujours se battre, de tout son corps et de toute son âme.

– Elle fera l'affaire, dit-il, d'une voix grave et mélodieuse, mais glaçante de malice. Préparez-la. (D'une main, il lui prit le menton.) Les garçons avaient raison. Tu es bien jolie. Cependant, je ne paierai pas le prix des fiancées pour celle-ci. Un ange déchu ne saura pas me donner l'enfant que je souhaite engendrer.

– Mais voyez ces cheveux, ces yeux... c'est le portrait craché de Gabrielle, protesta la démone. Je suis sûre que...

– Ce n'est pas négociable. Tu as encore de la chance que je t'en débarrasse.

Il caressa la joue de Theodora une dernière fois avant de partir.

– Bien, tu as entendu cet imbécile, grogna la démone. Allez viens, Zani nous attend.

– Zani ? Vous voulez parler de la prêtresse du temple d'Anubis ?

La perspective de trouver enfin la femme qui était peut-être Catherine de Sienne lui fit battre le cœur.

La démone clappa de la langue.

– De quoi parles-tu, mon enfant ? Ici-bas, la Zaniyat Babel est le nom qu'on donne à un bordel. Vous êtes les Putains de Babylone. Les fiancées de Lucifer. Bien sûr, tout le monde n'est pas choisi par le prince des Ténèbres. Toi, par exemple, on te mariera à Danel. Veinarde ! Il est plutôt beau mec, tu ne trouves pas ?

Theodora ravala sa stupéfaction pour digérer l'information. « Zani » n'était pas une prêtresse. C'était le nom de code de cette opération : l'enlèvement de fiancées humaines pour les démons.

Non. La Zaniyat Babel n'était pas une prêtresse, et Theodora ne trouverait pas Catherine de Sienne ici. *Zaniyat* était un nom très ancien. Les femmes prises par les Croatan avaient reçu de nombreuses dénominations au fil des siècles : Deming lui avait dit que le Nephilim avait appelé sa mère « la Maîtresse ». Les maîtresses de Satan. Les Putains de Babylone. Tout cela, c'était la même chose. La Maîtresse de Florence avait dû être la première à donner le jour à un hybride humain-démon, mais depuis, beaucoup avaient connu le même sort, et à présent venait le tour de Theodora.

La démone l'entraîna dans un autre souterrain. Lorsqu'elles en sortirent, elles se trouvaient au milieu d'un petit bazar de village, entouré de bâtiments poussiéreux qui ne semblaient pas très différents de ceux du Caire. Sa geôlière frappa à la porte d'une de ces maisons, et au bout de quelques minutes, on les fit entrer.

Un groupe de matrones humaines, légèrement vêtues

et lourdement maquillées, les accueillit dans le vestibule. Étant donné la présence de sang-rouge, Theodora comprit qu'elle devait se trouver dans les Limbes, le premier cercle de l'enfer, juste après le *Glom* vivant. Plus bas, dans les cercles suivants, les humains ne tenaient pas longtemps.

– Danel veut qu'elle soit prête pour l'union dans quelques heures, leur apprit la démone. Et il ne veut pas qu'elle soit droguée.

Les femmes hochèrent la tête, et deux d'entre elles menèrent Theodora dans un petit boudoir rempli de vêtements. Elles la firent asseoir de force sur un pouf, devant le miroir d'une coiffeuse.

– Voyons ce que nous avons ici, dit la plus grosse, la plus vieille et la plus basanée des deux en agitant ses bracelets d'or.

– Trop maigre. Il va falloir la rembourrer, râla l'autre.

– Danel choisit toujours les plus jeunes.

Theodora les fusilla du regard.

– Laissez-moi partir, ordonna-t-elle.

Mais soit le pouvoir de la compulsion se diluait dans le Monde des Abîmes, soit les humaines avaient appris à s'en protéger. En tout cas, cela ne marchait pas. Les dames se contentèrent de rire.

Elle n'en revenait pas que ces femmes soient si détendues, vu ce qu'elles s'apprêtaient à faire.

– Vous offrez vos filles à ces démons, leur dit-elle. Vous devriez avoir honte.

La maquerelle sang-rouge la gifla.

– Si tu me parles comme ça encore une fois, tu perds ta langue.

– Arrête ! protesta l'autre. Tu vas laisser des marques. Le patron n'aime pas qu'elles soient abîmées. N'oublie pas, on est là pour la faire belle.

VINGT-NEUF

Le palais du fleuve

En fait, le *Duke's Arms* n'était pas un simple hôtel mais plutôt un palace, un véritable château de conte de fées : quatre étages de luxe extravagant occupant le sommet d'un majestueux gratte-ciel situé tout au bout de la ville, non loin du fleuve qu'on appelait le Styx. Le décor était chargé, couvert de dorures, résolument kitsch, d'un mauvais goût épouvantable : immenses colonnes roses, angelots dorés partout, gargouilles grimaçantes. *Tous les attributs du style m'as-tu-vu nouveau riche*, songea Mimi. Une horreur hors de prix. Elle ne pensait pas que ce soit la faute de Kingsley, l'endroit avait sans doute toujours eu cet aspect quel que soit le *Consigliere* en titre. Elle nota tout de même que l'hôtel se trouvait dans un quartier un peu moins minable et que l'air, aux abords du fleuve, n'était pas aussi gris et pollué qu'ailleurs. Le portier les informa qu'ils étaient attendus et les fit monter dans l'ascenseur.

Lorsque les portes se rouvrirent, Mimi et Oliver prirent pied dans le vestibule d'un appartement spectaculaire, avec un grand escalier qui s'arrondissait sur trois étages. Un assortiment de trolls domestiques, en uniforme, se tenait en rang d'oignons : majordomes et valets de pied en livrée, bonnes et cuisinières en robe noire et tablier amidonné. Tous portaient le collier étrangleur en argent marqué du *sigul* de la maison.

– Bienvenue, leur dit le maître d'hôtel. Nous vous attendions, lady Azraël.

Mimi lui accorda un hochement de tête royal. Voilà qui était mieux, pensa Oliver.

– Souhaitez-vous dîner, ou préférez-vous que je vous montre vos chambres ?

Elle lança un regard interrogateur à son compagnon de voyage. Oliver bâilla.

– Je meurs de faim, mais je crois quand même que je préfère dormir un peu d'abord.

– Alors nos chambres.

– Par ici, je vous prie, dit une bonne en faisant la révérence.

Ils la suivirent jusqu'à un autre ascenseur, qui les mena à une vaste suite de pièces donnant sur la rive orientale du fleuve.

– C'est ici que dort Helda lorsqu'elle vient en visite, souffla la petite bonne en ouvrant la double porte pour révéler un intérieur luxueux avec vue panoramique.

Mimi opina. Kingsley considérait sans doute cela comme un honneur. Elle était heureuse d'être si bien accueillie, mais aussi un poil déçue qu'il ait si rapidement quitté sa compagnie. Elle aurait préféré être seule avec lui dans une simple cabane, plutôt que parmi tous ces froufrous sans lui. Elle dit bonne nuit à Oliver et se prépara à se mettre au lit.

220

Lui aussi alla se coucher. Sa chambre était luxueuse et dotée de tout le confort, mais, comme il s'y attendait, les oreillers étaient trop mous, le lit trop grand, la clim trop froide. Cependant, il ne se plaignait pas. Il était content de pouvoir enfin se reposer, même si c'était dans un ersatz de Trump Tower, et si le personnel faisait froid dans le dos. Il souhaita une bonne nuit à Mimi, et quand sa tête toucha l'oreiller, il ne se soucia pas que celui-ci soit trop mou : il dormit immédiatement, comme un mort. Sans bouger une seule fois.

Mimi, quant à elle, resta assise pendant des heures dans son lit. Elle avait trouvé tout un assortiment de déshabillés vaporeux en soie dans le dressing, et, après un long bain dans la baignoire en marbre, elle avait enfilé le plus sexy, s'était glissée sous ses draps et avait attendu. Enfin, après ce qui lui avait paru des heures, elle avait entendu les portes de l'ascenseur s'ouvrir et reconnu le pas nonchalant de Kingsley. Elle avait attendu qu'il se glisse dans sa chambre et lui saute dessus.

Elle l'arrêterait, bien sûr, et exigerait qu'il s'explique sur ses sentiments avant d'aller plus loin... mais ensuite, lorsqu'il lui aurait juré qu'il la vénérait, lorsqu'il l'aurait suppliée de le pardonner pour son accueil désinvolte et ambivalent au club... elle le laisserait faire tout ce qu'il voudrait... et elle devait avouer qu'elle avait hâte qu'il lui fasse subir les derniers outrages. Elle se tortillait d'anticipation en se rappelant comment ils avaient dansé ensemble, ses bras forts autour de sa taille, la manière dont son corps bougeait avec le sien. Elle adopta une pose avantageuse

contre les oreillers, de manière à avoir l'air aussi ensommeillée et innocente que possible.

Sauf que les pas s'éloignèrent au lieu de se rapprocher,
puis ce fut le silence. Mimi ouvrit un œil, contrariée. Elle
fit de nouveau gonfler ses cheveux et les oreillers, vérifia
que sa nuisette tombait joliment sur son corps, et reprit
la pose. Cela faisait peut-être partie du jeu ? Il la taquinait
encore ? Mais les minutes s'écoulèrent, et toujours rien.
Mimi ne dormit que d'un œil pendant des heures, mais ne
reçut pas la moindre visite nocturne. Ni cette première nuit
ni les suivantes. De fait, elle ne le vit pas du tout pendant
les sept jours qui suivirent.

Bien joué, Martin, pensa-t-elle. *Petit malin*. Mimi prit la résolution de ne pas le chercher, et de ne donner aucun signe
qu'elle l'attendait, afin qu'il fasse le premier pas. Il l'avait
invitée chez lui, c'était donc qu'il souhaitait sa présence.
Elle pensait savoir pourquoi il la faisait attendre. Il voulait
la voir craquer, capituler entièrement, pour que sa victoire
sur son cœur soit totale. Mais Mimi avait sa fierté. Une
semaine après leur installation au *Duke's Arms* – ainsi
nommé, apprit-elle, parce que c'était le logement tradition-
nel du duc des Enfers, titre qui lui avait été conféré par
la reine du Monde des Abîmes –, une semaine après leurs
retrouvailles maladroites, lorsqu'elle tomba sur Kingsley
dans la salle du petit déjeuner, elle parvint à calquer son
attitude sur le ton poli du garçon.

– Mes trolls s'occupent bien de toi ? demanda-t-il en prenant place à la grande table de la salle à manger avec son
bol de fruits et de céréales.

– Très bien, merci.

Il l'interrogea sur le confort des chambres et la pressa de faire comme chez elle, d'exiger du personnel tout ce que son cœur désirait. Kingsley se comportait en hôte parfait : c'était absolument déprimant.

– Comment trouves-tu la vue ? lui demanda-t-il.

Elle leva la tête de son muesli (qu'Oliver aurait décrit comme trop sec avec pas assez de raisins) et haussa les épaules.

– Pas mal.

– Je sais que ce n'est pas Central Park.

– Je n'attendais rien de tel.

Elle baissa la tête vers son assiette creuse, sans trop savoir comment aborder la question de leurs relations. C'était comme si le garçon était entouré d'un mur impénétrable. Ils ne s'étaient pas vus depuis le premier soir et il ne lui donnait toujours pas la raison de sa présence, ne lui avait jamais vraiment parlé. Il était le duc des Enfers et elle n'était qu'une invitée de marque. Elle ignorait combien de temps il allait poursuivre cette mascarade.

Il piqua un morceau de fruit dans son bol.

– Je sais que tout cela est un mirage, et que je ne suis pas vraiment en train de manger cette pomme. Mais ça aide, non ? De garder les rituels du quotidien, d'avoir une sorte d'ordre du jour. Il ne fait jamais noir ici, ni clair. Pas de soleil, bien sûr. Rien que la lumière du feu noir, qui jamais ne s'éteint. Il brûle toujours mais ne se couche pas, murmura-t-il.

– Mmm.

– Passe un bon séjour ici.

223

Sur ce, il disparut, et Mimi se retrouva seule pour manger son yaourt légèrement aigre.

De son côté, Oliver passait l'essentiel de ses journées à se baigner dans la piscine d'eau de mer du dernier étage. Une fois passé le frisson initial de la vie dans un palace – bien que ce ne soit pas très différent de leur existence dans l'Upper East Side, à vrai dire –, il avait commencé à se sentir léthargique, ramolli. Comme si ses muscles s'étaient atrophiés à force de n'avoir jamais nulle part où aller, rien à faire, et à force qu'il n'ait aucune raison d'utiliser son cerveau à part pour demander ses pantoufles aux trolls. Il n'y avait ni galerie d'art, ni salle de concerts, ni opéra, ni théâtre, ni bibliothèque, ni divertissements littéraires ou artistiques dans le Tartare. Pire, il n'y avait rien à lire. Rien que des boîtes de nuit et des bars à chair, des matchs de gladiateurs et des événements sportifs. À la télévision, on pouvait voir les rediffusions des programmes les plus débiles : sitcoms pas drôles, *reality shows* écœurants. Quant à Internet, on n'y trouvait que du porno. C'était marrant au début, mais le vice devenait barbant s'il n'y avait aucune vertu avec laquelle le comparer. Quand on n'avait rien d'autre que les excès du péché, les excès du péché devenaient une corvée.

Oliver craignait de mourir d'ennui. C'est pourquoi il faisait des longueurs dans la piscine olympique : tout était bon pour sentir ses muscles. Il avait hâte que Kingsley se remette avec Mimi, qu'on en finisse. Qu'attendait-il donc ? Voulait-il la mener par le bout du nez ? D'accord, Mimi était un peu... bon, pénible était le mot qu'il cherchait, mais elle n'était pas si affreuse non plus, et Kingsley semblait attiré par elle. Il y avait bien pire que Mimi Force, quand même.

Oliver devait avouer que cela lui avait parfois traversé l'esprit – enfin quoi, Mimi était une belle fille, et il n'était pas de bois –, mais l'idée d'eux deux en couple était tellement bizarre et risible ! Non, décidément, il n'imaginait pas leur amitié se transformant en autre chose. Amis ils étaient, amis ils resteraient. Oliver appréciait Mimi, mais il ne la trouvait pas attirante de cette manière (bien sûr, elle aurait dit que c'était réciproque). C'était ainsi.

Enfin, tout de même, Kingsley était un sacré veinard. Mimi avait tout plaqué pour le retrouver, et elle était là, à présent. Leur histoire se terminerait forcément bien, si seulement Kingsley pouvait cesser d'être... Kingsley. Tandis que lui, Oliver, n'aurait jamais ce qu'il voulait, ni dans cette vie ni dans une autre. Une fois de plus, il se demanda si c'était vrai que les gentils se faisaient toujours avoir.

De son côté, Mimi commençait à se dire que si Kingsley affichait une telle indifférence, c'était peut-être qu'il ne la trouvait plus si irrésistible. Étant donné que, nuit après nuit, elle attendait qu'il franchisse discrètement la porte pour venir se glisser sous ses draps, mais qu'il ne se passait rien, elle commençait à craindre que cela n'arrive plus jamais. Peut-être avait-elle pris trop à cœur ses devoirs envers l'Assemblée, et avait-elle négligé le travail à plein temps qu'il fallait fournir pour demeurer la plus belle fille de New York.

Soit ! Si c'était ça, la parade était toute trouvée. Elle

épuisait le personnel par ses demandes de masques pour les cheveux aux œufs et au miel, de tranches d'orange pour son visage, de bains de lait d'amandes pour avoir la peau souple et douce. Elle brûlait la pointe de ses crayons de khôl à la flamme des chandelles pour souligner ses yeux d'un trait noir, et portait du rouge à lèvres fait de pétales de roses broyés. Elle remarqua que Kingsley passait généralement chez lui boire un verre avant de ressortir dîner à son club, ou autres réjouissances auxquelles il ne l'invitait pas, et elle avait prévu, un de ces soirs, de descendre majestueusement l'escalier dans une robe éblouissante. Les couturières trolls lui assuraient que l'étoffe en était taillée dans les nuages des Champs Élysées et que le prince des Ténèbres en personne n'avait jamais rien porté d'aussi splendide. Le décolleté lui descendait presque jusqu'au nombril, et ses cheveux formaient des vagues et des bouclettes, exactement comme à Rome, la première fois qu'il avait posé les yeux sur elle.

Comme prévu, Kingsley dégustait un petit verre de brandy au pied de l'escalier lorsqu'elle fit son entrée renversante. Ses yeux étincelèrent d'appréciation lorsqu'il la vit. *Enfin, une réaction*, pensa Mimi, et un sourire supérieur joua sur ses lèvres. Voilà qui était mieux.

– Tiens, bonsoir, dit-elle comme si elle n'avait pas prévu la rencontre et ne faisait que passer, exquise, telle une déesse qui daignait lui faire la grâce de sa présence.

– Tu sors, ce soir ? demanda-t-il doucement.

– Oui. Je compte aller voir cette nouvelle boîte dont Mamon dit monts et merveilles. Et toi ?

Il bâilla.

– Amuse-toi bien. J'ai eu une grosse journée, je vais me coucher. Mais passe une bonne soirée, et pas de bêtises, Force ! ajouta-t-il en agitant l'index.

Mimi le regarda disparaître en direction de ses appartements. Elle se retrouvait en carafe, sur son trente et un, sans aucun projet pour la soirée. *Petit con*, pensa-t-elle. Le poignard qu'il avait enfoncé dans son cœur en l'accueillant avec détachement se retourna encore un peu. Comment avait-elle pu croire qu'il valait le déplacement ?

TRENTE

La reine amère

Tous les contes de fées ont une fin. Celui d'Allegra s'écroula par une journée ordinaire de la fin de l'automne, alors qu'elle additionnait les reçus au comptoir. Le foulage annuel du raisin, le samedi précédent, avait été un succès éclatant : des centaines de personnes s'étaient présentées au vignoble pour danser et écraser les grappes. Allegra avait ri et dansé avec les autres, et avait passé la soirée dans la chaleureuse compagnie de ses amis proches. Ce matin-là, le domaine était fermé, Ben était parti en ville acheter des fournitures pour la semaine, et elle venait d'ouvrir le registre lorsque les ténèbres s'abattirent sur elle.

Ils n'étaient qu'une tache floue, trop rapides pour un œil humain, et pourtant Allegra les vit comme au ralenti : elle distinguait clairement chacun des visages stoïques, ainsi que leurs armes, des torches de feu noir. C'était un guet-apens, une de ces attaques sournoises qu'elle-même avait pratiquées autrefois pour vaincre les démons, une technique inventée pour les plus dangereux de leurs ennemis. Mais

229

elle était leur reine, et ils étaient venus la chercher comme si elle n'était qu'un monstre des enfers.

Allegra sauta par-dessus le comptoir, envoyant une rangée de bouteilles se fracasser contre les tables. Elle n'avait aucun moyen de défense contre le feu noir : son seul espoir de liberté consistait à prendre ses jambes à son cou.

– Tss ! Je ne crois pas que ce soit une bonne idée, et toi ? fit Kingsley Martin en lui barrant le passage à la porte de derrière.

Il portait son épée négligemment accrochée sur la hanche. À sa décharge, il ne la pointait pas vers elle.

– Qu'est-ce que ça veut dire ? cracha Allegra pendant que l'équipe de *Venator* la désarmait et passait ses poignets dans des menottes argentées.

– Tu sais pourquoi nous sommes ici, Allegra. Nous ne faisons qu'obéir aux ordres.

Elle scruta leurs visages impassibles : Kingsley Martin, le sang-d'argent réformé... le doberman de Charles, connu pour son talent et son ingéniosité ; Forsyth Llewellyn, bien sûr : pas étonnant qu'il soit mêlé à cette histoire. Il semblait un peu trop y prendre plaisir. Nan Cutler, qui ne l'avait jamais aimée depuis Florence... eh bien, c'était réciproque. Ils la cernaient de leurs épées et ne lui dirent pas un mot, n'écoutèrent aucune de ses supplications, ne montrèrent pas une once de compréhension.

– Après toi, dit Kingsley en entraînant toute l'équipe dans l'escalier qui descendait à la cave réservée aux millésimes les plus rares.

Ils l'enfermèrent dans une petite pièce où étaient conservés le syrah et le pinot noir, et la menottèrent à sa chaise.

Leurs gestes étaient rapides et efficaces. Ils posèrent des verrous autour de la zone, s'assurant que personne ne pourrait entrer. Allegra nota que les *Venator* savaient précisément où se trouvait chaque chose, ce qui indiquait qu'ils l'épiaient depuis un moment. Ils savaient aussi que Ben était parti faire des courses et qu'il ne rentrerait pas de sitôt. Ils savaient que le vignoble était fermé le mardi. Ils savaient qu'elle serait seule.

– Qu'adviendra-t-il de Ben ? demanda-t-elle.

Kingsley secoua la tête.

– Tu sais que je ne peux rien dire sur l'opération.

– Je t'en supplie.

Elle sentait la panique la prendre à la gorge. Il lui était arrivé de diriger des missions semblables à celle-ci, et elle savait que la formation des *Venator* leur interdisait la compassion comme l'échec. Ils ne se laisseraient pas attendrir par des larmes ni par aucune émotion. Elle se retrouvait dans la même position que les criminels qu'ils avaient traqués dans le passé, tous ceux qui avaient eu le malheur de transgresser le Code. Pourtant, il fallait qu'elle tente d'en appeler à sa bonté, pour le bien de son amour. Elle savait que ceci était sa punition et sa rétribution. Elle avait renié son lien pour vivre avec son familier humain, elle en payait à présent le prix. Personne n'était au-dessus du Code des vampires.

Kingsley vérifia ses liens et eut l'air satisfait : c'était du solide. Puis les *Venator* s'en allèrent en fermant à clé derrière eux, et c'est seule dans le noir qu'Allegra attendit son frère.

La nuit tomba, mais Charles n'apparut pas, pas plus que les *Venator*. Elle ne s'inquiétait pas pour elle-même, mais elle pensait sans relâche à Ben. Où était-il ? Était-il sain et sauf ? Ils ne lui feraient pas de mal, si ? Il s'était rendu en ville... à présent, la cherchait-il ? Pourquoi l'avaient-ils enfermée à la cave ? N'allait-il pas revenir ? À moins qu'ils ne l'aient déjà emmené quelque part ?

Quelle erreur ai-je commise ? songeait-elle. *Et qu'ai-je omis de faire ?*

Le lendemain matin – du moins elle devinait que c'était le matin ; c'était difficile à dire dans cette pièce sans fenêtres, mais elle croyait sentir que le soleil était levé –, Kingsley revint avec un bol d'eau et du pain. Il les posa sans un mot à côté de sa chaise. Il y avait de l'huile d'olive sur le pain, et Allegra pensa, avec un pincement au cœur, à la dernière fois qu'elle avait fait un tel repas : sur la terrasse, avec Ben, tous deux innocents comme des enfants... Jamais elle n'aurait dû l'entraîner là-dedans. Dans son monde fait de secrets, de sang, de ténèbres et d'immortalité. Il était le soleil, et elle n'était qu'un météore, un débris, une étoile tombante.

Elle venait d'achever son repas lorsque la porte s'ouvrit brusquement. Charles entra à grandes enjambées. Ses cheveux noirs grisonnaient déjà, alors qu'il n'avait pas encore vingt-cinq ans. Il se tenait comme s'il était chez lui. Allegra s'étonna de voir comme il était devenu imposant. Il avait pris tout son pouvoir, et il aimait cela. Il prenait plaisir à lui montrer avec quelle facilité il l'avait retrouvée. Comment avaient-ils fait ? À quel moment s'était-elle trompée ? Ou bien l'erreur avait-elle été de penser qu'un

jour elle serait libérée de lui ? Qu'il la laisserait en paix ?
Ils étaient attachés l'un à l'autre. Leur lien pouvait s'effi-
locher, mais il ne se briserait jamais, elle était en train de
le comprendre. Il n'était pas possible de se cacher de son
jumeau.

– Détachez-la, ordonna-t-il à Kingsley, qui retira vivement
ses menottes.

Allegra se massa les poignets avec rage.

– Je vais te faciliter les choses, lui dit Charles.

– Comment ?

– Je détiens ton familier.

Allegra reçut un coup de poignard dans le cœur. Alors,
ils avaient Ben. Bien sûr. Aucun doute que cela faisait
partie du plan. Ben était humain... il était sans défense
contre les vampires. Il ne pouvait pas lutter... Elle n'en revenait pas que Charles s'abaisse jusqu'à menacer un sang-
rouge. C'était contraire à toutes les lois qu'ils avaient
écrites, à toutes leurs convictions, c'était indigne de son
pouvoir.

– Je ne te crois pas, lança-t-elle.

– C'est toi qui décides de ce qu'il deviendra, répliqua
Charles sans aucune émotion. Je n'ai pas de préférence.

– Jamais tu ne ferais de mal à un être humain. C'est
contraire au Code. Le Code que tu as écrit avec ton sang,
Michel.

Charles baissa la tête. Lorsqu'il la releva, il avait des
larmes dans les yeux. Il s'adressa à elle comme elle l'avait
fait, utilisant les noms qu'ils avaient reçus à la naissance,
lors de la création de la terre et des cieux, lorsqu'eux-
mêmes s'étaient éveillés à la beauté de la Lumière.

– Gabrielle, cette farce a assez duré. Je sais que tu voulais me blesser, et tu as réussi. Mais je t'en prie. Ce béguin est puéril. *Arrête.*

Elle vit ce qu'il voyait : les ruines douloureuses de leur cérémonie d'union. Cordelia attendant sur les marches du musée, puis Charles, blême, et ses cheveux devenant gris en un instant, tant la douleur était profonde, tant le choc était violent. Les invités horrifiés et perplexes, toute l'Assemblée réunie. Allegra avait disparu... avait-elle été enlevée ? La peur... puis... la compréhension consternée de la réalité. Elle l'avait quitté, elle les avait quittés, elle avait tourné le dos à l'Assemblée.

– Je l'aime, Michel, dit-elle. Je ne serais jamais partie... je n'aurais jamais pu faire ce que j'ai fait, si je ne l'avais pas aimé. Je l'aime de tout mon cœur, de toute mon âme, de tout mon sang.

– Tu ne peux pas, répliqua froidement Charles. Tu ne sais pas de quoi tu parles. Il est indigne de toi. Tu as des devoirs envers ton lien et ton Assemblée.

Tu as des devoirs envers moi, pensa-t-il encore, sans le dire.

– Je l'aime, répéta Allegra. Je l'aime plus que je ne t'ai jamais aimé.

Oublié le lien. Oubliée, l'Assemblée. Allegra était lasse d'être reine, elle voulait simplement redevenir une jeune femme.

Charles restait impassible.

– Aime-le tant que tu veux, Gabrielle. Moi, je t'aime encore. Je t'aimerai toujours, et c'est tout ce qui compte. Je te pardonnerais n'importe quoi, et je te pardonnerai ceci.

Elle sentit son estomac se crisper. Elle savait qu'il disait la vérité, et elle voyait tout le mal qu'elle lui faisait. Elle posa une main sur son bras.

– Si tu m'aimes, dis-moi ce qui s'est passé à Florence. Ce qui s'est réellement passé. Pourquoi ne puis-je pas m'en souvenir ? Je sais ce que j'ai fait... mais certaines zones de ma mémoire me sont cachées, et je sens que tu y es pour quelque chose, Michel, je sens ta magie en moi, tu me caches mes propres souvenirs. Tu n'as pas le droit.

Il ne répondit pas. Mais pendant qu'il sortait et refermait à clé, elle l'entendit murmurer :

– J'en ai parfaitement le droit.

À ce moment précis, elle comprit qu'elle ne découvrirait jamais la vérité de sa propre histoire. Et, bien qu'elle croie toujours que, quoi que signifie Ben Chase pour elle, Michel – le Cœur pur, le gardien du paradis, l'ange le plus puissant qui ait jamais vécu – ne ferait jamais de mal à un simple mortel, ne détruirait jamais entièrement un sang-rouge, Allegra eut soudain très, très peur.

TRENTE ET UN

Gardienne de la porte

Theodora grimaça pendant que les femmes s'activaient à l'embellir, ou plutôt à l'enlaidir. Elles lui mirent du rouge aux joues et sur les lèvres, lissèrent ses cheveux à l'huile d'hippopotame (un secret de beauté popularisé, paraît-il, par Néfertiti), puis les firent boucler, et enfin enduirent sa peau d'un parfum graisseux. Après lui avoir enjoint de se déshabiller, elles la firent entrer dans une robe de dentelle blanche dotée d'un corset qui lui serrait la taille et d'un décolleté vertigineux. Comme elles avaient menacé de le faire, elles rembourrèrent ce décolleté avec des faux seins en mousse.

– On fait ce qu'on peut avec ce qu'on a, persifla la vieille en tirant sur les lacets du corset jusqu'à ce que Theodora ne puisse plus respirer.

La plus jeune apporta des escarpins à talons hauts.

– Et n'oublie pas, lui dit-elle gentiment : ça se passera mieux si tu te laisses faire. De toute manière, tu n'y couperas pas, alors autant essayer d'y prendre plaisir.

Theodora garda le silence. Lorsqu'elles l'eurent laissée

seule, elle s'approcha du miroir, consternée par ce qu'elle y voyait. On aurait dit une caricature de mariée : la robe était indécente, fendue jusqu'à la cuisse, le corset presque transparent. De toute sa vie elle n'avait jamais rien porté de si dénudé, même à la plage.

Elle se demanda comment s'en sortaient Deming et Dehua. Elle espérait qu'elles sauraient se défendre. Les avait-elle entraînées dans le pire de tous les dangers ? Elle pensa à ce qui les attendait toutes les trois et s'efforça de réprimer sa panique. Elle trouverait des ressources en elle-même, s'encouragea-t-elle, une main sur le ventre. Elle survivrait au mal, elle serait forte pour pouvoir vivre. Elle tâchait de ne pas penser au regard dur et cruel de Danel ni aux images qu'il avait projetées dans sa tête. Quoi qu'il arrive, elle se battrait, et si c'était impossible, elle se concentrerait sur sa vie d'après. Elle ne céderait pas à la peur ni au désespoir.

La porte s'ouvrit et Theodora inspira brusquement, en se demandant si son heure était venue. À voix basse, elle pria sa mère de l'aider à rester forte.

Une autre femme, aux cheveux blancs, portant des jupons de tulle et des bracelets tintinnabulants, pénétra dans la pièce. Elle n'était pas là pour coiffer Theodora ni pour vérifier qu'elle était adéquatement parfumée.

– Viens vite, dit-elle. Le Croatan ne va pas tarder. Allons libérer les autres.

Theodora la suivit dans le dédale de corridors.

– Qui êtes-vous ?

La femme sourit. Elle dégageait une sérénité et une grâce qui lui rappelaient quelque chose.

– Je crois que tu le sais déjà.

– Catherine de Sienne ! souffla Theodora, estomaquée, et émerveillée que son plan ait finalement fonctionné. La gardienne de la porte !

Catherine lui rappelait sa propre mère. Allegra avait la même assurance, elle donnait la même impression de flotter loin au-dessus des problèmes du monde.

– Désolée de ne pas avoir pu venir plus tôt, mais quand ils t'ont pris ton épée, j'ai su que je devrais attendre qu'ils t'aient remise aux mains des femmes. Cela me donnait de meilleures chances de te sortir de là.

– Je suis venue avec deux amies...

– Oui. Elles sont détenues ici.

Catherine dévala une volée de marches qui menaient encore à un long couloir. Elle essaya quelques portes avant de trouver la bonne. En entrant, elles trouvèrent Dehua vêtue comme Theodora. Sa robe de mariée était encore plus indécente : un soutien-gorge à paillettes et une longue jupe taille basse. Aussitôt qu'elle les vit, elle arracha de sa tête un voile de dentelle incrusté de pierreries et bondit.

– Tu es indemne ? s'enquit Catherine.

– Qu'ils essaient de me toucher, répondit Dehua avec un profond mépris. Il nous faut nos épées.

– Je les ai. Elles étaient dans l'armurerie, j'ai pu aller les chercher avant que ces démons ne les prennent, dit Catherine en tendant leurs armes aux filles.

Dehua glissa la sienne dans sa jarretière et hocha du menton en direction de Theodora.

239

– Toi aussi, ils ont découvert que tu étais un ange déchu ?

– Oui.

– Où est ma sœur ?

– Je la croyais avec toi, intervint Catherine. Je n'imaginais pas qu'ils vous auraient séparées. J'avais entendu dire qu'ils vous vendaient toutes les deux en un seul lot.

– Non. Ils nous ont séparées quand ils nous ont livrées aux femmes de chambre du démon. Je les ai entendus parler de l'emmener dans un endroit dénommé « le château du Styx ». Je crois que Deming a essayé de se battre – j'ai entendu des bruits de lutte – et que c'est son châtiment. Elle ne sait pas attendre, j'aurais préféré qu'elle ne dévoile pas ses cartes tout de suite.

Catherine secoua la tête.

– C'est trop loin. Le château se trouve au-delà des Limbes, tout au bord du royaume des Morts. Nous ne pourrons jamais y aller et repasser la porte à temps.

– On ne l'abandonne pas ! s'écria Dehua.

Theodora était d'accord.

– On ne peut pas la laisser. C'est moi qui les ai amenées en ces lieux. Je dois veiller à ce qu'elles en sortent, expliqua-t-elle à la gardienne.

– Si vous partez à sa recherche, je ne peux pas garantir votre sécurité, avança Catherine.

Mais il n'était plus temps de discuter, de toute manière, car en prenant un virage elles durent reculer précipitamment : le corridor suivant grouillait de trolls. La nouvelle de leur disparition s'était déjà répandue. Theodora n'avait jamais vu de telles créatures : sauvages, semblables à des fauves, elles humaient l'air à la recherche du moindre indice.

– Trop tard... Il faut partir, maintenant, insista Catherine. Nous allons rejoindre la porte par le souterrain, et une fois que nous l'aurons franchie ils ne pourront plus nous suivre.

Les trolls tournèrent au coin suivant en communiquant par des grognements gutturaux, puis l'un d'entre eux émit un long hurlement à la mort, une clameur assourdissante.

– C'est le signal d'alarme. Dans une seconde, nous aurons aussi des démons ici, et le Croatan, murmura Catherine en les poussant vers un souterrain qui s'ouvrait au sous-sol. Il faut repasser la porte. Tout de suite.

Theodora et Dehua n'avaient plus le choix : elles la suivirent, et leur vitesse surnaturelle les entraîna à toute allure dans l'étroit boyau, jusqu'à une ouverture. Elles coururent vers une immense forteresse qui obstruait le ciel entier. L'édifice semblait fait de roche massive, impénétrable, et ressemblait moins à une porte qu'à une montagne de granit.

– Où est la porte ? demanda Theodora, pantelante.

– C'est ça, devant toi, dit Catherine. Elle n'arrête que ceux qui ont du sang de démon dans les veines. Nous allons pouvoir passer.

Elle poussa les filles en avant. Theodora crut qu'elle allait s'écraser contre la paroi, mais non : elle eut l'impression de traverser un champ de toiles d'araignées,

241

une fine gaze de coton léger. Puis elle fut de l'autre côté, sur un sol de pierre dure, avec un mur derrière elle. Elle entendait des voix qui sortaient de ce mur.

– NON ! protestait Dehua. Je ne pars pas sans ma sœur !

Les monstres n'étaient plus qu'à un souffle de là, leur langage aboyé était rude et laid, et au-delà, derrière, il y eut un hurlement perçant, un cri de femme qui meurt. Même à travers le mur, Theodora sentit son sang se glacer. C'était la voix de Deming, et bientôt Dehua hurla aussi... une plainte à secouer les cieux.

– Ma sœur !

– Theodora... Viens m'aider ! l'appela Catherine, et à travers le mur, elle vit la gardienne pousser la *Venator* à travers la porte. Elle se saisit de la jeune fille par l'autre côté, et à elles deux elles réussirent à mettre la Chinoise en sûreté, après quoi toutes trois tombèrent au sol, pendant que les trolls se cognaient à la porte et qu'un démon hurlait à la mort.

Mais la porte tint bon. La force des anges confinait les créatures de l'autre côté pour le moment. Les êtres monstrueux se fracassaient contre la muraille, mais en vain. Dehua s'effondra en larmes. Theodora aussi avait envie de pleurer. Elle la prit dans ses bras pour tenter de la consoler, mais Dehua la repoussa brutalement.

Catherine appuya ses mains contre le mur et marmonna une incantation. Les trolls disparurent et le mur redevint solide : la porte de la Promesse se refermait.

À présent qu'elle était sortie du *Glom*, Theodora examina les environs. Elles se trouvaient dans une petite salle en pierre dont le plafond pointait vers le ciel. Elle reconnut la forme intérieure du lieu : une des pyramides de Gizeh. C'était bien ce qu'elle pensait : la porte de la Promesse était l'endroit le plus visible et le plus visité du Caire. Elle était sous son nez depuis le début.

TRENTE-DEUX

Le duc des Enfers

D'après son horloge interne, il s'était écoulé presque un mois depuis leur arrivée dans le Monde des Abîmes. Depuis, rien n'avait changé, il ne s'était rien passé. Mimi ne comprenait pas ce que Kingsley attendait d'elle. Apparemment, la réponse était : « rien », et son ego en souffrait terriblement. Oliver se montrait de plus en plus impatient, et s'ils restaient plus longtemps dans ce monde ils ne retrouveraient jamais le chemin de la surface. Ils s'accoutumeraient à l'air d'ici, leurs âmes commenceraient à se fondre dans la substance des lieux. Il était temps de partir.

Mimi ravala son amour-propre et prit rendez-vous auprès du bureau du *Consigliere* pour avoir une entrevue seule à seul avec Kingsley. Ils vivaient chez lui mais il n'était jamais là et ne recherchait jamais leur compagnie. Elle était lasse de jouer les invitées négligées. S'il ne voulait pas lui parler, elle parlerait, elle. Elle ne pouvait plus attendre. Il lui fallait aussi penser à l'Assemblée, elle avait des responsabilités envers tous, pas seulement envers les désirs de son cœur. Elle ne savait plus à quoi s'attendre, et s'il n'avait

245

pas les mêmes sentiments pour elle... eh bien il faudrait qu'elle s'en remette.

Kingsley était assis derrière une longue table d'ébène. Il eut l'air amusé de la voir lorsqu'elle entra.

– Que de cérémonies de ta part, Force. Je dois avouer que quand j'ai lu ton nom dans mon agenda, cela m'a pris par surprise. Si tu veux me parler, ma chambre est au bout de ton couloir, déclara-t-il en posant ses longues jambes sur le bureau et en joignant les mains derrière sa tête.

Il se balançait sur sa chaise, toujours aussi détendu, à un point insupportable.

– C'est ça, dit-elle en s'asseyant face à lui, toute raide. Sauf que tu n'es jamais là.

– C'est grand, l'enfer. J'ai à faire. Alors, qu'est-ce qu'il y a ?

À présent qu'il lui accordait son attention, elle hésita. Elle avait répété son discours le matin même, résolue à poser la vérité sur la table, mais « je t'aime » paraissait un peu trop direct pour commencer, et « que ressens-tu pour moi ? » trop faible. Elle ne se serait jamais attendue à cela : elle avait toujours supposé qu'en se revoyant ils tomberaient dans les bras l'un de l'autre et rentreraient immédiatement... mais cela ne s'était pas produit, et à présent elle ne trouvait plus ses mots. Elle ne pouvait pas lui confier ce qu'elle éprouvait, pas s'il lui souriait de cet air goguenard. C'était simplement trop humiliant, et même si elle s'était juré de ne pas laisser sa propre vanité, ni son insouciance à lui, l'empêcher de lui déclarer son amour, elle décida subitement qu'il n'en valait tout simplement pas la peine. Non mais, c'était une blague ! Pendant tout

246

ce temps, elle l'avait imaginé en proie à des souffrances abominables, imaginé qu'elle lui manquait et qu'il l'accueillerait à bras ouverts, comme le font les citoyens de nations opprimées devant les héros libérateurs. Elle avait été loin de la vérité. Elle se leva.

– Tu sais quoi ? Tu as raison. C'est ridicule. Je perds mon temps.

Kingsley se pencha en avant ; déséquilibré, il faillit tomber de sa chaise et perdit un instant son arrogance. Il se ressaisit, mais garda les pieds au sol au lieu de les reposer sur le bureau.

– Attends. Avant que tu partes, j'ai une question pour toi.

Elle resta debout et haussa un sourcil interrogateur.

– Qu'es-tu venue faire ici, en réalité ? Dans le Monde des Abîmes, je veux dire.

Elle eut un rire sans joie et lui lança un regard noir.

– C'est ça, ta question ? Comment ça, qu'est-ce que je fais là ? À ton avis ? Qu'est-ce que tu crois ? Je suis venue pour *toi*, bien sûr !

Il n'eut pas l'air de comprendre.

– Pour moi ? Que veux-tu dire ?

Il se tapotait la joue du bout du doigt.

Elle le haïssait, vraiment. Il le faisait exprès, de l'humilier ainsi ? Il avait toujours été distant, mais jamais cruel ; Kingsley avait un humour malicieux, mais pas méchant. Très bien. S'il y tenait, elle lui donnerait cette satisfaction. Au moins, ainsi, il serait obligé d'écouter ce qu'elle avait à lui raconter.

– Eh bien... Tu me manquais. Je voulais te revoir. Je suis revenue te chercher. Tu sais, pour qu'on puisse...

Elle hésita, car une boule s'était formée dans sa gorge et les larmes lui étaient montées aux yeux, principalement parce qu'il la regardait avec une hostilité insupportable.

– Ça n'a plus d'importance. Je vois bien que tu...

Incapable de continuer, elle se rua vers la porte.

Kingsley bondit et la saisit par le bras pour l'empêcher de s'enfuir. Ses yeux étaient deux fentes étroites, et son visage était plein de colère.

– Attends une seconde, je croyais que tu étais là pour l'Assemblée. Je ne sais pas ce qui se passe là-haut, j'ai cru que tu avais besoin de prendre quelque chose au royaume des Morts. Mais tu veux me faire croire que tu n'es là pour nulle autre raison que... Que veux-tu dire, tout cela serait... Tout ça, c'était pour moi ?

Mimi était tellement gênée qu'elle aurait voulu mourir. Kingsley la contemplait comme s'il n'avait jamais rien entendu de si stupide. Il y avait énormément de non-dits dans leur histoire d'amour – à supposer qu'on puisse l'appeler ainsi –, et il était flagrant que, si elle le considérait comme l'homme de sa vie, aux yeux du garçon elle n'était qu'une fille avec qui il s'était amusé une poignée de fois. Le décalage était énorme, et c'était douloureux de comprendre qu'elle s'était fait des idées pendant si longtemps. Elle avait passé toute l'année à tenter de le retrouver, et voilà.

– Oui, ce n'était que pour toi. Content ?

– Mais pourquoi ?

Il ne comprenait toujours pas.

– Pour *te sauver* !

Au moins, il ne lui rit pas au nez. Son front se plissa.

– Ce n'est pas de la tarte, de descendre jusqu'au septième cercle. Tu avais sûrement une meilleure raison que ça. Pourquoi ne pas être franche sur tes intentions ? Tu as toujours été rusée, alors, qu'est-ce que c'est, cette fois ? Que veux-tu vraiment trouver dans le Monde des Abîmes ? Je peux peut-être t'aider.

Mimi secoua la tête. Elle lui avait tout révélé, et il ne la croyait toujours pas. Pendant un instant, elle fut trop choquée pour répondre. Finalement, elle reprit la parole.

– Je ne sais pas quoi dire pour que tu croies que je suis venue pour toi, et rien que pour toi.

Sa lèvre inférieure commençait à trembler. Elle ignorait ce qui était le pire, de lui avoir dit la vérité ou qu'il soit incrédule.

Kingsley soupira et passa la main dans ses cheveux noirs.

– Je pensais que tu serais franche avec moi, au nom de notre ancienne amitié.

– Je te parle franchement.

– Alors la grande Azraël voyage jusqu'au bout du royaume des Morts rien que par amour ? C'est ça ? (Son sourire narquois réapparut.) Et c'est pour ça que tu allais t'unir avec Abbadon, hein ? À cause de ton fol amour pour moi ?

Mimi le gifla, durement.

– Espèce d'enfoiré. Je suis venue jusqu'ici pour toi. Tu sais quoi ? Je m'en fous. Ça n'a plus d'importance. Va griller en enfer.

Kingsley sourit et s'essuya la bouche sur sa manche.

– Ah, ça c'est l'Azraël dont je me souviens !

TRENTE-TROIS

Négociations

Ils l'affamaient.

Il n'y avait plus d'eau. Plus de pain. Plus d'huile d'olive. Plus de Kingsley Martin avec ses petites attentions. Plus de visites de Charles non plus. Allegra ignorait depuis combien de temps elle était dans cette pièce, mais elle sentait le changement s'amorcer en elle. Depuis qu'elle prenait régulièrement du sang, une faim profonde s'était enracinée dans son être. Elle avait besoin de boire. D'accomplir la *Caerimonia Osculor* pour absorber le sang de vie.

Un matin, on frappa à la porte.

– On m'a dit de t'apporter ceci, annonça Nan Cutler en poussant un sang-rouge mâle dans la pièce. Pompe-lui le sang, tu en as été privée trop longtemps.

Elle lui planta le spécimen sous le nez.

Le garçon humain était superbe et ressemblait beaucoup à Ben : grand, blond, plein d'allure. Il était drogué et posait sur elle un regard vague.

– Non, refusa Allegra.

Elle éprouvait un mélange d'attraction et de répulsion.

251

Elle flairait le sang sous sa peau, épais et plein de vie – et elle était là, en proie au vertige, assoiffée, faible. Elle n'avait qu'à lui mordre la gorge et le prendre, le saigner jusqu'aux limites de la mort. Mais elle se retint.

Si elle choisissait un nouveau familier, Ben cesserait d'être spécial pour elle. Elle comprit que c'était ce que voulait Charles. Le lien avec un familier était puissant, mais il se diluait à chaque nouveau sang-rouge que prenait un vampire. Charles voulait qu'elle oublie Ben, ou au moins qu'elle ait quelqu'un d'autre dans le système. Il voulait lui dire : « Il n'est que ça pour toi. Un réservoir de sang, et rien de plus. »

– Allez ! s'impatienta Nan.

Elle poussa Allegra vers le garçon, qui était tombé à terre.

Seigneur, elle le voulait si fort, elle voulait tant y goûter... peut-être juste un peu ? Quel mal y avait-il à cela ? Mais à quoi pensait-elle ? Non. Non ! Elle ne voulait pas cela. C'était une pure torture. Elle s'assit à califourchon sur la poitrine du garçon, appliqua sa bouche contre son cou. Les crocs sortis, elle salivait. Elle avait faim, si faim...

Mais finalement, elle se redressa péniblement, tituba jusqu'au mur opposé et s'effondra, blanche comme un linge, à demi délirante.

Charles voulait faire d'elle un monstre. Il voulait lui démontrer que son amour était une imposture. Une erreur et une illusion. Il voulait lui montrer ce qu'ils étaient : des anges déchus, maudits par le Seigneur, qui se nourrissaient de sang pour survivre. Lui montrer jusqu'où ils étaient tombés. Dans quelle bassesse elle avait chuté.

Elle ne s'y plierait pas.

252

– NON ! articula-t-elle, plus clairement cette fois, en se relevant et en croisant les bras. Éloigne-le de moi.

– Comme tu voudras, soupira Nan en haussant les épaules. Si tu n'en veux pas, je le prends.

La vampire traîna le garçon dans un coin et l'embrassa avec ses crocs. Des bruits de succion s'élevèrent dans la pièce.

Allegra avait la nausée. Elle était restée dans cette pièce quarante jours et quarante nuits. Elle n'avait aucune idée de ce qui était arrivé à Ben, ni de ce que prévoyait Charles, mais pour l'instant elle était certaine que son amour était encore en vie. Elle l'aurait su, s'il avait été mort.

Il était vivant pour l'instant, mais elle ignorait pour combien de temps. Pouvait-elle compter sur Charles pour l'épargner ? Ou bien ne pourrait-il pas supporter l'amour qu'elle portait à Ben ? Ce n'était que trop facile de lui briser la nuque ou de le saigner à mort, ou même de maquiller l'affaire en accident, afin qu'elle ne sache jamais réellement ce qui s'était passé.

Elle pensa à tout ce que Charles et elle avaient traversé ensemble, et se demanda comment ils en étaient arrivés là. Elle l'avait laissé seul devant l'autel, elle l'avait humilié devant l'Assemblée... et même à présent, elle refusait de revenir à lui, alors qu'il avait toutes les cartes en main et ne lui laissait pas le choix.

Et puis, pourquoi résistait-elle ? Quelle partie de son cœur croyait qu'elle saurait forger son propre destin ? C'était anormal qu'elle vive avec Ben, elle le voyait bien, maintenant.

Elle ne faisait que blesser tout le monde : son jumeau,

son amour, elle-même, son Assemblée, en refusant de voir la vérité en face : elle ne pouvait pas avoir ce qu'elle voulait. On n'échappait pas à un destin immémorial, et ces quelques mois dorés dans la verte vallée, passés à jouer à la vigneronne, à jouer à n'être qu'une jeune femme ordinaire, étaient aussi illusoires que prétendre qu'elle n'éprouvait plus rien pour son partenaire immortel. Elle aimait Charles, vraiment, mais elle ne pouvait pas nier que son amour pour Ben était bien plus fort, plus profond, enraciné jusqu'au cœur de son être. C'était aussi simple que cela.

Mais hélas, Allegra Van Alen n'était pas une jeune femme comme les autres. Elle devait l'accepter, faute de quoi Ben mourrait. Elle en était certaine, à présent. Une chose comptait plus que tout pour Charles : maintenir l'unité de l'Assemblée. Il aurait tout sacrifié à cela, y compris le Code des vampires. Jamais il ne laisserait vivre Ben. Charles le savait : aussi longtemps que le jeune homme serait en vie, Allegra se languirait de lui et ne se donnerait jamais pleinement à son jumeau.

Elle prit sa décision.

– Je veux parler à mon frère, dit-elle à celui qui gardait la pièce.

Kingsley Martin s'inclina.

– Je vais le chercher tout de suite.

Allegra était soulagée que son gardien soit Kingsley, et pas un des autres. Ils avaient été amis, autrefois. À Rome, elle l'avait aidé avec la corruption de son âme. Peu de gens se fiaient au sang-d'argent réformé, mais Allegra avait toujours eu de l'affection pour lui. Elle se souvenait de lui petit garçon, sous la forme de Gemellus, l'avorton.

Lorsque Charles entra dans la pièce, Allegra se jeta à ses pieds et s'inclina si bas que son front toucha le bout des ailes de son frère, tandis que ses larmes trempaient ses lacets.

– Pardon, pardon, sanglota-t-elle.

– Allegra, ne fais pas ça, ce n'est pas nécessaire. Relève-toi, je t'en prie, je ne supporte pas de te voir ainsi, dit Charles en s'agenouillant à son niveau et en essayant de décrocher ses bras de ses jambes. S'il te plaît, arrête.

Il semblait être au supplice et elle ne savait pas qui, d'elle ou de lui, trouvait la situation le plus insupportable. Mais ils la partageaient, cette situation, ils partageaient ce chagrin, ensemble, comme ils avaient toujours tout partagé. Charles ressentait ce qu'elle ressentait, bien sûr, il était son jumeau, et l'angoisse d'Allegra était aussi la sienne.

Il souffrait de la voir s'abaisser ainsi. Mais c'était son amour qui était en jeu, et elle n'avait plus de honte, plus d'amour-propre.

– Ne le tue pas. Ne le tue pas, Charlie. Je t'en prie. Je reviendrai avec toi. Je prononcerai les paroles et nous serons unis. Mais ne le tue pas. Je t'en supplie.

TRENTE-QUATRE

Une guerre juste

Aussitôt qu'il vit les lumières s'éteindre dans le temple, Jack comprit que quelque chose clochait.

– Il y a un problème. On y va, dit-il à ses acolytes.

Mais le temple était vide lorsqu'ils y arrivèrent. Aucun signe des filles, pas la moindre trace de lutte. Même les chandelles étaient rallumées, et tout était paisible. Il n'y avait que le regard inquiétant du dieu-chacal, qui les regardait de haut, comme pour se moquer d'eux.

– Où sont-elles parties ? demanda Sam en passant nerveusement la main dans ses cheveux. Je ne les sens pas dans le *Glom*.

Les connexions télépathiques avaient été coupées net à l'instant où les lumières s'étaient éteintes. C'était mauvais signe.

– Il doit y avoir un passage secret quelque part dans le temple. Si on ne les a pas vues partir, c'est qu'elles sont passées par en dessous, dit Jack.

Il s'agenouilla et commença à tapoter la terre, mais rien ne sonnait creux. S'il y avait un passage en sous-sol, il ne devait pouvoir être ouvert que par une incantation ou un sort. Jack en essaya plusieurs, sans succès.

Ted fit le tour du bâtiment, mais rapporta qu'il n'y avait rien dehors non plus : rien, dans le cimetière, n'indiquait que quiconque soit venu au temple. Ils avaient surveillé les lieux pendant des heures, et pourtant les filles leur avaient glissé entre les doigts, volatilisées. Non. Ils savaient précisément où elles avaient été emmenées : dans le Monde des Abîmes, pour devenir les fiancées des démons.

Jack calma sa respiration. Il se consola en se disant que les trois filles aussi étaient dangereuses : deux étaient des *Venator* chevronnées, les plus meurtrières de leur espèce, et elles étaient armées. Theodora se battrait, il le savait, et il s'efforça de barrer la route à la colère et au désespoir. Il fallait qu'il réfléchisse. Si le passage secret était en dessous, la porte ne pouvait pas être bien loin. Donc, Theodora avait raison : elle était quelque part dans la ville. Probablement juste sous ses pieds.

Moins d'une minute plus tard, il eut une vision, soudaine mais fugace : dans sa tête, il vit Theodora surgir d'un mur et se retrouver dans une salle à l'intérieur d'une pyramide, suivie de Dehua et d'une femme d'un certain âge.

– Elles sont à Gizeh, dit-il à l'équipe.

Lorsqu'ils atteignirent la pyramide, Dehua ne pleurait plus. Theodora et Catherine parlaient tout bas. Jack ne fit aucune remarque sur leur accoutrement : ils savaient tous pourquoi les Nephilim enlevaient des jeunes filles, mais voir ces parodies grotesques de robes de mariée, c'en était trop. Malgré sa connaissance limitée des secrets de beauté féminins, Jack songea qu'il ne s'était pas écoulé assez de temps pour ces préparations élaborées. Il se rappela aussitôt que le temps passait différemment dans le Monde des Abîmes. Les filles avaient dû rester des heures là-bas. Il massacrerait tous les démons de l'enfer jusqu'au dernier si l'un d'entre eux avait touché ne serait-ce qu'à un cheveu de leur tête.

– Où est Deming ? demanda immédiatement Sam.

– On a dû la laisser, expliqua Theodora. C'est ma faute. Les démons nous ont désarmées avant qu'on ait pu faire quoi que ce soit. Je suis navrée. Je ne pensais pas qu'on vous perdrait.

– On la ramènera, affirma Dehua d'une voix cassée, les yeux rouges et secs. Ne t'en fais pas, Sam. Deming sait se défendre.

– Je te faisais confiance, déclara Sam à Theodora, l'air extrêmement tendu. À partir de maintenant, on fait ce que je dis.

– Pardonne-moi, je suis absolument désolée. Je ne croyais pas une seconde que ça pouvait arriver.

– Je n'ai pas besoin d'excuses. J'ai besoin de redescendre dans le Monde des Abîmes. La porte est là, pas vrai ? Alors allons-y. (Il fit un signe de tête à son jumeau et à Dehua.) Montrez-nous le chemin, dit-il en remarquant la gardienne pour la première fois. C'est votre job, non ?

– Si vous y allez maintenant, objecta Catherine, vous ne vous ferez que du mal et nous aurons très peu de chances de la sauver, car tous les démons des Limbes recherchent ces deux-là, à l'heure qu'il est, dit-elle en désignant Theodora et Dehua. Le château du Styx se trouve à la frontière.

Si elle a été emmenée là-bas, c'est qu'elle a été choisie comme mariée pour l'union d'automne. Ce qui nous laisse un peu de temps, car ce n'est pas avant Lammas, la fête païenne des récoltes. Ils la laisseront tranquille jusque-là, et vous pourrez aller la sauver pendant la Nuit des Vierges, c'est-à-dire la veille de la célébration. À ce moment-là, le château sera vide car les démons seront partis festoyer au Tartare.

Ils regardèrent Sam enregistrer ces informations. Finalement, il souffla.

– Très bien. Nous attendrons. Mais dorénavant, c'est moi qui dirige la mission. Je ne veux plus voir une seule erreur.

Jack posa son manteau sur les épaules de Theodora pour la couvrir un peu, et les *Venator* les laissèrent entre eux. Le groupe semblait divisé : une fois de plus, les jumeaux Lennox se méfiaient de Jack et de Theodora. Ils avaient clairement montré qu'ils préféraient tenir conseil tous les deux. Dehua, pour sa part, avait refusé de les regarder quand ils étaient partis de leur côté.

– Ça va ? demanda Jack.

Il avait dû réprimer ses émotions jusque-là.

– Grâce à Catherine. (Elle lui pressa la main, le remerciant silencieusement pour le manteau.) Je voudrais juste me débarrasser de cet horrible costume.

Jack se tourna vers la gardienne de la porte.

– Alors comme ça, vous êtes Alcyon. Je ne sais pas si vous vous souvenez de moi.

– Ce serait difficile d'oublier Abbadon des Abîmes. (Elle sourit pendant leur poignée de main.) Désolée de te revoir

260

dans de telles circonstances, mais je suppose qu'on n'y peut rien. Venez, allons parler ailleurs.

Catherine habitait dans la banlieue de Gizeh. Son immeuble avait été bâti au XIXᵉ siècle, puis divisé en appartements afin de loger des professeurs de l'université voisine et de jeunes familles. Le sien était petit mais confortable, et on voyait clairement que la gardienne y vivait depuis longtemps : il y avait des magazines *Life* des années trente sur la table basse, un magnétophone huit pistes et un téléphone à cadran rotatif. Catherine posa une bouilloire sur le feu.

– Comme vous pouvez le constater, la porte court un terrible danger, maintenant que les sang-d'argent ont découvert son emplacement sur Terre, dit-elle. C'est fort dommage que nous n'ayons pas démasqué à temps le Croatan qui avait infiltré nos Assemblées.

– Mais Michel disait que tous les Croatan avaient été détruits pendant la crise de Rome, tenta Jack, conscient de la faiblesse de l'argument.

– Michel disait beaucoup de choses, rétorqua Catherine avec un sourire navré. Elles n'étaient pas toutes vraies. Il ne voulait pas que l'Assemblée craigne l'ennemi. C'est pourquoi il a créé l'Ordre des Sept. Quand les portes ont été mises en place, des sang-d'argent sont restés bloqués de notre côté, et Michel et Gabrielle ont formé une équipe pour les pourchasser. C'était notre premier devoir en tant que gardiens des portes.

Theodora vit Jack se décomposer : à mesure que Catherine parlait, il comprenait qu'on lui avait caché énormément de choses, pendant des siècles.

– Alors c'est vrai, ce que Mimi a toujours affirmé. Les Incorrompus ne nous ont jamais fait confiance... c'est pourquoi on ne nous a rien dit de tout ça, souffla-t-il. Ils nous considèrent toujours comme des traîtres, comme les généraux de Lucifer, même si nous avons tenté d'inverser le cours de la guerre.

– Ta sœur a toujours été très observatrice, confirma Catherine tout en apportant des serviettes et des assiettes. Ce n'est plus qu'une question de temps, maintenant : ils vont réussir à passer. Quelques Chiens se sont déjà faufilés, et même un démon ou deux. Ils n'en étaient pas capables avant. J'ai fait tout ce que j'ai pu, au fil du temps, pour les berner, les lancer sur des fausses pistes.

– Le leurre de Florence, intervint Theodora.

– Oui. Cela a déstabilisé l'ennemi pendant un moment.

– Et les Pétruviens... font-ils partie du tout ? Du plan ? demanda Theodora, légèrement fébrile. Savez-vous qu'ils tuent des femmes innocentes et leurs enfants au nom des Bienheureux ?

– Comme je l'ai dit, j'ai fait ce que je pouvais. C'est moi qui ai formé les Pétruviens. (Elle versa l'eau bouillante dans une grosse théière en porcelaine.) Et ici, je fais de même. J'essaie de faire évader les filles avant qu'elles soient unies aux Croatan.

– Mais quand elles ont déjà été séduites ?

Theodora voulait savoir. *Si elles sont déjà enceintes de l'enfant Nephilim ? Que fais-tu, alors, gardienne ?*

Catherine mit la table, prit des biscuits dans une boîte et les disposa sur des assiettes ornées de fleurs de lys.

– Je leur tranche la gorge, lâcha-t-elle sans une once de remords ou de honte. Venez manger !

Elle s'assit et leur fit signe de l'imiter.

– Et les bébés ? poursuivit Theodora d'une voix tremblante.

– La même chose.

Theodora, livide, n'arrivait plus à respirer. Elle vit, en un éclair, la longue histoire sanglante de Catherine et des prêtres pétruviens : les bébés embrochés sur des baïonnettes, les filles au ventre ouvert d'une hanche à l'autre, le sang et les incendies, la longue guerre cruelle menée dans le plus grand secret.

– C'est forcément une erreur, dit-elle en regardant Jack, qui gardait la tête baissée.

Je ne savais pas. Il n'y a pas d'excuse pour ce genre d'atrocités, même au nom de la survie des vampires.

La gardienne trempa un biscuit dans son thé au lait et mordit dedans avant de répondre.

– Il n'y a pas d'erreur. L'Ordre pétruvien a été fondé par Michel en personne. J'étais chargée de veiller à son bon fonctionnement.

TRENTE-CINQ

Les vivants et les morts

– A lors, on s'arrache ? demanda Oliver avec un soulagement palpable une fois que Mimi lui eut expliqué
les grandes lignes de son projet.

Elle était entrée comme une tornade dans sa chambre,
l'air irascible, au point qu'il s'était un instant inquiété pour
sa sécurité. Heureusement, elle n'avait fait que shooter
dans les oreillers tombés au sol, après quoi elle s'était simplement écroulée à côté de lui sur le canapé, tel un petit
ballon rouge dégonflé, vidée de toute combativité.

– J'ai soudoyé un démon avec une fiole de mon sang.
Dieu sait ce qu'il compte en faire, avait raconté Mimi en
frémissant. Il m'a dit que pour sortir de l'enfer, il nous
suffit de prendre un train qui file direct vers les Limbes.

– Et Kingsley ?

– *Quoi*, Kingsley ?

De nouveau, le regard assassin.

Oliver éteignit la télévision. Il était en train de regarder
une série dont le héros, un extraterrestre hébergé par une
gentille famille, était joué par une marionnette : le fin fond

de l'ineptie. Il se réjouissait d'avoir une raison d'arrêter. Il s'approcha prudemment de Mimi.

– Il ne vient pas avec nous ?

– Non, dit-elle en donnant, cette fois, un coup de pied dans la table basse. Ouille ! (Elle se tint le pied.) Je n'ai pas envie d'en parler, OK ?

– OK...

Mimi rentra dans sa chambre. Elle voulait être seule. Elle avait le cœur brisé, en miettes, mais elle ne ressentait rien. Elle était comme engourdie. Elle s'était toujours accrochée à cet amour, à cet espoir de trouver le bonheur un jour. Elle avait espéré un *happy end*, et puis non, finalement il n'y avait rien. Et clairement, il n'y avait jamais rien eu. Elle avait tout mal interprété, depuis le début. Kingsley ne l'aimait pas. Il n'avait plus les mêmes sentiments pour elle. Peut-être même ne les avait-il jamais eus.

Elle était au terme de son voyage, et c'était un échec. Elle irait retrouver l'Assemblée, où elle espérait pouvoir recoller les morceaux de sa vie, et aussi reconstituer l'unité des vampires. Elle ne savait pas quoi faire ensuite. Chercher son frère ? Se venger ? Dans l'immédiat, elle était trop épuisée pour penser à la vengeance. Il aurait fallu qu'elle pleure un bon coup, mais elle ne voulait pas donner à Kingsley la satisfaction de l'entendre sangloter. Elle espérait qu'elle lui avait fait mal en le giflant. Sa joue avait viré au rouge foncé, mais le meilleur avait été son expression stupéfaite.

On frappa doucement à la porte.

– Va-t'en, gronda Mimi. Oliver, je te dis que je ne veux pas en parler.

266

La porte s'ouvrit quand même.

– Ce n'est pas Oliver, c'est moi.

Kingsley se tenait sur le seuil, l'air fatigué et nerveux. Mimi remarqua que sa joue gauche était légèrement rosie.

– Qu'est-ce que tu veux ? demanda-t-elle en frottant ses paupières.

Elle espérait qu'il ne l'avait pas vue pleurer.

Il s'adossa au mur.

– Je suis venu m'excuser. J'ai été grossier de rabaisser tes efforts comme ça. Je ne voulais pas me moquer de toi.

– Si tu le dis.

Kingsley la regarda gentiment.

– Je suis sincèrement désolé de te décevoir. C'est... très flatteur que tu aies suffisamment tenu à moi pour faire tout ce chemin.

Elle osa enfin poser la question qui lui brûlait les lèvres depuis leurs retrouvailles.

– Alors... je ne t'ai pas manqué ? Pas du tout ?

Avait-elle vraiment tout compris de travers ? Le regard qu'il lui avait lancé avant de disparaître... et le fait qu'il lui ait demandé de briser son lien pour s'enfuir avec lui... Avait-elle rêvé tout cela ? Pendant tout ce temps, elle l'avait pleuré, avait rêvé de lui, intrigué pour le retrouver... pour rien ? Il n'avait jamais rien éprouvé de tel pour elle ? Comment avait-elle pu être idiote à ce point ?

– Vraiment navré, ajouta-t-il en lui tapotant le dos comme si elle était une enfant.

Seigneur ! S'il cherchait à la consoler, il s'y prenait à l'envers. Elle se sentait aussi bête qu'une écolière amourachée de son prof.

267

– Je vois, dit-elle.

Tout ce qu'elle voulait, soudain, c'était ne plus le voir dans sa chambre, ne plus le voir du tout. Une seule chose au monde était plus insupportable que l'indifférence de Kingsley : sa pitié.

– Je crois que tu devrais partir, maintenant.

Mais le garçon ne voulut rien savoir.

– Écoute, viens faire un tour avec moi, je veux te montrer quelque chose. Ça t'expliquera les choses mieux que je ne peux le faire.

Mimi poussa un soupir à fendre l'âme.

– Il le faut vraiment ?

– Je te promets que j'arrêterai de t'embêter si tu viens.

– D'accord.

Il la conduisit hors de la ville, au-delà des limites du septième cercle, jusqu'aux étendues de néant infini qui encerclaient le Tartare : ce vide béant et noir, incalculable, où rien ne poussait, rien ne vivait, et où n'erraient que les Morts et leurs geôliers. La voiture s'avança dans cette zone désolée, jusqu'à la terre noire et irradiée, jusqu'aux vallées dévastées où le feu noir faisait rage depuis la nuit des temps. Au milieu de ces ténèbres sans fin, il arrêta la voiture et en descendit, en lui faisant signe de le suivre.

Kingsley s'agenouilla à côté de la route et lui demanda de faire de même. Elle obéit, à côté de lui.

– Tu vois ceci ? demanda-t-il en désignant une petite fleur rouge qui poussait dans ce désert de cendres noires. Tu te rappelles comment c'était avant ? Rien n'y poussait.

Mais maintenant, c'est différent. Ça change. Le Monde des Abîmes est en train d'évoluer, et c'est en partie grâce à moi.

Ce n'était qu'une herbe folle, mais Mimi ne voulait pas rabaisser la fierté farouche que son existence inspirait à Kingsley.

– Cela prendra longtemps, et ça ne sera peut-être jamais aussi beau que la Terre, mais qui sait... (Il toucha les pétales du bout du doigt.) Il n'y a plus rien pour moi là-haut, tu sais, dit-il doucement. Ici, c'est paisible. C'est là qu'est ma place.

Elle lisait entre les lignes : c'était la raison pour laquelle il ne remonterait jamais sur Terre avec elle. Reprendre son ancienne existence ne lui apporterait que de la douleur. Dans le monde d'en haut, Kingsley Martin était un paria, ni ange ni démon mais sang-d'argent : un vampire que même ses semblables évitaient, à qui personne ne se fiait.

Peut-être l'avait-il aimée, peut-être pas... de toute manière cela n'avait plus d'importance. L'amour qu'il avait peut-être éprouvé s'était enfui, à moins qu'il n'ait jamais été réel. La seule chose réelle était sa fierté devant cette petite fleur.

Mimi vit clairement une chose qu'elle avait niée depuis qu'elle avait à nouveau les yeux sur lui. Kingsley paraissait changé parce qu'il *était* changé. Ici-bas, il était complet, il était lui-même, il n'était pas torturé par les hurlements des multitudes dans son âme. Il était un Croatan ; mais il était libre, aussi.

À présent, elle comprenait pourquoi Helda lui avait dit :

« Si tu parviens à convaincre Araquiel de revenir avec toi, je te le laisse. »

Kingsley ne partirait jamais du Monde des Abîmes. Ici, il avait tout : des aventures, des expériences nouvelles. Sous son identité d'ange Araquiel, il ramènerait la vie au royaume des Morts. Elle ne désirait pas lui enlever cela. Si elle l'aimait comme elle avait dit l'aimer, elle voudrait qu'il soit lui-même. Après tout, c'était peut-être ça, l'amour : sacrifice et altruisme. Ce n'était pas une farandole de cœurs, des guirlandes de fleurs et une fin heureuse, mais savoir que le bonheur de l'autre comptait plus que le vôtre. Et c'était affreux de comprendre, en mûrissant, qu'on ne pouvait pas avoir tout ce qu'on voulait, pensa Mimi.

– Je suis contente que tu sois heureux, dit-elle enfin en regagnant la voiture avec lui.

– Personne n'est heureux ici, tu le sais. Mais j'ai trouvé ma place, et peut-être que cela me suffit.

Ils regagnèrent le Tartare en silence. Mimi craignait de prononcer des mots qu'elle regretterait, et Kingsley était perdu dans ses pensées. Les trolls semblaient deviner leur humeur et les laissèrent en paix. Il n'y avait presque aucun domestique en vue alors que d'habitude ils étaient partout, à leur proposer des gâteaux, du champagne, des call-girls et des séances de Jacuzzi.

Il la raccompagna jusqu'à sa chambre.

– Alors au revoir, si je comprends bien ?

– Oui...

Kingsley s'attarda à la porte.

– C'est bien que tu sois venue. Ça m'a fait plaisir de te revoir, Force. Reviens un de ces jours si tu passes dans le coin.

Petit malin. Il savait bien qu'ils ne se reverraient jamais. Elle était descendue en enfer à la poursuite d'un rêve, et l'heure était venue de se réveiller. Son Assemblée avait besoin d'elle, elle avait perdu assez de temps. Mimi savait que c'était un adieu, mais elle ignorait comment le formuler, et elle n'était pas sûre de ne pas craquer si cela se prolongeait. Avec un petit haussement d'épaules, elle commença à se détourner. Puis elle se rappela quelque chose.

– Oh, tiens, autant te rendre ça, dit-elle.

Elle sortit de sa poche un petit porte-clés en patte de lapin. Mimi l'avait retrouvé dans les affaires de Kingsley et elle s'y était raccrochée, le caressant pour se porter chance, revoyant le garçon le faire tournoyer dans sa main, le lancer en l'air et le rattraper.

– J'ai perdu ça à New York, dit-il, étonné.

Il avait tenu, autrefois, à ce porte-clés : l'objet lui avait porté bonheur à de nombreuses reprises, lui avait-il expliqué un jour. Il avait une certaine affection perverse pour ce colifichet hideux.

– Je sais... Je l'ai retrouvé.

– Et tu l'as gardé ? Pendant tout ce temps ?

– Il me faisait penser à toi.

Elle haussa les épaules. Elle l'avait conservé en gage de chance, en signe qu'elle le reverrait peut-être un jour.

Il le contemplait toujours avec perplexité, et Mimi n'avait plus qu'une envie : disparaître dans sa chambre le plus vite possible. Toute cette épreuve était une torture.

– Attends, dit-il d'une voix rauque en lui prenant la main.

La sienne était froide, glacée. Elle la pressa énergiquement, pour lui faire savoir qu'elle ne lui en voulait pas. Ils étaient amis. Mais elle en avait déjà plein, des amis. Elle en avait bien assez.

La main de Kingsley tenait toujours fermement la sienne. Elle voulut se dégager, mais il serra plus fort, et c'est là qu'elle sentit le premier bourgeon d'espoir éclore dans son cœur ; mais elle ne voulait pas repasser par là. Elle connaissait déjà : ce chemin ne menait nulle part.

Pourtant, Kingsley ne la lâchait toujours pas.

Comme s'ils étaient cloués au sol, figés dans le temps.

Enfin, elle osa relever les yeux.

Alors, elle vit des larmes couler sur le beau visage du garçon, et quand leurs regards se croisèrent, on aurait dit que tout son esprit s'écroulait, comme si la vue de cette vieille patte de lapin mitée lui avait rappelé quelque chose – les moments passés ensemble à New York, peut-être, à moins que l'objet ne l'ait enfin convaincu qu'elle était bien descendue en enfer pour lui. Quoi que ce fût, la façade arrogante avait disparu et il s'abandonnait à l'amour qu'il avait éprouvé pendant tout ce temps, l'amour qu'il cachait sous un vernis d'indifférence. Mais au lieu de triompher à l'idée qu'il lui avoue enfin la vérité, et qu'il lui montre la vraie nature de son cœur, maintenant qu'ils se disaient adieu à jamais... au lieu de se sentir victorieuse, de savoir qu'elle avait eu raison, elle n'éprouvait que des sentiments protecteurs et tendres.

272

– Bien sûr que tu m'as manqué... murmura-t-il. Comment pourrais-je oublier...

– Kingsley...

Mais déjà il l'attirait contre lui, et cette fois elle ne le repoussa pas.

TRENTE-SIX

La prisonnière

Allegra avait des vertiges, et elle avait depuis long-temps renoncé à compter les jours et les nuits passés dans la cave. Elle ignorait totalement depuis combien de temps elle n'avait pas vu le soleil, depuis combien de temps les *Venator* avaient attaqué, depuis combien de temps elle était prisonnière de sa cellule en sous-sol. Que devenait Ben ? Où l'avaient-ils emmené ? Qu'advenait-il du vignoble ? Le personnel devait s'inquiéter, non ? Et la famille de Ben les recherchait sans doute ? Les sang-rouge n'étaient pas complètement dénués de ressources.

Elle ne comprenait pas pourquoi Charles n'avait pas accepté son offre. Elle s'était prosternée à ses pieds et l'avait imploré d'épargner la vie de Ben, mais son jumeau s'était simplement agenouillé pour la décrocher de ses che-villes. Il l'avait rassise sur la chaise et s'en était allé.

Allegra était épuisée. Elle n'avait aucune idée de ce qui allait se passer, et de nouveau elle ouvrait son esprit à Charles pour pouvoir lui envoyer des messages anxieux et désespérés *via* le *Glom*, suppliant et implorant, lui promettant de faire tout ce qu'il voudrait. Mais cette fois, son frère ne répondait pas.

Elle ne serait jamais pardonnée, songea-t-elle. Elle l'avait poussé trop loin, il ne reviendrait jamais vers elle, c'était trop tard. Il ne pensait plus qu'à la vengeance. Qui savait ce qu'il lui ferait, ou ce qu'il ferait à Ben.

Environ trois jours après leur dernière entrevue, après ses supplications, la porte s'ouvrit en grinçant. Mais ce ne fut ni Charles ni aucun de ses *Venator* qui entra.

– Oh, je ne t'avais pas vue, dit Ben d'un air surpris en prenant une bouteille de vin en bas d'une étagère.

Allegra battit des paupières, incertaine.

– Ben ? C'est vraiment toi ? Tu vas bien ?

Il sourit.

– Je t'ai tellement manqué ? Je viens de rentrer du magasin.

Personne ne l'avait enlevé. Personne ne l'avait menacé. Il n'était même pas conscient du temps qui s'était écoulé. Allegra comprit soudain, avec stupéfaction, que tout ce qu'elle avait subi s'était déroulé dans le *Glom*, le monde crépusculaire où le temps ne passait pas de la même manière. Elle avait le sentiment que des mois s'étaient écoulés, mais cela n'avait été que quelques heures dans le monde réel.

Ben était habillé comme la dernière fois qu'elle l'avait vu : chemise en flanelle rouge, jean sale et bottes de travail.

– Le magasin *Henderson's* veut nous commander encore une meule de fromage. Si on n'y prend pas garde, ce ne sera plus un vignoble que nous aurons, mais une fromagerie ! dit-il en prenant encore une bouteille. Je pense qu'il est peut-être temps d'essayer le syrah 88, non ?

Il releva la tête avec un sourire, mais son expression changea lorsqu'il remarqua les traits tirés d'Allegra.

– Belles Gambettes... Ça ne va pas ? Tu me regardes bizarrement.

Elle secoua la tête et lui tapota le bras.

– Non, je crois que je fais un peu de claustrophobie, je n'ai pas trouvé la bouteille que je cherchais et j'ai paniqué parce que j'étais restée ici trop longtemps. Ça va aller.

Ils remontèrent ensemble dans la salle de dégustation.

Ben embrassa Allegra sur le front et retourna peindre dans son atelier. Elle en était encore à s'habituer à sa liberté retrouvée et découvrait, abasourdie, que l'homme qu'elle aimait n'avait jamais couru aucun danger, qu'elle s'était trompée. Bien sûr, Charles n'aurait jamais fait de mal à un sang-rouge. La jolie pièce à boiseries de chêne était presque vide, à l'exception d'un client assis sur un tabouret, tout au bout : Kingsley Martin. Il lisait le journal d'un air nonchalant. Il ressemblait à n'importe quel humain du coin, un voisin venu goûter les nouveaux rouges. Allegra s'approcha de lui avec hésitation.

– Que se passe-t-il ?

Kingsley sourit, de son sourire de biais.

– Ce n'est pas évident ? Tu es libre. Je comptais juste boire un verre avant de partir, voir si le cabernet est à la hauteur de sa réputation.

– Pourquoi ?

Elle ne voulait pas parler du vin.

– Les ordres de Charles.

– Où est-il, Charles ?

Kingsley haussa les épaules.

– Il ne l'a pas dit. Sans doute à New York.

Tout était arrivé dans le *Glom* : Charles n'avait même pas mis les pieds en Californie.

– Et maintenant ?

Le *Venator* posa son journal.

– À mon avis, rien. Je veux dire, je pense que tu n'as plus à t'inquiéter. Quant au lien... c'est à Charles et toi d'en décider. Mais entre nous, je pense que c'est fini pour lui.

Kingsley fit tourner le vin dans son verre et but une longue gorgée. Il le goûta pendant un moment, le laissa couvrir sa langue, puis avala d'un coup.

– Hélas, une fois qu'on a du sang de Croatan, on ne retrouve jamais le sens du goût. Je n'arrive même pas à sentir son bouquet. Il est bon ?

– Personne ne s'est plaint.

– J'en suis sûr. J'espère que tu ne penses pas trop de mal de nous. Nous n'avons pas eu le choix, tu sais, nous ne faisions que suivre les ordres du *Rex*.

Elle hocha la tête et se mit en devoir d'essuyer le comptoir. Kingsley lisait le journal en sirotant son vin. Une pensée la frappa alors.

– Vous avez trouvé ce qui arrivait à ces familiers malades ? demanda-t-elle sans transition.

– Quels familiers ?

– Charles m'a dit que les sang-rouge mouraient d'une nouvelle affection et que quelques Sentinelles s'inquiétaient parce que la maladie semblait se transmettre à de nouveaux membres du Comité.

Il secoua la tête.

– Je n'ai rien vu de tel dans mes rapports.

– Forsyth est au courant.

– C'est sans doute lui qui s'en charge, alors.

Allegra trouva curieux que Charles n'en ait pas parlé au *Venator* en chef. La menace de la maladie s'était peut-être révélée sans conséquences, comme elle l'avait pensé. Elle s'appuya au comptoir, la tête entre les mains. Tout l'épuisement émotionnel de ce qu'elle venait de traverser commençait à lui tomber dessus. Elle avait l'impression de descendre de montagnes russes, et elle était aussi harassée que soulagée.

Kingsley fit glisser une enveloppe vers elle.

– Avant que j'oublie. Charles voulait que je te donne ceci.

Elle la déchira. Il y avait une bague à l'intérieur. Un anneau d'union. Celui qu'elle lui présentait à chaque cycle de vie. Il la lui rendait.

Apparemment, ceci n'est pas pour moi, avait-il écrit.

La douleur qui se devinait derrière ces mots serra le cœur d'Allegra. Elle garderait l'anneau, songea-t-elle, mais elle ne le donnerait pas à Ben. Elle en ferait fabriquer un autre, en gage de fidélité. Mais elle conserverait celui-ci en souvenir de son ancien amour, de son ancienne existence.

– Merci, dit-elle.

Merci, Charles.

Finalement, son jumeau n'avait pas pu se résoudre à tuer son rival. Il ne pouvait pas nuire à Ben et ne l'avait jamais menacé, il n'y avait jamais eu de réel danger. Ben ne se doutait de rien. Allegra en était profondément reconnaissante. Le retour de l'anneau signifiait qu'elle serait libérée de son lien, libre de vivre avec l'homme qu'elle aimait. Il n'y aurait pas d'épreuve du sang, elle en était certaine. Jamais Charles ne lui imposerait cela. Le fait qu'il lui ait rendu l'anneau en témoignait.

Elle le glissa dans sa poche.

– Que puis-je t'offrir d'autre, Kingsley ? C'est ma tournée.

TRENTE-SEPT

L'impossible choix

C'était dur de mentir à sa bien-aimée, se disait Jack. Mais il ne voulait pas qu'elle voie à quel point il était affecté par les événements de la soirée. C'était grâce à un pur coup de chance que Theodora était ressortie saine et sauve du Monde des Abîmes. Il n'était plus question qu'il la perde de vue un instant.

– Je vais bien, ne t'en fais pas pour moi, lui dit-elle en sortant de la salle de bains vêtue d'un grand tee-shirt et d'un jean.

Catherine avait proposé de lui prêter des vêtements et Theodora en avait profité pour se laver. Elle avait frotté son visage jusqu'à le débarrasser de toute trace de maquillage, au point de le faire briller.

– Je ne me serais jamais laissé faire, ajouta-t-elle.

Et avec un petit sourire timide, elle caressa son ventre. Elle ne lui avait encore rien annoncé, mais ce sourire exprimait tout.

C'était exactement ce que redoutait Jack. *Seigneur ! Elle croit porter un enfant de moi.* Le cœur serré, il regagna la table avec elle. Il voulait lui dire que ce n'était pas possible, pas pour lui, pas pour eux deux. Cela n'avait jamais fait partie de leur avenir. Cela ne pouvait être et ne serait jamais. Les anges n'avaient pas le pouvoir de donner la vie. Theodora n'était pas enceinte. Elle était malade. Le lien la détruisait, la rongeait de l'intérieur. Les spasmes, la bile et le sang étaient les symptômes du dépérissement.

Allegra était tombée dans le coma quelques années après avoir brisé son lien. Avant de perdre conscience, elle avait eu les mêmes symptômes. Jack avait vu son dossier : le tableau clinique était le même. Nausées, vomissements sanglants. Tellement de sang ! Il avait cru que le lien le détruirait, l'affaiblirait, lui, mais ceci était bien pire. À sa place, il détruisait sa bien-aimée. C'était aussi ce qui était arrivé à Allegra... Le lien se vengeait toujours.

Mais Jack garda ces réflexions pour lui. C'était son problème, sa part d'ombre qu'il avait amenée dans la vie de Theo, et il s'en occuperait seul. Il lui en avait déjà tant demandé en réclamant son amour...

– Vous ne voulez plus de thé ? demanda Catherine.

Après sa révélation sur les Pétruviens, la conversation avait langui, bien que la gardienne ne semble pas perturbée par leur réaction. Dans son esprit, elle exécutait simplement l'œuvre de son *Rex*, les ordres de l'archange, et n'avait commis aucune faute, loin de là. Mais Jack avait autre chose en tête que les Nephilim.

– Du thé ? redemanda Catherine.

– Oui.

– Je vais le chercher, proposa Theodora en se levant pour se rendre à la cuisine.

Jack voulut en profiter pour parler à Catherine en tête à tête. Mais elle le devança.

– Ta sœur est passée ici, tu sais. Je l'ai vue descendre au royaume d'Helda, l'informa-t-elle avec un sourire complice.

– Quand ?

La femme lui donna une date, qui correspondait à peu près au moment de leur arrivée au Caire.

– Je veux vous parler d'Azraël, dit-il.

Catherine acquiesça. Elle regarda ostensiblement l'anneau d'union qu'il portait au doigt. Ce n'était pas une alliance d'ange déchu, mais une simple bague de fabrication humaine.

– Bien sûr. Tu cherches à briser ton lien. Pour épargner à ton amour le destin de Gabrielle, j'imagine ?

– Oui.

Il semblait triste et fatigué, mais une lueur d'espoir brilla fugacement dans ses yeux.

– Vous étiez présente quand le lien a été créé. Vous savez ce que j'affronte. Pouvez-vous m'aider ? Dites-moi, y a-t-il un autre moyen ?

Catherine s'essuya la bouche avec une serviette, mais ne répondit pas.

Jack insista.

– Je ne veux pas tuer ma sœur. Est-ce le seul moyen de l'arrêter ? Si nous passons l'épreuve du sang, il ne restera qu'un de nous deux. Mais je ne veux pas lui faire de mal. Je ne souhaite pas avoir sa mort sur les mains. Cependant, je ne la laisserai pas me tuer, ni tuer... ma femme.

À ces mots, l'amour adoucit ses traits.

Catherine soupira.

– Le seul moyen de briser un lien est de faire allégeance à celui qui l'a consacré. Lui seul peut dénouer ce qui a été noué. Qui a scellé ton destin ?

À l'expression troublée de Jack, elle devina la réponse.

– Ton ancien maître. Eh bien, tu sais ce qu'il te reste à faire. Va trouver Lucifer et propose-lui tes services en échange d'une libération.

– C'est le seul choix que j'ai ? Servir Lucifer ou tuer Azraël ?

Elle confirma de la tête.

– Je le crains.

– Alors soit, dit-il.

Son expression était funèbre, car même s'il n'aimait plus Azraël, elle faisait partie de lui ; mais s'il devait la détruire pour sauver la vie de Theodora, il ferait le nécessaire.

TRENTE-HUIT

Cœur d'ange

Elle fondit dans ses bras, mais ce fut Kingsley qui l'embrassa le premier, et lorsque leurs lèvres se rencontrèrent Mimi ferma les yeux. Tout son corps la picotait, comme si elle n'avait jamais été embrassée, comme si c'était la première fois. Les lèvres du garçon étaient douces, et lorsqu'elle lui ouvrit les siennes, ils s'entredévorèrent goulûment et se pressèrent l'un contre l'autre avec une passion qui éclipsait toutes les émotions et tous les baisers du passé. Mimi ne doutait plus de son amour. Elle l'entoura de ses jambes, et les bras forts de Kingsley l'emportèrent dans la chambre, dont il referma la porte d'un coup de pied.

Il la plaqua contre le mur, pesant de tout son poids sur son corps, comme pour la broyer, et elle eut le souffle coupé par le désir, mais elle était toujours Mimi Force : lorsqu'il se pencha pour l'embrasser dans le cou, elle le tira par les cheveux pour lui parler à l'oreille.

– Tu as mis le temps, gronda-t-elle.

– Je ne voulais pas...

Il ne termina pas sa phrase.

Tout allait bien. Elle le tenait contre elle, caressant doucement les fins cheveux de sa nuque. Kingsley avait peur. Tellement peur qu'il tremblait de tous ses membres.

– Je te taquinais, dit Mimi pour l'apaiser.

Kingsley ferma les yeux et pressa son front contre le sien.

– Je n'aurais jamais osé rêver que tu reviendrais me chercher. Je croyais que je ne te reverrais jamais. Quand je t'ai vue au club, je n'en ai pas cru mes yeux. Je n'arrive toujours pas à croire que tu sois vraiment là. (Il grinça des dents.) Je ne pouvais pas imaginer que c'était pour moi. Je pensais que tu étais forcément venue pour autre chose. Je ne me rendais pas compte...

Mimi faillit éclater de rire. Pendant tout ce temps, ils avaient joué au chat et à la souris, et c'était entièrement leur faute. Kingsley était exactement comme elle : il avait eu les mêmes doutes parce qu'en analysant leurs relations, lui aussi avait remarqué qu'ils ne s'étaient jamais avoué leurs sentiments. Il n'avait jamais prononcé les mots, jamais révélé la véritable nature passionnée de son cœur, mais elle non plus. Il en était venu à la même conclusion qu'elle.

Elle prit son visage entre ses mains et le regarda au fond des yeux. Disparu, le beau gosse arrogant, le tueur au regard de velours, le *Venator* sans âge, l'impassible duc des Enfers, Araquiel des Abîmes. Il ne restait que Kingsley Martin : un simple jeune homme, amoureux d'une jeune femme. Amoureux d'elle.

– Je t'aime, dit-il. Et il le répéta, et embrassa son visage, ses yeux, son nez, sa bouche, son cou, ses épaules. Je t'aime, je t'aime, je t'aime.

286

Mimi fit de même, et leurs voix se mêlèrent à l'unisson.

– Je t'aime, je t'aime, je t'aime.

Comme pour compenser tout ce non-dit, rattraper tout le temps où ils s'étaient caché leur amour.

Ils s'embrassaient encore lorsque les mains du garçon glissèrent sous son chemisier, et elle sourit en pensant que même dans son état de vulnérabilité, Kingsley était toujours Kingsley.

– Tu veux que je t'aide ? demanda-t-elle.

Elle se décolla du mur pour lui permettre de lui retirer le vêtement, puis ce fut elle qui l'aida fébrilement à se déshabiller, faisant glisser sa veste, déboutonnant sa chemise, car à présent elle voulait le toucher, sentir sa peau contre la sienne, si fort qu'elle était presque en état de panique... Elle avait besoin de lui, et elle le voulait, tout de suite.

Kingsley la porta jusqu'au lit, la posa sur les draps, et ils se débarrassèrent mutuellement de leurs derniers vêtements, en se souriant timidement ; puis il fut de nouveau sur elle, de nouveau en train de l'embrasser.

– Tu es si belle, murmura-t-il.

– Même au milieu de toutes les viragos et les sirènes que tu as ici ? Ne me dis pas que tu m'as été fidèle. Pas Kingsley Martin, le taquina-t-elle en lui mordillant le cou.

– C'était facile. Aucune n'était toi.

Elle posa les mains sur son ventre plat, suivit du doigt ses abdominaux finement dessinés, frémit à la vue de ses cicatrices. On aurait dit qu'il avait été flagellé : il avait de grandes balafres déchiquetées sur tout le torse et le dos.

– Que t'est-il arrivé ? demanda-t-elle.

Imaginer les souffrances qu'il avait endurées lui faisait monter les larmes aux yeux.

– C'est ce qui se produit quand on s'approche trop près d'une *subvertio*.

– On dirait des éclats de verre, remarqua-t-elle en les caressant doucement. Ça fait mal ?

– Oui.

À présent, c'était elle qui ne pouvait plus s'arrêter de pleurer pour lui et pour tout ce qu'il avait subi. Elle embrassa chaque cicatrice une à une. Elle aurait voulu les refermer grâce à son amour.

– Ne pleure pas, dit-il. Je ne supporte pas de te voir triste.

Elle ferma les yeux, paupières serrées, et hocha la tête.

– C'est que... c'est que je t'aime tant...

Il poussa un cri en entrant en elle, et Mimi le serra encore plus fort. Ils ondulèrent l'un contre l'autre et les larmes de Kingsley tombèrent sur son visage, et leurs baisers avaient un goût de sel et de sacrifice, et elle se perdit dans le plaisir exquis de son corps et de son amour, enlevée vers une extase qui dépassait tout ce qu'elle avait jamais ressenti.

Couchée contre lui dans le lit, la tête au creux de son épaule, Mimi se sentait en paix. Kingsley dormait à poings fermés contre elle. Ah, les garçons... Elle frotta son nez contre son cou et il lui donna un baiser ensommeillé. *La patte de lapin était bien un porte-bonheur*, songea-t-elle.

Elle ne se souvenait pas d'avoir été un jour aussi heureuse. C'était un bonheur profond et solide, et elle comprenait enfin que, même après d'innombrables années passées sur Terre, elle n'avait jamais éprouvé cela, personne ne l'avait jamais aimée ainsi, si totalement et si intensément. Elle n'avait jamais partagé un tel moment avec quiconque, et son amour pour Kingsley était un cadeau précieux, une bulle délicate, merveilleuse, qui les englobait tous les deux mais grossissait pour embrasser le monde entier et l'univers, par-delà le royaume des Morts et le jardin d'Éden.

Elle aimait, elle était aimée, et c'était tout ce qui comptait. Comme c'était simple, en fait ! Mais n'était-ce pas la raison pour laquelle elle était descendue en enfer ? Son âme était en paix. Elle était heureuse et satisfaite de la vie. Tout allait s'arranger. Elle avait eu ce qu'elle voulait. *Demande, et tu seras exaucée.* Elle avait été exaucée au centuple.

Il y avait aussi autre chose, quelque chose d'inattendu : cette part d'ombre dans son âme, cette haine et cette colère corrosives, l'amertume et l'humiliation avec lesquelles elle avait vécu pendant presque un an... tout cela avait disparu. Envolé.

Mimi eut une autre pensée, si nouvelle et étonnante qu'elle n'en revenait pas. Mais cette idée était là quand même.

Elle laisserait vivre Jack.

Elle aimait tant Kingsley qu'elle avait assez d'amour dans le cœur pour son jumeau rétif. Inutile de gaspiller son énergie à le chercher et à comploter pour le tuer. Elle libérerait Jack de son lien. Il n'y aurait pas d'épreuve du sang. C'était sans intérêt.

– À quoi penses-tu, Force ? demanda Kingsley. Tu as l'air tellement sérieuse !

Elle se tourna vers lui et l'embrassa une fois de plus...
un des nombreux baisers qu'ils partageraient dans leur vie
éternelle.

– Je pensais qu'on devrait recommencer.

Ce qu'ils firent.

TRENTE-NEUF

Crépuscule au jardin

Quitter l'Assemblée n'était pas une mince affaire, et même si elle ne doutait jamais d'avoir fait le bon choix, Allegra se surprenait parfois à se demander comment allait Charles. Elle espérait qu'il parviendrait à se remettre et à trouver la paix. Elle aurait cru qu'être libérée du lien allégerait son fardeau, mais pourtant elle avait le cœur lourd. Elle avait son amour, oui, mais à part cela elle avait perdu tout ce qui était précieux pour elle, y compris une histoire riche et remarquable qui faisait partie de son identité.

Ben l'aimait et croyait la connaître... mais il y avait tant de choses qu'il ne pourrait jamais savoir, jamais comprendre. C'était d'ailleurs en partie pour cela qu'elle était tombée amoureuse de lui. Elle l'aimait parce qu'il voyait la partie d'elle-même que personne ne remarquait jamais : la part d'humanité, la jeune fille vulnérable sous la carapace du vampire.

Un matin, peu de temps après son emprisonnement, un télégramme arriva au vignoble. C'était une convocation. *Suis à l'hôtel Fairmont. T'attendrai au salon de thé à 16 h.*

291

– Qui envoie encore des télégrammes de nos jours ? s'étonna Ben en regardant Allegra lire le fin papier dactylographié.

– Ma mère.

Elle déchira le télégramme et le jeta à la poubelle. Elle n'avait pas reparlé à Cordelia depuis son départ de New York, et celle-ci n'avait pas cherché à la joindre non plus.

– Quand vas-tu me la présenter ?

– Ce n'est pas pour demain. Pardon, c'est juste que... ce ne serait pas une bonne idée pour le moment.

Ben acquiesça, mais il semblait blessé, et ils n'abordèrent plus le sujet de toute la journée.

Lorsqu'Allegra arriva dans le grand hall de l'hôtel cet après-midi-là, sa mère était assise sur un divan, rigide, correcte et implacable comme toujours. Elle se pencha pour embrasser la joue de Cordelia, qu'elle trouva fine comme du papier de soie, parfumée au talc et au Chanel n° 5. Mais à part quelques ridules autour de ses yeux bleus d'oiseau, Cordelia n'avait absolument pas changé. Une image passa dans la tête d'Allegra : sa mère, un peu plus âgée, parlant à une fille de quelques années plus jeune qu'elle-même... et la fille regardait Cordelia exactement comme l'avait fait Allegra, avec amour, mais un peu effrayée, intimidée. Qui était cette fille ? Était-ce l'enfant qu'elle donnerait à Ben ? Le bébé qu'elle avait aperçu dans sa vision ? Pourquoi la fille était-elle avec Cordelia ? Mais bien sûr, Allegra s'en souvenait à présent : parce qu'elle ne pourrait pas élever l'enfant elle-même. Elle se voyait, dans le coma, sur un lit d'hôpital. Pouvait-elle faire quoi que ce soit pour changer cela ? Pour changer l'avenir ? Ben lui avait dit de ne pas avoir peur... mais il n'avait aucune idée de ce qu'ils affrontaient.

– Un *scone* ? demanda Cordelia, l'arrachant à sa rêverie.

– Non merci.

– Dommage. Ils sont délicieux.

Elle regarda sa mère manger avec de petits gestes précis, et but une grosse gorgée d'eau.

– Je sais pourquoi tu es là, dit-elle enfin.

Cordelia reposa sa tasse.

– Ah bon ? Ça ne m'étonne pas.

– Tu ne me feras pas changer d'avis. Charles et moi avons... rompu. Il m'a rendu ma liberté.

Elle-même n'était pas très convaincue en le disant.

– Oui. Je le sais. Toute l'Assemblée le sait, Allegra, dit Cordelia d'un ton glacial. Tu sais que je n'ai pas toujours été d'accord avec les décisions de Charles au fil des siècles, mais que je l'ai laissé libre, et je t'accorderai la même faveur. Je ne parlerai pas du choix que tu as fait. Tu sais très bien à quoi tu as renoncé pour cette... liaison que tu continues d'avoir avec ton familier. Et puisque tu connais déjà la raison de ma présence, mais que tu n'as pas agi en conséquence, nous perdons peut-être toutes les deux notre après-midi.

– Oui. Désolée de te faire perdre ton temps, Mère.

Cordelia soupira.

– Je m'attendais à mieux de ta part. Je pensais que tu serais touchée. Je n'aurais jamais cru que tu serais sans cœur, Allegra. Cela ne te ressemble pas.

– Je me soucie de Charles, je tiendrai toujours à lui,

plaida Allegra. Mais je ne peux plus. Il le comprend. J'en aime un autre. J'ignore comment c'est arrivé, mais c'est un fait.

– Charles est en train de mourir, lâcha Cordelia d'un ton sec.

Allegra eut un mouvement de recul.

– Quoi ?

– Tu m'as dit que tu savais pourquoi j'étais ici.

– Je croyais que tu étais venue pour me ramener à New York.

– C'est le cas.

– Je veux dire... pour renouveler mon lien...

C'était une ruse pour la faire revenir. Cordelia mentait.

– Nous sommes immortels. Il reviendra dans un autre cycle.

– Tu ne comprends pas. Si tu ne renouvelles pas ton lien, il va s'affaiblir, devenir une demi-personne. Le sang immortel – le *sangre azul* – s'effacera en lui. Je croyais que tu le savais.

– Mais si le lien est brisé, pourquoi ne suis-je pas malade, moi ?

– Ça viendra.

Allegra fut transpercée par la terreur. Le lien les emporterait tous les deux, le sang se diluerait, et l'esprit immortel qu'elle portait en elle s'éteindrait. Elle ne s'étonnait plus que Cordelia ait fait le déplacement. Allegra ne savait pas, ou ne voulait pas savoir... elle en savait déjà assez, et pourtant elle continuait. Elle était consciente de ce qui arriverait, n'est-ce pas ? Son sang lui avait montré des visions de l'avenir. Dans le coma, sur le lit. Son enfant grandissant sans mère. Et Ben... Qui savait ce qu'il deviendrait...

‑ Je n'ai pas fait tout le chemin depuis San Francisco pour te juger, Allegra, ni pour te passer un savon, malgré tes choix déplorables. Mais je te demande de le voir avant qu'il soit trop tard. Tu lui dois bien cela.

Allegra dit à Ben qu'elle avait une urgence familiale et qu'elle rentrerait dès que possible. Elle partit pour New York le soir même, et rendit visite à Charles le lendemain matin, dans la belle maison rénovée de la Cinquième Avenue.

Elle n'avait aucun souvenir du passé où il ne soit pas : elle n'avait pas de vie, pas d'identité séparée de la silhouette solitaire assise dans le noir, dans cette vaste chambre. La chambre qu'elle avait choisie, qu'elle avait décorée, dont elle avait imaginé avec amour qu'elle serait la leur. Cela l'attrista de l'y voir si seul. C'était elle la responsable. C'était elle qui l'avait quitté.

Charles Van Alen l'entendit entrer, il perçut le doux glissement de ses pas sur le tapis.

– C'est Cordelia qui t'envoie, dit-il en refermant son livre sur ses genoux.

– Oui. Mais je suis venue de moi-même. Je ne savais pas. J'ignorais ce qui arriverait si je ne renouvelais pas le lien. J'ignorais que cela te ferait tant de mal.

Il toussa.

– Pourquoi es-tu ici ?

Allegra s'assit à côté du lit.

– Je ne voulais pas te faire souffrir, affirma-t-elle en

prenant sa main qui s'était flétrie depuis la dernière fois qu'ils s'étaient vus. Je ne voulais pas que tu souffres à cause de moi.

Son cœur lui faisait mal dans sa poitrine. Charles lui avait donné la liberté qu'elle demandait, et en retour il s'était sacrifié. Elle s'était crue libre, mais elle ne le serait jamais, si un lien céleste était en jeu. Le Code avait été écrit pour une raison précise : préserver du malheur non seulement les humains, mais aussi les vampires.

– Il doit y avoir une autre solution, reprit-elle.

Charles secoua la tête.

– Il n'y en a qu'une.

Allegra s'en doutait, et cela la désespérait. Elle ne pouvait pas aimer deux hommes à la fois, si bien qu'elle avait choisi celui qui faisait son bonheur ; mais à présent, en voyant la conséquence de ses actes, elle ne savait plus que penser ni que faire. Elle n'avait pas imaginé que Charles paierait pour ses choix à elle. Elle avait cru porter tous les risques sur ses épaules.

– Tu peux mettre fin à cela, dit-elle en posant son autre main sur la sienne. Tu es plus fort qu'aucun de nous tous. Tu es Michel, l'archange... Tu es plus fort que le lien.

– Reviens-moi, souffla-t-il.

C'était une requête, pas un ordre. Il la suppliait de l'aimer.

– Alors dis-moi ce que je veux savoir. Dis-moi ce qui est arrivé dans notre passé, qui nous a tant éloignés. Aide-moi à retrouver le chemin qui me mène à toi.

La mémoire de son sang lui envoya un flash de souvenir, et pendant un instant elle le vit tel qu'il avait été : Michel,

Protecteur du jardin, celui qui l'avait faite sienne à l'aube du monde. Elle se rappela sa force et sa puissance, mais surtout, elle se rappela combien elle avait été attirée par son sens inné de la justice, sa bonté, la lumière pure qui émanait de son âme. Il était le premier archange du Seigneur, il avait triomphé du dragon, avait chassé Lucifer et les rebelles hors du paradis. La main de Dieu. Il avait choisi la Terre plutôt que les Champs Élysées pour rester avec elle.

Pendant toute la durée de sa vie d'immortelle, elle s'était sentie à la hauteur de son amour, le lui avait rendu, l'avait reflété, mais quelque chose avait changé entre eux à Florence au XVe siècle, et depuis, dans chaque cycle, elle s'était peu à peu éloignée de lui. Parfois, elle ne savait plus ce qu'elle aimait : l'homme ou le mythe, l'ange qui avait mené les armées d'Éden ou le garçon reposant sur le lit, maladif et pâle, et pourtant toujours cher à son cœur.

Toujours cher à son cœur.

Pourtant, elle était lasse de vivre dans le passé, lasse de demeurer dans le brouillard. Elle voulait qu'il soit le phare qu'il avait été, l'ange qu'elle avait aimé de tout son cœur, alors que rien ne se dressait encore entre eux.

– Dis-moi ce qui s'est passé, mon amour, le supplia-t-elle. Aide-moi à revenir vers toi.

– Oui, oui. Je vais tout te dire.

Allegra se pencha et l'embrassa sur les lèvres. Dans cette vie, c'était la première fois qu'elle l'embrassait ainsi. Ils avaient voulu attendre leur union, leur retour l'un vers l'autre.

Charles enlaça sa taille et elle se laissa attirer sur le lit.

QUARANTE

La clé des Gémeaux

En revenant avec une seconde théière, Theodora trouva Jack en pleine contemplation et Catherine grignotant toujours ses biscuits. Elle leur versa une nouvelle tasse à chacun en essayant de trouver quelque chose à dire qui ne soit pas grossier ou impoli envers la femme. Comment se faisait-il qu'on l'ait envoyée avertir les gardiens des portes du danger imminent, alors qu'il aurait peut-être fallu la mettre en garde, elle, contre eux ? En plus de Lawrence, l'Ordre des Sept était une bande hétéroclite : Kingsley, le sang-d'argent. Catherine, tueuse de bébés. Le cerveau de Theodora tournait à toute vitesse. Il y avait autre chose.

– Nous avons rencontré un guérisseur... un *Venator* venu d'Amman. Il prétend être votre frère.

Catherine fronça les sourcils.

– Mon frère ?

– Oui.

– Qu'a-t-il dit d'autre, ce *Venator* ?

– Que l'Assemblée d'Amman était détruite, et qu'un sang-d'argent était à l'origine de sa destruction comme de celle des autres Assemblées. Et il nous a dit qu'il savait ce que vous gardiez. Pardonnez-moi : c'est pour cela que j'ai cru qu'il était votre frère. Parce qu'il connaissait votre secret.

– Je ne me fierais pas à cet individu. Il n'est pas mon frère : le mien est mort pendant la Guerre céleste.

Theodora réfléchit intensément. Elle avait accepté les paroles de Mahrus comme la vérité, elle était même allée jusqu'à penser qu'il était peut-être Onbasius, le guérisseur de Rome, qui avait appartenu à l'Ordre des Sept, et qu'il pouvait bien être lui-même un des gardiens. Mais bien sûr, cela ne collait pas, à cause de ce qu'Allegra leur avait dit depuis le début : une porte par famille. Non. Mahrus n'était pas Onbasius et il n'était pas gardien. D'après Catherine de Sienne, c'était un menteur.

Theodora lui rapporta tout ce que les *Venator* avaient appris : que Mimi Force avait été attaquée par le sort de sang dans le *Glom*, et que les Nephilim avaient aussi visé Deming. La fille leur avait dit n'avoir jamais découvert pourquoi la Régente avait été attaquée, mais elle pensait que cela devait avoir un rapport avec des informations qu'elles avaient trouvées dans le dossier de Paul Rayburn, des notes concernant une clé astrale ouvrant toutes les portes de l'enfer. Theodora questionna Catherine à ce sujet.

– Il est dit dans les archives que la clé astrale ouvre la porte de la Promesse. Avez-vous entendu parler de cette clé ? L'avez-vous ?

– Il y a une erreur de traduction. Elle s'appelle la clé des Gémeaux, pas la clé astrale. Une confusion compréhensible. Les Nephilim ne sont pas réputés pour leur intelligence.

– Alors, c'est pour ça qu'ils ont attaqué Mimi... Ils ont dû la prendre pour la clé. Et Deming... parce que c'est une jumelle stellaire. Ils cherchaient quelque chose de signifiant, tentaient de faire tout coller. Mais pourquoi auraient-ils besoin d'une clé, puisqu'ils utilisent déjà les humains pour faire franchir la porte à des femmes ?

La gardienne hésita un instant avant de répondre.

– Je suppose que si tu es la fille d'Allegra, et digne du secret des Sept, tu le sauras bien assez tôt.

– Il y a autre chose que ma mère ne m'a pas dit ?

Catherine posa sa tasse, qui tinta contre la soucoupe.

– La porte de la Promesse est double, elle constitue un carrefour qui mène vers deux lieux différents. Cette entrée-ci, à Gizeh, garde le Monde des Abîmes. L'autre m'est cachée. J'ignore où elle se trouve et où elle mène. Mais je sais une chose. Celui qui détient la clé des Gémeaux est le véritable gardien de la porte de la Promesse.

QUARANTE ET UN

Les secrets des Abîmes

Absolument transportée de joie, Mimi songea qu'elle ne se sentirait plus jamais si fatiguée, épuisée, comblée. Chacun de ses muscles était endolori, elle était meurtrie de baisers et de suçons, mais c'était bon de savoir qu'ils s'étaient tant réjouis l'un de l'autre, qu'ils avaient plus que rattrapé le temps perdu et qu'ils découvraient de nouveaux délices secrets. Elle cherchait à reprendre son souffle, pantelante. Ils auraient pu continuer toute la journée et toute la nuit, et quelque chose lui disait que, au moins dans un futur proche, c'était exactement ce qu'ils allaient faire. L'amour était une drogue, une addiction physique : elle le voulait auprès d'elle à chaque instant, voulait sentir sa peau contre la sienne, pour être sûre qu'il était réel.

– Tu veux de l'eau ? lui demanda Kingsley en se redressant.

Il baissa la tête vers elle et lui pressa affectueusement l'épaule.

– Je veux bien.

Il s'enveloppa d'un drap et partit à la cuisine en sifflotant. Mimi enfila un peignoir de soie : sans son homme, elle avait un peu froid.

Kingsley revint avec deux verres en cristal pleins d'eau et lui en tendit un. Puis il se remit au lit.

– Tu sais, aussitôt que je suis arrivé ici, j'ai essayé d'en sortir. Je suis allé jusqu'à la porte. Mais je n'ai pas pu traverser, lui dit-il. C'est le sang de Croatan qui fait ça.

Elle se pelotonna contre lui et il poursuivit son histoire en lui caressant les cheveux.

– J'ai tout essayé. J'ai négocié avec Helda. C'est pour ça que j'ai accepté ce poste. Je me disais que si j'arrivais à me rendre utile, je m'attirerais sa faveur. Mais les années ont passé – tu sais que le temps n'est pas le même, ici –, rien n'a changé, et j'ai à peu près renoncé. Et puis je t'ai vue. D'abord, j'ai cru que je rêvais.

– C'est tout toi, ça, dit-elle en souriant. Tu ne crois jamais à ce que tu as sous les yeux.

– J'ai l'habitude des déceptions.

Il vida son verre et le posa sur la table de chevet.

– Mais veux-tu rentrer avec moi, au moins ? lui demanda Mimi, redoutant sa réponse et pensant à la fleur éclose dans le désert. Avec tout ce que tu fais ici, et ce que tu ressens là-haut... les voix... La corruption sera de nouveau en toi.

– Je sais. J'y ai pensé.

– Ah bon ? Quand ça ? plaisanta-t-elle. Quand as-tu eu le temps ?

– À l'instant. Et ça me va. Je peux gérer la corruption, je l'ai fait toute ma vie.

– Tu es sûr ?

– Je n'en ai jamais été plus certain, assura-t-il en déposant un baiser sur son épaule nue. Je veux rentrer. Je veux être avec toi. Le Monde des Abîmes peut survivre sans moi.

Elle l'embrassa tendrement, à nouveau heureuse, et posa une main sur sa joue pour toucher sa barbe naissante.

– Donc, on se barre d'ici et c'est tout ? demanda Kingsley.

– C'est le projet.

Elle lui pinça le nez. Quel beau mec ! Elle soupira. Son beau démon à elle.

– Ça paraît trop facile, insista-t-il. Helda t'a dit que je pouvais partir ? Elle ne va pas nous arrêter ?

– Qu'est-ce que tu crois ? J'ai le bras long, dans le pays !

En tant qu'ange de la Mort, les ténèbres faisaient partie de ses biens de naissance, lui rappela-t-elle.

– Je vois ça ! Bon, d'accord, si tu es sûre que ça va marcher...

– Chut ! bouda Mimi. Ne soyons pas négatifs. Habille-toi et allons-y. On a un train à prendre pour les Limbes.

Oliver ne parut pas surpris de les voir arriver ensemble au petit déjeuner. Avec son tact habituel, il s'abstint de tout commentaire lorsqu'ils s'assirent à table, rayonnants de plaisir et bouillonnants d'énergie.

– Alors on monte dans le train, et voilà ? demanda-t-il.

Kingsley fronça les sourcils.

– C'est un tout petit peu plus compliqué, mais on se débrouillera à mesure. Je ne sais pas ce que t'ont raconté les démons, dit-il à Mimi.

Il regarda les trolls qui se tenaient tout autour de la salle, raides et attentifs, les mains dans le dos.

– Laissez-nous, ordonna-t-il.

Puis il observa Mimi et Oliver avec un grand sérieux.

– Il y a autre chose que vous devez savoir. J'aurais voulu vous le dire plus tôt, mais je préférais attendre d'être certain.

– Quoi donc ?

– Il y a, ces temps-ci... une activité inhabituelle dans le neuvième cercle.

– Lucifer ? souffla Mimi.

Oliver dut se forcer à respirer. Penser au prince des Ténèbres le terrifiait toujours. Il avait vu ce qui s'était passé lors de l'union, quand les Croatan s'étaient révélés et avaient capturé Theodora pour l'attirer dans le *Glom*.

Kingsley acquiesça.

– Sûrement... Je crois qu'il essaie à nouveau de s'échapper.

Mimi haussa les épaules et déchira son croissant en deux comme s'il s'était agi de l'ennemi.

– Très bien. Quand il le fera, on le réexpédiera ici, c'est tout.

Mais Kingsley secoua la tête.

– Non. Il paraît que Lucifer a de plus grandes ambitions.

– Lesquelles ? voulut savoir Oliver.

Le duc des Enfers se rembrunit.

– J'ai entendu des rumeurs selon lesquelles il aurait inventé de nouvelles armes pour combattre le divin, des armes encore plus puissantes que le feu blanc des cieux... et qu'il rassemble ses démons pour la bataille.

– Si c'est la guerre qu'il veut, il l'aura. Alors nous y

sommes. L'apocalypse. Nous allons préparer les chevaux, affirma Mimi.

– Non. Lucifer ne s'intéresse plus au monde du milieu, reprit Kingsley en jetant des regards furtifs autour de lui, comme s'il craignait les oreilles indiscrètes.

– Ah bon ? s'étonna Oliver. Pourquoi ? Parce que les humains ont tout bousillé ?

Il sourit de sa propre plaisanterie. Mais Kingsley ne fut pas amusé et ne s'y arrêta pas.

– Je crains que ce ne soit quelque chose de bien plus précieux qui l'intéresse. (Un silence.) Le prince des Ténèbres s'apprête à conquérir le paradis.

– Mais comment ? demanda Mimi en rejetant son croissant à demi mangé sur son assiette, l'appétit coupé par ces informations. C'est impossible. Le paradis est inaccessible aux anges déchus. Si les anges ne peuvent pas connaître la rédemption, comment les démons et les Corrompus pourraient-ils ne serait-ce que s'approcher de l'Éden ? C'est inconcevable. Ils ne pourront pas le trouver. Personne ne le peut.

– Je ne sais pas. Ils ne me font pas assez confiance pour me confier leurs projets, répliqua Kingsley, amer. Mais ils ont confiance dans la victoire.

QUARANTE-DEUX

Un coup de téléphone

Lorsqu'Allegra regagna sa maison de Riverside Drive, Ben l'attendait assis sur le perron, les mains croisées sur les genoux.

– Je sais où tu étais hier soir, affirma-t-il. Je sais que tu l'as rejoint...

– Ce n'est pas ce que tu crois...

– Ça ne fait rien. Pitié. Ça me tue. Je ne sais même pas quoi en penser. Je ne *veux pas* savoir quoi en penser. Mais c'est tordu. Quoi qu'il y ait entre vous, c'est... c'est mal.

– Ben... Je t'en prie.

– Écoute-moi jusqu'au bout.

Ben toussa dans son mouchoir. Allegra vit que le tissu était rouge de sang. Il s'était mis à tousser la semaine précédente et devait aller voir un médecin, mais il avait été trop pris pour s'en occuper. Il faudrait qu'elle le lui rappelle.

Elle le fit entrer dans la demeure et ils s'assirent tous les deux dans le salon de réception de Cordelia.

– Allegra, dit-il. (Cela lui fit mal d'entendre ce nom

quitter ses lèvres, car il ne l'avait jamais appelée ainsi.) Je t'aimerai quoi qu'il arrive. Je me fiche que tu aies passé la nuit dernière avec Charles. Vraiment. Tout ce que je veux, c'est toi.

Allegra ravala ses larmes. Elle n'y arriverait pas, songea-t-elle, elle ne pourrait pas. Elle était sûre d'elle en quittant Charles, mais à présent, devant Ben, sa résolution était ébranlée. À ce moment, le téléphone sonna à l'étage. C'était la ligne du Conclave, celle que seuls les *Venator* et les Sentinelles utilisaient.

– Ben, je suis navrée mais il faut que je réponde. Je pense que c'est important.

Il agita la main.

– Vas-y, dit-il en toussant de plus belle.

Elle courut décrocher à l'étage.

– Oui ?

– Martin à l'appareil. Pardon de te déranger... mais j'ai pensé que ceci t'intéresserait, dit Kingsley. Je voulais te le dire avant de partir pour ma nouvelle mission, mais j'ai oublié.

– Tu tombes mal. Ça ne peut pas attendre ?

– Quand pourrais-je bien tomber ? soupira le *Venator*. Désolé... je te promets que je n'en ai pas pour longtemps.

– Vas-y.

Il s'éclaircit la gorge.

– Bon, j'ai enquêté un peu sur ce dont tu m'as parlé... la maladie des sang-rouge.

– Et ?

– Et je n'ai rien trouvé, dans aucun dossier officiel.

Allegra se mordit les joues.

– Non ?

– Forsyth m'a ri au nez. Il m'a dit n'avoir jamais rien entendu de tel. Il prétend que les voix qui parlent dans ma tête me rendent fou.

Il ne semblait pas plus vexé que ça. Allegra savait qu'au fil des siècles, il s'était habitué aux piques et aux commentaires des vampires sang-bleu.

– Je ne lui ai pas révélé que je le tenais de toi, je ne voulais pas t'attirer d'ennuis.

– Il ment. Il y avait un corps dans ce fourgon. Je l'ai vu.

– Oui. J'ai trouvé le registre des ambulances, celles de la clinique qu'utilisent les Intermédiaires. Seulement voilà, le registre dit qu'il y avait bien un corps dans ce fourgon, mais j'ai vérifié à San Francisco : aucun familier n'est porté disparu ou récemment déclaré mort.

Allegra ne pouvait pas croire à ce qu'elle entendait. Charles lui avait déclaré en face que c'était un familier humain qui se trouvait dans le sac. Elle l'avait vu de ses yeux. Elle fouilla sa mémoire : oui, le corps paraissait tout à fait humain.

– Alors, qu'est-ce qu'on fait ?

– Je ne sais pas. Je n'arrive pas à obtenir de réponses. Mais j'ai continué à me renseigner... et... je ne sais pas quoi en penser, mais apparemment, quelques vampires ont disparu, souffla Kingsley.

– Disparu ?

Non. Impossible. Elle repensa à la peur qui l'avait poussée à examiner le corps. La peur que les ennemis mortels des vampires soient de nouveau dans la nature. Un ennemi qu'ils avaient éradiqué des siècles plus tôt. Cela ne pouvait pas recommencer. Elle pensa à Roanoke et à la colonie disparue. Et il y avait eu d'autres disparitions par la suite, par-ci par-là, des vampires qui avaient fui l'Assemblée, peut-être, ou avaient cessé de signaler leur présence aux Sentinelles. Ce n'était rien, lui avait assuré Charles. Rien à craindre. Elle avait eu des doutes, tant de doute au fil des ans... mais elle n'avait rien fait, elle s'en rendait compte à présent. Tous ces doutes à propos de ce qui était réellement arrivé à Florence, le secret que Charles lui avait caché pendant ces siècles passés ensemble...

– Oui, disparu. Quelques nouveaux membres du Comité qui venaient d'être intronisés.

– Que disent les Aînés ?

– Ils refusent de me parler. Bref, je ne sais pas quoi penser de tout cela. Je suis sûr que ce n'est rien. Peut-être quelques jeunes qui font l'école buissonnière. Mais j'ai pensé qu'il valait mieux t'en parler. Tu le diras à Charles, n'est-ce pas ? Il faut qu'il sache que quelqu'un ne raconte pas toute la vérité.

– Oui. Oui, je lui en parlerai.

Ils se saluèrent et raccrochèrent.

En redescendant, elle fut presque surprise de trouver Ben sur le canapé.

– Je suis absolument désolée, mais il faut que j'aille parler à Charles tout de suite.

– Je comprends, acquiesça bravement le jeune homme.

Allegra aurait voulu le consoler, mais elle n'avait pas le temps de s'expliquer.

QUARANTE-TROIS

Le château de Barbe-Bleue

S am déploya la carte sur la table et exposa à l'équipe la mission de sauvetage. Ils étaient tous regroupés dans la petite pièce qui servait de quartier général aux *Venator*, dans la nécropole. Il y avait presque une semaine que Deming avait été enlevée, et Mahrus s'était joint à eux en rentrant d'un court voyage qu'il avait fait à Jérusalem pour voir où en était l'Assemblée locale.

– D'après Catherine, le château se trouve à la limite des Limbes, à l'embouchure du Styx, déclara Sam. Il n'y a que deux entrées. La principale est le pont-levis qui enjambe les douves, mais il y en a une autre, une entrée secrète qui relie directement le palais du Zaniyat aux oubliettes. L'union d'automne est prévue pour le jour du Lammas et, comme elle l'a proposé, nous interviendrons la veille. Catherine laissera toutes les portes ouvertes dans le sous-sol du bordel, afin que nous puissions passer. Il n'y aura pas de nouvel arrivage de filles avant le mois suivant, donc les lieux seront à peu près vides, d'après ses dires.

Il désigna un autre point sur la carte.

– Une fois dans les geôles, nous remontons dans le château. Il sera lourdement gardé à l'extérieur, mais à l'intérieur il n'y aura que les domestiques habituels. Probablement quelques trolls, rien d'insurmontable. Deming devrait être là. (Il montra la plus haute tour.) La chambre de Barbe-Bleue.

– Barbe-Bleue... tu veux dire comme dans le conte ? s'enquit Theodora.

– Les contes ne sont pas tous inventés, expliqua Jack. Barbe-Bleue est... le surnom de Baal, disons. Il a eu beaucoup de fiancées.

– Et ces fiancées... elles sont toutes mortes ? Comme dans l'histoire ?

– À ton avis ? fit Sam avec irritation. D'après ce que m'a dit Catherine, la plupart des femmes humaines ont du mal à supporter une naissance de démon. Beaucoup meurent en couches, et même quand elles survivent, ce n'est pas pour longtemps.

– Surtout si les Pétruviens les tuent, fit remarquer Dehua.

– Dehua et Ted mèneront l'assaut et je m'occuperai des trolls. Jack : Theodora et toi ferez le guet pendant que Mahrus et moi monterons dans le donjon pour libérer Deming. Tout est clair ? demanda encore Sam en roulant la carte.

Chacun acquiesça et se prépara à descendre dans le Monde des Abîmes.

Ils ne mirent pas longtemps à comprendre que la carte était fausse. Ils étaient déjà engagés loin dans les oubliettes lorsque Jack entendit Sam pousser un juron en fourrant le rouleau sous son bras. Il s'approcha du *Venator*.

– Qu'y a-t-il ?

Jack était déjà extrêmement inquiet parce qu'il n'avait pas pu dissuader Theodora de participer à la mission. Comme Sam, il ne tolérerait plus aucune erreur. Le risque était trop grand.

Sam lui tendit la carte. Il la déroula et l'examina, les yeux plissés. Le dessin représentait les geôles souterraines comme une série de larges cercles concentriques, calqués sur les contours du château, reliés entre eux par de courts passages, ce qui rendait la circulation facile partout. Mais la prison dans laquelle ils se trouvaient n'avait pas grand-chose à voir avec ce plan. D'épaisses murailles de pierre barraient souvent le passage, et forçaient l'équipe à louvoyer d'un corridor à l'autre.

– Je n'aime pas ça, dit Sam. On devrait déjà être sortis des oubliettes. Tous ces barrages nous forcent à nous enfoncer plus loin dans les cercles, sans garantie d'en sortir.

– Tu crois que c'est fait exprès ? Qu'ils ont laissé traîner une fausse carte pour que Catherine la trouve ?

– Aucune idée, mais il y a quelque chose qui cloche. Les cellules sont vides, il n'y a personne là-dedans.

Soudain, un grand bruit s'éleva des profondeurs.

– Qu'est-ce que c'était que ça ? demanda Theodora.

– Ne t'éloigne pas, lui intima Jack.

À présent, tout le monde était sur les nerfs. Sam tenta de les guider hors du cercle où ils se tenaient, mais ils se retrouvèrent au pied d'une nouvelle muraille.

– Il faut repartir par où on est venus, déclara Jack. Ils

315

nous aiguillent vers un lieu où on n'a pas intérêt à se retrouver.

– Non ! protesta Sam. Nous trouverons le passage vers le château. C'est notre seul espoir...

Il s'interrompit soudain et suivit le regard de Jack, vers la gauche. Là, le couloir sombre se remplissait de trolls.

Leurs pupilles argentées et leur peau sombre brillaient d'une lumière surnaturelle. Leurs colliers miroitaient. Ils se mirent à jacasser avec animation.

Acculé contre le mur, le groupe forma un cercle serré en se préparant à affronter l'assaut.

– Ce n'est qu'une bande d'abrutis, marmonna Sam. Rien à craindre d'eux.

– Il n'y a qu'une solution : foncer dans le tas, l'appuya Jack.

Il dégaina son épée et s'avança au-devant de la horde. À côté de lui, les autres firent de même, leurs lames argentées luisant dans la pénombre.

Les trolls hésitèrent un instant : l'argent était le seul métal qu'ils redoutaient. Mais ils étaient entraînés au combat, et ils se ruèrent en avant, toutes griffes et dents sorties.

– Jack ! cria Theodora en voyant le plus gros troll se jeter sur lui.

– Je le tiens ! dit Jack, les dents serrées.

Il tendit son épée face à la bête, ploya les genoux pour l'enfoncer vers le haut dans son sternum, et utilisa l'élan du monstre pour le précipiter contre le mur.

L'équipe se battait aussi farouchement que les trolls, mais pour le moment personne ne semblait prendre l'avantage. Les *Venator* n'étaient pas dans leur élément, ils se trouvaient en territoire inconnu, et ils risquaient d'être bientôt dépassés. Ils n'étaient que cinq, et des centaines de trolls pouvaient s'abattre sur eux à tout moment.

Jack s'efforça de rassembler ses pensées. Ils étaient tombés dans une embuscade, il fallait absolument qu'il trouve comment prendre l'avantage. Les bêtes avaient choisi une section de couloir particulièrement large pour lancer l'assaut, ce qui favorisait leur effectif nombreux en leur permettant d'attaquer de tous côtés. Jack, pivotant sur lui-même, découvrit un boyau étroit, un minuscule espace créé par un des barrages de pierre, à quelques pas seulement derrière lui.

– Derrière ce mur ! cria-t-il en les guidant vers la crevasse.

Sam lui lança un regard hébété.

– Mais nous serons coincés contre le mur !

– Précisément. Ça les obligera à nous attaquer un par un !

Il n'y avait pas le temps de discuter, et l'équipe suivit Jack vers l'arrière ; ils s'engagèrent dans le cul-de-sac sans cesser de croiser le fer.

– On va se relayer, ordonna Mahrus, qui avait compris la stratégie.

L'espace était si étroit que seules deux personnes pouvaient se battre de front. Une ferraillant à droite tandis que l'autre couvrait la gauche. Ainsi, ils pouvaient ralentir la charge des monstres et chorégraphier chacune de leurs actions. Quand vint leur tour, Theodora et Jack se battirent en équipe, Theo tranchant dans le tas tandis que Jack achevait les ennemis, les mettant à terre avec sa lame d'argent.

317

Tout allait bien, lorsque l'équipe fut soudain prise à revers : des créatures surgissaient par la muraille du fond.

Jack poussa un juron : il avait oublié l'extravagante capacité des trolls à broyer la roche.

– Sam ! Ted ! Couvrez les arrières !

Les monstres continuaient d'avancer, forçant l'équipe à former un cercle serré.

– Il faut les surprendre quand ils sortent, dos au mur !

Sam et Ted se battirent à fond, tournant leur lame de côté, abattant les bêtes, les repoussant tandis que les cinq combattants reculaient vers la muraille. L'odeur du sang et de la mort saturait l'atmosphère. Ils se défendaient bien, mais Jack savait que les trolls avaient d'autres tours dans leur sac. Il eut la confirmation lorsque, levant la tête, il en vit de nouveaux sauter d'un trou qu'ils avaient percé dans le plafond.

– Attention ! s'écria-t-il tandis qu'une douzaine de créatures s'abattaient sur eux, ce qui mit Sam et Ted à terre, déséquilibra Dehua et valut à Mahrus un coup sur la tête.

Il pleuvait des trolls, qui s'insinuaient entre eux, les séparaient. Jack et Theodora, qui combattaient dos à dos, perdirent leurs compagnons de vue.

– Jack, souffla Theodora, ils sont trop nombreux. On ne va jamais s'en sortir, ils pourront toujours en envoyer de nouveaux. Il faut aller chercher Deming et sortir d'ici.

– OK, répondit-il tout en déchiquetant une poitrine velue. On y va.

– Non. Il faut que tu restes pour te battre, les empêcher d'anéantir l'équipe. Je vais la trouver et la ramener.

Il se retourna pour la regarder. C'était ce qu'il redoutait le plus... et justement, elle le proposait.

– Non ! Je ne peux pas te laisser y aller seule.

Un bruit monta des profondeurs des geôles : un grondement grave et lugubre qui lui envoya des frissons dans l'échine.

– Qu'est-ce que c'était que ça ?

– Un Chien de l'Enfer, dit Jack en pâlissant légèrement. Libéré du neuvième cercle, semble-t-il.

– Tu vois, ils vont avoir besoin de toi, ici. Je ferai vite. Promis.

Pas le temps de se dire adieu : Theodora se fraya un chemin dans la horde, laissant Jack sur place.

– Par ici ! l'entendit-elle crier derrière elle.

Il attirait les bêtes vers lui pour couvrir sa fuite.

Theodora remonta la trace baveuse laissée par les trolls, devinant que celle-ci la guiderait vers la sortie. En effet, elle découvrit un escalier en colimaçon. C'était forcément cela. Elle gravit les marches quatre à quatre, jusque dans le donjon. Elle distinguait encore la bataille qui faisait rage en dessous – et le rugissement d'Abbadon : Jack avait repris sa forme véritable et dominait la horde de sa grandeur, maniant son épée de démon. Il y avait plusieurs paliers dans cet escalier, et Theodora essaya quelques portes. En ouvrant la première, elle se trouva nez à nez avec un squelette pendu à un nœud coulant. Elle étouffa un hurlement. *Le château de Barbe-Bleue*, se souvint-elle. La deuxième pièce contenait un cercueil. La troisième... Theodora ne l'ouvrit pas. Il y en avait d'autres : sept en tout, la dernière au sommet.

Cette porte-là était peinte en rouge, pour indiquer qu'elle gardait la fiancée d'automne. La plus récente, sacrifiée la veille de la fête des récoltes, afin de porter l'enfant du démon.

Theodora proféra une incantation. Le battant pivota et elle se rua à l'intérieur.

– Deming ! On est là !

Mais la salle était vide. Deming avait déjà été emmenée pour l'union d'automne.

QUARANTE-QUATRE

Le train fou

– Terminus, tout le monde descend.

Les portes du métro s'ouvrirent devant eux. Mimi et Oliver suivirent Kingsley sur le quai. Mimi remarqua que c'était le même qu'à l'aller.

– Et maintenant ? s'enquit Oliver en scrutant la station déserte. On dirait que les rails font une boucle pour retourner vers la ville.

– Exactement. L'enfer est un circuit fermé, aucun chemin ne mène vers la surface.

Kingsley expliqua qu'ils allaient devoir sortir du tunnel et localiser la gare de surface, qui desservait la seule ligne menant hors de l'enfer.

Mimi lui jeta un regard interrogateur. Elle se demandait pourquoi il semblait soudain si nerveux. Ils avaient juste un train à prendre, non ?

– Bon, eh bien allons-y, qu'est-ce qu'on attend ?

Kingsley hésita.

– C'est ce que je voulais dire, tout à l'heure, quand j'ai laissé entendre que c'était compliqué. On ne peut pas

321

simplement monter à bord. Le train grouille de trolls, et des démons gardent toutes les portes. C'est la ligne de Charon, la seule qui emmène les âmes au royaume des Morts – c'est bien plus rapide que les anciens bacs. Le train arrive plein, mais repart toujours vide. Je pense qu'ils auraient des soupçons s'ils nous voyaient remonter à la surface comme des passagers clandestins. Une fois en bas, on est censé y rester.

– Génial ! s'exclama Oliver en se frappant le front.

– Helda ne m'a jamais parlé de ça, fulmina Mimi.

– Pourquoi l'aurait-elle fait ? demanda tranquillement Kingsley, l'air absolument pas perturbé.

– Alors on est coincés ici ! grommela Oliver.

Il en avait par-dessus la tête de l'enfer, il était prêt à rentrer chez lui, à rentrer sur Terre. Car il rentrait bien chez lui, n'est-ce pas ? Mimi s'était comportée bizarrement ce matin... elle avait fui son regard lorsqu'il avait parlé de sa joie à l'idée de retrouver son lit.

– Pas tout à fait.

Kingsley avait longé le quai et trouvé un escalier au bout du tunnel.

– Venez, on monte. Mieux vaut ne pas traîner.

Ils débouchèrent sur un trottoir désert en bordure de la ville. Il n'y avait pas une voiture dans la rue, et les immeubles semblaient vides et abandonnés. De lourds rideaux de fer étaient tirés sur les vitrines, et les fenêtres des étages étaient protégées par d'épais barreaux. Juste au-dessus d'eux, une structure métallique s'élevait sur trois étages vers le ciel, projetant des ombres en travers de la chaussée. Elle soutenait un quai de chaque côté et des rails qui disparaissaient au loin, en direction du nord.

– C'est notre train.

Kingsley appuya son dos contre la grille de métal froid qui couvrait la vitrine la plus proche. Mimi et Oliver suivirent son regard. La tour noire était couverte d'un dense réseau de fil de fer barbelé, et une montagne d'ordures encombrait la moitié inférieure, barrant l'accès à tous les escaliers.

– Comment font les gens pour entrer et sortir de ce truc ? Ça paraît impossible, commenta Oliver.

– Les trolls foncent dans le tas en traînant les âmes derrière eux. Comme je l'ai dit, c'est un train sans retour, personne n'embarque de ce côté, et il repart toujours à vide.

Kingsley leva les yeux : un train entra à grand bruit dans la gare, sa locomotive relâchant un gros nuage de fumée noire. La rame s'arrêta brutalement, et ses roues envoyèrent voler des étincelles rouges et brûlantes.

Oliver regarda les portes s'ouvrir : une bande de trolls en surgit, transportant les morts. Le quai se couvrit de gardes et de leurs prisonniers. En quelques secondes seulement, l'ambiance de ville fantôme fit place à la foule des heures de pointe. Les trolls n'arrêtaient pas de descendre, disparaissant dans un escalier souterrain. Pendant ce temps, le train se remit en mouvement, son vieux moteur cracha un deuxième panache fuligineux, et il sortit de la gare en avançant sous un nuage d'épaisse fumée noire.

Tous trois le regardèrent partir.

– Qu'est-ce qu'on fait ? demanda Oliver.

– Mmm. Je ne sais pas trop, avoua Kingsley en se frottant le menton.

– Je crois que l'enfer commence à t'attaquer la cervelle, déclara Mimi, une main en visière au-dessus des yeux, en observant les rails. Il passe sous ce bâtiment, tu vois ? (Elle désignait un vieil entrepôt en brique, à quelques rues de distance.) On pourra sauter dans le suivant une fois qu'il sera sorti de la gare. C'est tout près, il ne sera pas encore lancé à pleine vitesse.

– Tu as vu ce machin démarrer ? protesta Oliver. Jamais je ne pourrai courir assez vite.

Mais Kingsley sourit.

– Faisons-le.

Tous deux se tournèrent vers Oliver, qui secoua la tête.

– Vous savez bien que je ne peux pas me déplacer comme vous. Vous n'avez pas une autre idée ?

Mais Kingsley était déjà parti en courant, et Mimi, en se ruant à ses côtés, lança à l'Intermédiaire un regard par-dessus son épaule.

– Ne t'inquiète pas. Je te tiendrai par la main.

Oliver fit la grimace, puis se lança sur leurs talons.

Ils traversèrent deux terrains vagues couverts d'ordures et envahis par les mauvaises herbes. Mimi se bouchait le nez tout en sautant par-dessus les épaves de voitures rouillées et les réfrigérateurs abandonnés. De nouveau, elle regarda en arrière.

– Grouille, Oliver !

Le train suivant entrait en gare.

Kingsley disparut devant eux par la porte cassée du bâtiment désaffecté. Mimi le suivit, escaladant un escalier de secours métallique jusqu'au troisième étage tout en traînant Oliver derrière elle. Kingsley fouillait dans les ordures ; il extirpa du tas un lourd fauteuil métallique. Il s'en servit pour fracasser une haute fenêtre.

– Allez, il est temps de sauter dans le train.

Mimi et Oliver se serrèrent derrière lui, à la fenêtre. Oliver se tourna vers Mimi.

– Je n'y arriverai jamais.

– Si, tu y arriveras, tu n'as pas le choix. Je ne peux pas quitter le Monde des Abîmes sans toi.

Et c'était la vérité, mais pas comme il pouvait le croire. Car il fallait encore payer Helda.

Devant eux, le train approchait dans un grand vacarme, poussant des bouffées d'air dans leur direction. Kingsley sortit la tête par la vitre cassée pour mieux voir.

– Tu sautes en premier, je prends Oliver, dit-il à Mimi.

Le train était là, pas le temps de discuter. Mimi bondit sur le toit. En se retournant, elle vit Oliver qui secouait la tête.

– SAUTE ! hurla-t-elle. VITE !

Kingsley se détacha des briques et attrapa solidement Oliver par les épaules, puis il les propulsa tous les deux en l'air. Ils atterrirent non loin de Mimi, qui était accroupie. Aux yeux d'Oliver, cela n'avait été qu'un flash de métal et de brique, après quoi il s'était retrouvé sur le train qui accélérait.

– Il ne faut pas rester ici... regarde derrière toi ! cria Mimi, dont les cheveux blonds étaient plaqués sur son visage par le vent. Oh, Seigneur ! Je crois que ce sont des Chiens de l'Enfer.

Oliver tourna la tête. Mimi avait raison. Ce n'étaient pas des trolls. Les trois créatures massives, semblables à des loups, qui les poursuivaient étaient bien trop imposantes et terrifiantes pour appartenir à la classe inférieure des trolls. Les chiens se déplaçaient vite et en silence, remontant le long du bâtiment vide pour rejoindre l'endroit d'où le trio avait sauté. Oliver jura et rampa derrière Mimi et Kingsley, qui descendirent par le côté et entrèrent dans le train par la fenêtre. Il ne pouvait que suivre, et ses compagnons le tirèrent par les jambes pour l'aider à se mettre en sécurité.

– Bon, et maintenant ? demanda Mimi. S'ils sont à bord, ils vont nous ramener au Tartare sur-le-champ. Il faut filer.

Kingsley se redressa de toute sa taille, et répondit avec colère.

– Le duc des Enfers ne va pas fuir devant trois bâtards. Ils se soumettront.

Des chocs sourds résonnèrent sur le toit du wagon. Mimi recula contre Oliver pour le protéger de son corps. Kingsley ne craignait peut-être pas les molosses, mais ceux-ci pouvaient emporter l'Intermédiaire d'un simple coup de dents. L'air parut scintiller un instant, puis deux chiens traversèrent le plafond et se retrouvèrent devant eux.

Les bêtes souriaient aux trois fugitifs. Elles avaient des visages de loups, et, à la différence des lourds trolls, elles étaient fines, vives, élégantes. Elles portaient les colliers argentés, mais les chaînes qui y étaient attachées étaient brisées. Oliver se dit que jamais il n'avait vu de créatures si terrifiantes. Elles étaient hommes et loups, et leur rictus était cruel.

– On va quelque part ? demanda l'une d'entre elles.

– Pars retrouver le Léviathan, et tire-lui ma révérence.

326

Kingsley avait les narines dilatées, et sa voix tonnante était autoritaire, armé comme il l'était des pleins pouvoirs liés à son rang.

– Ta révérence ? Mais nous sommes venus te chercher, répondit le Chien de l'Enfer. Tu rentres avec nous.

Mimi nota qu'une nuance de doute s'insinuait dans ce langage dur, aboyé. Ils étaient encore en enfer, et Kingsley était toujours leur maître. Cependant, ils ne lâchaient pas un pouce de terrain.

– PARTEZ ! rugit-il. PARTEZ TOUT DE SUITE !

Et, dégainant son épée, il la projeta à travers les airs. Elle alla frapper le mur à un cheveu du chien le plus proche.

– Considérez ceci comme un avertissement, ajouta-t-il. Mimi, passe-moi ta lame.

Cette fois, les chiens tremblèrent, et ils s'évaporèrent en scintillant à travers les parois du train, tels des fantômes dissipés par la lumière.

Kingsley se laissa tomber sur une banquette et sourit à Mimi, qui rayonnait de fierté. Ils se prirent par la main. Oliver, pour sa part, était content d'être encore entier.

– Bien, je crois que nous venons de gagner notre aller simple vers la sortie, constata Kingsley. Mais le Léviathan ne sera pas ravi d'apprendre que je m'en vais... J'en sais trop long sur ce qui se passe là-dessous.

QUARANTE-CINQ

La promesse de l'archange

– **C**hérie.

En voyant Allegra, Charles se leva de la table où il prenait son petit déjeuner. Il paraissait revigoré, semblait avoir repris toutes ses forces. Mais son sourire confiant disparut lorsqu'il lut sa détresse sur son visage.

Allegra s'avança à grands pas et ordonna aux domestiques de les laisser seuls. Sur un signe de tête de Charles, la pièce se vida.

– Hier soir... Je me suis dit que je t'accordais une nuit pour être franc avec moi et me révéler ce qui était arrivé. Je t'ai cru, Charlie. J'ai cru à tout ce que tu m'as raconté.

La nuit précédente, dans l'intimité, il lui avait juré qu'il ne s'était rien passé à Florence, qu'elle connaissait toute la vérité. Et que cette impression, ce sentiment que quelque chose lui manquait, qu'une chose terrible était arrivée mais qu'elle ne s'en souvenait pas, ce n'étaient que ses remords qui se manifestaient. Et que jamais il ne lui aurait menti, que pas une seule fois il ne l'avait fait. C'était son sentiment de culpabilité qui les éloignait l'un de l'autre, c'est pourquoi il lui demandait de lever elle-même le châtiment qu'elle s'imposait, pour qu'ensemble ils puissent continuer à veiller sur la sécurité de leur monde. Elle l'avait guéri, et à chaque instant passé ensemble elle avait senti le lien se renforcer entre eux, entre les baisers qu'ils échangeaient.

La nuit précédente, après qu'il lui avait juré honnêteté et amour, ils étaient revenus l'un à l'autre. Elle pensait enfin être arrivée au bout. Mais à présent, ils se retrouvaient une fois de plus au bord du précipice.

– Mais je t'ai dit la vérité. Je ne comprends pas... à qui as-tu parlé ? lui demanda-t-il.

– Qu'est-ce que tu as fait, Charles ? Qui était-ce, dans cette ambulance ? Que s'est-il réellement passé entre nous à Florence ? (Elle serra les poings.) Je ne peux pas être complice d'un mensonge. J'ignore où est la vérité, je ne sais plus que croire. Mais je commence à penser que Cordelia et Lawrence avaient peut-être raison, il y a des années déjà.

– Tu me jettes encore Roanoke à la figure ? C'est ça ? l'accusa Charles. Tu sais qu'il n'y a jamais eu d'autres preuves substantielles de...

– Je me fiche de ce que tu prétends. Je sais que tu caches quelque chose, que tu *me* caches quelque chose, et c'est *ça*, la vraie raison de notre éloignement. Pas mon erreur. Pas ma culpabilité. Une chose que tu as faite, Charles. Une chose que tu as faite et qui a changé l'histoire de notre monde. Je le sens. C'est pour ça que je ne t'aime plus comme avant. Parce que même si je ne me rappelle pas de quoi il s'agit, je *sais*.

– Allegra... je t'en prie. Écoute-toi. C'est grotesque... ces choses dont tu m'accuses... Comment peux-tu me haïr à ce point ? Je t'ai promis de protéger les nôtres, et c'est ce que j'ai fait.

– Tu nous détruiras tous, avec ton aveuglement et ton orgueil.

– Les portes tiennent bon ! J'ai mis toute ma force dans leur création. Il n'y a rien à craindre.

Elle ne l'entendait plus.

– Tu nous détruiras, jusqu'à ce que nous ne soyons plus que l'ombre de notre splendeur passée. Nous avons déjà tant perdu ! Le paradis nous est fermé à jamais, et tu ne comprends toujours pas ! Tu n'es plus celui que tu étais. Il t'est arrivé quelque chose... et tu ne me laisses pas t'aider.

La voix de Charles se fit glaciale.

– Allegra... Que fais-tu ici ? Si ce n'est pas pour revenir à moi, alors pourquoi es-tu là ?

– Je ne sais pas. Je crois que je voulais juste te revoir une dernière fois.

– Tu vas épouser ton familier humain, c'est bien ça ?

– Oui.

Il se prit la tête entre les mains et se massa les tempes. Lorsqu'il reparla, ce fut d'une voix sombre et terrible.

– Fais ce que tu veux, mais je sais que je serai détruit si tu te lies à lui. Tu ne me reverras plus jamais. Nous serons des étrangers pour toujours. Je ne survivrai pas à cela, Allegra, sache que ma vie est entre tes mains. Tu as vu ce que le lien pouvait faire.

– C'est trop tard, Charlie. Tu m'as menti pour la dernière fois. Tu as fait ton choix. Ceci est le mien.

Le lien exigerait son dû. Peut-être mourrait-elle, et peut-être Charles aussi. Elle n'en savait rien. Quoi qu'il en soit, c'était à elle de trouver comment arrêter ce qu'elle avait mis en mouvement, quoi qu'il lui ait caché, quelle que soit la cause de la disparition des vampires. Elle était Gabrielle, l'Incorrompue, reine de l'Assemblée. Elle avait des devoirs envers son peuple. Elle ne savait pas si elle voulait réussir, mais il fallait au moins qu'elle tente de défaire ce qu'elle avait fait.

QUARANTE-SIX

Récolte de sang

Deming Chen envoya valser ses escarpins en strass. Elle avait tant couru qu'elle ne se rappelait même pas qu'elle les portait, jusqu'au moment où elle avait buté contre une pierre dans la cour intérieure. Durant la semaine passée au château, elle avait appris plusieurs choses. La plus importante étant qu'il valait mieux garder son calme : elle s'était débattue, avait sorti ses griffes et montré sa force trop tôt, et ceci avait été son châtiment. Elle avait entendu dire que Dehua et Theodora avaient réussi à filer entre les doigts des servantes, qui avaient été blâmées, et elle s'en voulait de s'être attiré encore plus d'ennuis en attaquant trop tôt. Elle aurait dû attendre d'être seule avec les sang-rouge au lieu de tenter d'embrocher l'affreux têtard de démon qui l'avait choisie pour son lit.

Elle avait enduré une semaine entière en compagnie de ces horribles mijaurées, qui la haïssaient parce que ses amies s'étaient échappées et qu'elles avaient été punies. Les femmes lui tiraient les cheveux en la coiffant et se moquaient de son incapacité à courir en talons. Son « fiancé », le démon Baal, était venu la voir une fois qu'elle avait été transformée en vrai petite catin, les cheveux noirs et brillants, la moue écarlate, les seins maquillés au rouge et poudrés, remontés et présentés dans un décolleté outrageux.

Baal était immense et terrifiant, avec ses deux grandes cornes sur son large front et sa longue barbe noire. Il la dominait de sa hauteur, mais Deming n'avait pas peur. Lorsqu'il avait inspecté ses formes, elle lui avait craché au visage. Mais il avait ricané.

– On va bien s'amuser, avait-il dit. Une fois que tu seras mienne, tu apprendras à m'aimer, mon doux ange déchu.

Deming rongeait son frein et attendait le moment propice. Elle laissait les femmes la nourrir à contrecœur de prunes et de pêches, les laissait boucler et coiffer ses cheveux, elle endurait autant leurs soins de beauté que leur hostilité frémissante.

Sa robe d'union était blanche, la couleur de la mort – un symbole cher aux sang-bleu, qui n'en portaient qu'aux enterrements. Ce n'était pas une robe de mariée, c'était une tenue de grand deuil. Le démon se moquait qu'elle ne soit pas humaine et donc incapable de lui donner un Nephilim. Elle lui avait été vendue comme une distraction, un divertissement : une occasion de s'unir avec un ancien ange.

La Veille des Vierges, c'est-à-dire la nuit qui précédait traditionnellement l'union, était sa chance, elle le savait. Les femmes ne parlaient que du festin qui attendait les sang-d'argent et les démons au Tartare, et cette nuit-là elles devaient retourner au bordel pour leur propre fête, une fois leur travail de la semaine achevé.

Deming avait attendu cette occasion d'être seule pour fuir, mais un troll gardait sa porte. Elle s'était rapidement débarrassée du monstre, en l'étranglant à mort avec son collier. Elle avait caché le corps dans une des chambres du donjon, celles qui contenaient les cadavres des précédentes fiancées de Baal.

Elle se mit à courir et ne s'arrêta plus. Mais c'était difficile, dans cette robe. Elle la déchira donc à mi-cuisse et se débarrassa de ses chaussures. Elle était pieds nus, mais il ne lui restait plus qu'à trouver le chemin jusqu'à la porte pour être libre.

Elle était presque arrivée au pont-levis lorsqu'elle entendit des hurlements dans le château. Ses sauveurs. Bon sang, ils ne savaient donc pas qu'elle était capable de se défendre toute seule ? Cela ne ferait que compliquer les choses. Elle retourna dans le grand hall et faillit heurter Sam de plein fouet.

– Deming !

– Sam !

Pour une fois, le *Venator* sourit.

– Tu es...

– Je vais bien. À part quelques tripotages dont je me serais passée, ça va. Tu croyais vraiment que je laisserais un démon me toucher et survivre ?

Il la serra fort contre lui.

– Je sais. Je ne m'inquiétais pas...

– Rassemblons tout le monde et tirons-nous d'ici. Je viens de découvrir quelque chose : un troll m'a confié qu'en fait je n'étais pas destinée à Baal... quelqu'un de plus haut placé me voulait pour lui-même, se hâta-t-elle de dire.

Le troll qui était venu la chercher avait craché le morceau avec un sourire supérieur, ce qui avait rendu sa mort encore plus satisfaisante.

Mais son récit fut interrompu par un éclair de foudre argentée et un coup de tonnerre venu du grand hall, qui secoua le château jusqu'à ses fondations.

Deming et Sam firent volte-face.

Jack s'était trompé. Ce n'était pas un Chien de l'Enfer qui était remonté des profondeurs.

Ils virent un monstre immense et cornu, plus grand que le plus grand des démons, dominant la mêlée.

– Ce n'est pas un démon, comprit Sam. C'est un Croatan.

– C'est ce que j'essayais de te dire.

Il s'agissait de Malakaï, le Régisseur. Sur Terre, on l'avait appelé Forsyth Llewellyn, c'était le plus fort allié de Lucifer, et son apparition dans le Monde des Abîmes signifiait qu'il avait encore gagné en puissance, car elle prouvait qu'il passait librement d'un monde à l'autre et qu'aucune porte ne l'arrêtait. Après avoir pris Deming, il prendrait aussi l'esprit de son sang : il comptait consommer sa force pour se l'approprier.

Le sang-d'argent empestait la mort. Son odeur fétide emplissait l'atmosphère. Il avait une tête de taureau, et quand il riait, la bave faisait luire ses dents jaunes. Sa langue fourchue était percée d'un anneau de bronze noirci. Son visage était couvert d'une fourrure sombre, maculée de sang séché. Lorsqu'il hurlait, il crachait du feu noir.

Sam et Deming dégainèrent leurs épées et coururent vers la bataille pour venir en aide à leurs amis, mais il était trop tard. La queue du monstre, hérissée de pointes, était déjà enfoncée dans la poitrine de Mahrus.

Le *Venator* s'effondra.

QUARANTE-SEPT

Le prix du passeur

Il va falloir redescendre en marche avant d'arriver en bout de ligne : moins on verra de Chiens, mieux on se portera. Je ne sais pas s'ils vont m'écouter longtemps, sachant que je pars, déclara Kingsley tandis que le train commençait à ralentir.

Dehors défilait toujours le même désert poussiéreux, nota Oliver, le même qu'au début de leur voyage. Il n'était pas pressé de réaliser encore un de ces exploits surhumains que les deux vampires accomplissaient si facilement, mais il supposa qu'il n'avait pas le choix.

– Les dames d'abord, dit-il en laissant à Mimi sa place à la fenêtre.

Elle se hissa sur le bord, s'élança, se recroquevilla en boule et roula dans le sable.

Puis elle releva la tête vers eux.

– Ça va ! Allez, venez !

Oliver tenta de l'imiter, sauf qu'au lieu de rouler il se tordit violemment la cheville.

339

Kingsley sauta après lui et retomba simplement debout sur ses pieds. Il aida Oliver à se relever.

– C'est cassé ?

– Non, juste foulé, je crois, répondit Oliver en boitillant.

Ils s'éloignèrent un peu de la voie et ne tardèrent pas à atteindre un barrage qu'ils avaient déjà vu : la station-service et le cheval de frise gardé par deux trolls, par où ils étaient passés à l'aller.

– Et eux ? demanda Oliver.

– Ceux-là travaillent pour Helda, ils ne rendent pas de comptes au Léviathan, expliqua Kingsley avant de saluer aimablement les monstres.

Ils les laissèrent passer sans commentaire, d'un air blasé.

Mimi laissa Kingsley passer devant et resta avec Oliver, sous prétexte de l'aider à marcher.

– Appuie-toi sur moi.

– Merci. Je suis bien content que tu aies obtenu ce que tu voulais.

– Ce n'est pas encore fini.

Mimi sentait ses mains s'engourdir à l'idée de ce qu'elle était sur le point de faire. Elle n'y avait pas trop pensé jusqu'à présent, tant c'était désagréable, même pour elle. Oliver avait été un bon compagnon pendant leur aventure. Mais elle n'avait pas le choix. Il était temps de payer le passeur. Une âme contre une âme. Mimi se prépara au pire.

– Écoute, avant qu'on puisse partir, je voudrais que tu fasses une chose pour moi, dit-elle sans le regarder en face. J'espère que tu comprendras que ça n'a rien de personnel.

Oliver soupira. Il se doutait depuis un moment de ce qui

l'attendait. Il aimait bien Mimi, mais pas au point de lui faire entièrement confiance, et au cours de son séjour dans le Monde des Abîmes, il avait soigneusement soupesé ses choix. Il savait qu'il n'en avait pas beaucoup, mais il avait espéré qu'elle changerait d'avis, qu'elle trouverait un autre moyen de les faire sortir du royaume d'Helda. Seulement, à voir la mâchoire serrée de Mimi, il était clair que ce n'était pas le cas.

– Tu vas me laisser ici.

Elle ne cilla pas.

– Oui.

– Kingsley est au courant ?

Il regardait le duc des Enfers bavarder avec quelques trolls qui traînaient à la station-service. Tout le monde s'amusait bien, songea-t-il en s'efforçant de maîtriser sa colère. Il savait dans quoi il avait mis les pieds. Mimi lui avait laissé le choix au début, et il avait décidé de l'accompagner en enfer.

– Non, il n'est pas au courant. Je ne le lui ai pas dit. Je ne crois pas qu'il me laisserait faire s'il savait.

– Sans doute pas.

Kingsley était du genre chevaleresque, et Oliver aurait pu parier qu'il n'accepterait jamais d'être libéré au prix de la vie d'un autre, surtout d'un humain.

– Alors... ça va être un problème ? s'enquit Mimi.

Il tenta de ne pas rire. C'était vraiment quelque chose, cette fille. Quelle odieuse petite égoïste ! Elle se fichait de ses actes, se fichait de faire souffrir, du moment qu'elle obtenait ce qu'elle voulait.

– Tu es sérieuse, n'est-ce pas ?

– Je t'ai dit de ne pas venir avec moi, fit-elle sur le même ton qu'un enfant à qui on annonce que sa fête d'anniversaire est annulée. C'est ta faute si tu m'as fait confiance.

Il repoussa son bras de son épaule. Sa cheville le faisait encore souffrir. S'il devait rester ici, pourquoi s'être donné tant de mal, pourquoi avoir voulu se battre pour sortir ? Oliver regarda autour de lui. Somme toute, le Monde des Abîmes n'était pas si affreux. Peut-être pourrait-il s'habituer à vivre perpétuellement dans un léger inconfort, se mettre en couple avec une sirène, s'accoutumer à l'odeur des trolls.

– Je devrais peut-être te laisser faire. Je n'ai pas tellement de raisons de remonter là-haut, de toute manière.

N'était-ce d'ailleurs pas pour cela qu'il était venu avec Mimi ? Parce qu'il n'avait plus de but dans la vie ? Parce qu'il voulait faire son possible pour sauver les sang-bleu ? Les Assemblées s'effondraient... Les vampires partaient se cacher sous terre... Theodora n'était plus là. Que lui restait-il ?

Mais malgré sa résignation, il commençait à sentir la rage monter en lui. Il avait cru qu'ils étaient amis. Il avait cru qu'elle ne jetterait pas sa vie comme un vieux Kleenex. Il ne comptait donc pas plus que cela pour elle ?

– Comment peux-tu me faire ça ? demanda-t-il à brûle-pourpoint.

– Je suis sincèrement désolée que ce soit nécessaire.

– Il n'y a vraiment pas d'autre solution ?

– Non.

Elle contempla le bout de ses pieds. À présent qu'ils arrivaient à l'instant fatidique, elle regrettait réellement, de tout son cœur, de ne pas avoir trouvé d'autre issue, de ne pas avoir fait les choses autrement, de n'avoir pas mieux essayé de le dissuader. Elle l'avait laissé se condamner lui-même, puisqu'il était venu de son plein gré, ce qui lui avait évité de devoir trouver et enlever un sang-rouge à sa place.

– Ça t'aidera si je te demande pardon ?

– Un peu, dit-il avec un fantôme de sourire.

– Je suis navrée, crois-moi. Si j'avais le choix, je vous ramènerais tous les deux... mais je ne peux pas.

Oliver secoua la tête.

– Alors d'accord, passe en premier. Autant m'habituer à mon nouveau chez-moi. Arrange-toi juste pour qu'ils ne me mettent pas un de ces colliers, d'accord ? Ça pique, on dirait.

QUARANTE-HUIT

Soldat du Seigneur

L e corps du guérisseur s'effondra au sol au moment où
le monstre au sang d'argent se reculait pour frapper à
nouveau, sa haute silhouette projetant son ombre sur tout
le groupe. Le Croatan tenait une épée noire d'une main et
un gourdin de l'autre. Lorsqu'il leva ce dernier, sa forme
apparut en pleine lumière. Le gourdin était incrusté des
crânes de ses victimes : une arme macabre, faite pour avertir les adversaires du sort qui les attendait.

Abbadon, ailes noires étendues, griffes dégoulinantes de
sang de troll, l'affronta. Il se dressa, sans peur, devant le
sang-d'argent à tête de taureau qui se jeta sur lui en rugissant, ses yeux de démon étincelant d'un rouge furieux. La
créature faisait presque deux fois sa taille, et Jack s'accrou-
pit pour avoir une meilleure prise. Brandissant son épée
de côté, il trancha la gorge de la bête, dont le sang jaillit
en sifflant dans une gerbe d'éclaboussures. Jack sentit le
gourdin s'abattre contre son dos et les crânes se loger dans
son armure. Il planta l'épée noire dans le sol, empêchant
ainsi la bête de se défendre, et porta le coup final vers le

haut, détachant la puissante tête cornue qui alla rouler par terre. La face de Malakaï resta figée comme un masque incrédule. Puis le corps explosa sous la force du feu noir qui prenait une vie de plus. La créature qui avait été Forsyth Llewellyn, le plus proche allié du prince des Ténèbres sur Terre, le destructeur des Assemblées, n'était plus.

– Tenez-vous tous les uns aux autres, ordonna Abbadon.

Ils se prirent par la main : Theodora agrippa les griffes d'Abbadon d'un côté et, de l'autre, attrapa Deming, à qui s'accrochaient Sam, Dehua et Ted. De sa main libre, Deming saisit le poignet droit de Mahrus.

La force d'Abbadon les souleva en l'air et au-delà de la frontière, leur fit traverser le *Glom* et les ramena de l'autre côté de la porte, à l'intérieur de la pyramide.

Mahrus reposait, mourant, dans les bras de Theodora. Son visage couleur d'ivoire le faisait ressembler à une superbe statue de marbre.

– Oh, non, répétait-elle. Non, non...

Les yeux du *Venator* s'ouvrirent en papillotant, il la regarda et sourit.

– Ce n'est rien, mon enfant, soupira-t-il. Je rentre chez moi. Je suis désolé de ne pas avoir pu rester plus longtemps pour vous aider dans votre quête.

Puis son corps se couvrit, un instant, d'une étincelante lumière blanche.

– Il n'est pas des nôtres, constata Jack en s'agenouillant à côté du corps pour poser deux pièces sur ses paupières fermées. Ce n'est pas un ange déchu.

Les *Venator* mirent à leur tour un genou en terre et se signèrent devant le cadavre.

– Alors qui était-il ? s'enquit Theodora.

– J'ignore pourquoi je n'ai pas compris plus tôt. Mais aucun d'entre nous ne l'a reconnu. C'est Raphaël des Muses. Un soldat du Seigneur. Un véritable ange des cieux. Le frère de Catherine. Il a dû survivre à la Guerre. Pour trouver la mort sur Terre.

Son nom était Mahrus Walud Allah Abdel Massy : le Protégé du Seigneur, Serviteur du Messie.

– Mais, si c'est un vrai ange descendu des cieux et non un ange déchu... comment est-il arrivé ici ? Les chemins reliant le paradis et la Terre ont été fermés lors de la rébellion de Lucifer.

C'est alors qu'elle se rappela les paroles de Catherine. La porte de la Promesse se trouvait à une bifurcation. L'un des chemins menait en enfer. L'autre...

Où menait-il... ?

Était-ce possible... ?

QUARANTE-NEUF

L'échange

– Que se passe-t-il ? demanda Kingsley, adossé au mur de la station-service. Vous mijotez quelque chose, tous les deux. Quoi ?

Mimi vint l'embrasser.

– Ne sois pas jaloux. Oliver et moi, on bavardait un peu.

Oliver eut un rire dur, mais ne la contredit pas.

Kingsley hocha la tête.

– D'accord. Bon, Helda est là... On devrait aller lui dire au revoir, non ?

– Attends-nous ici. Je crois qu'elle veut juste nous voir tous les deux, déclara Mimi en montrant Oliver.

Ils pénétrèrent dans le bureau d'Helda. Il était exactement comme avant, avec sa table de travail couverte de classeurs, de registres, de reçus, de livres de comptes et d'enveloppes. Helda était toujours la même vieille dame sévère, un stylo coincé sur l'oreille. Elle les observa.

– C'est donc l'âme que tu me donnes en échange de celle d'Araquiel ? s'enquit-elle en ouvrant un registre et en commençant à y noter quelque chose.

– C'est moi, déclara Oliver.

Mimi se mordit la lèvre. Elle examina le garçon, qui avait l'air las dans sa veste saharienne et son jean poussiéreux. Depuis combien de temps étaient-ils dans ce monde ? Elle regarda par la fenêtre : Kingsley était assis sur un banc. Il l'attendait, pour qu'ils puissent commencer leur nouvelle vie ensemble.

Elle les aimait tous les deux. L'un comme ami, l'autre comme compagnon. Elle avait voulu nier son affection pour Oliver, mais elle savait que sans lui, elle n'aurait jamais pu descendre en enfer, trouver Kingsley et aboutir à ce résultat. Elle lui devait tant...

– Eh bien ? demanda Helda, le stylo en l'air.

Une fois qu'elle aurait tracé le nom d'Oliver dans le Livre des Morts, il n'y aurait pas de retour en arrière. Cette encre était indélébile. Il serait inscrit à jamais.

– Attendez. J'ai quelque chose à dire à Kingsley.

Elle sortit en courant et fit claquer la porte derrière elle.

– Tout se passe bien ? lui demanda Kingsley.

Mimi lui saisit les deux mains.

– Tu sais que je t'aime, n'est-ce pas ? Plus que tout au monde. Je veux juste que tu le saches.

– Bien sûr... mais... Que se passe-t-il ?

Il commençait à paniquer légèrement.

– Et tu m'aimes, n'est-ce pas ? Quoi qu'il arrive. Tu m'aimes.

– Je t'aime. Je t'aime. (Il se leva et la regarda droit dans les yeux.) Qu'est-ce qu'il y a, Force ?

– Bien. Je voulais juste en être certaine. Savoir que tu te rappelleras que je t'aime, quoi qu'il arrive.

– Et qu'est-ce qui va arriver ? Mimi, dis-moi ce qui se passe.

Pour toute réponse, elle l'embrassa, fort, sur les lèvres. Puis elle se hâta de courir dans le bureau d'Helda avant de changer d'avis, laissant Kingsley perplexe et un peu effrayé.

– Oliver, il faut que je parle à Helda en privé.

– D'accord.

Il sortit et alla retrouver Kingsley, qui avait l'air contrarié.

– Qu'est-ce qui se passe ? demanda vivement ce dernier.

Oliver haussa les épaules.

– Aucune idée.

Helda tambourinait de ses doigts sur la table.

– Eh bien, Azraël. Qu'y a-t-il, maintenant ?

Mimi n'arrivait pas à croire à ce qu'elle allait faire, mais elle avait appris une chose sur elle-même durant son séjour dans le Monde des Abîmes. Elle ne pouvait pas abandonner Oliver. Elle ne pouvait pas le condamner à ce destin funeste. Personne ne pouvait exiger cela d'un ami. Si elle l'avait fait, elle n'aurait pas été la fille que Kingsley aimait.

– Il vous faut une âme, pas vrai ? N'importe laquelle, dit-elle tranquillement, comme si l'idée venait de lui venir. Pour qu'Araquiel puisse quitter le Monde des Abîmes.

– Oui.

Mimi inclina la tête.

– Alors prenez la mienne.

ALLEGRA VAN ALEN
et STEPHEN CHASE

Allegra Elizabeth Van Alen et Stephen Bendix Chase se sont mariés hier soir dans un domicile privé de San Francisco. La cérémonie était présidée par le juge Andrew R. Hazard, un ami de la famille.

La mariée, vingt-trois ans, est exploitante vinicole à Napa et diplômée de Harvard avec mention. Elle est la fille de Cordelia et Lawrence Van Alen, qui résident dans Riverside Drive. La mère de la jeune femme est membre des comités directeurs de Central Park et de la Banque du sang. Son père, aujourd'hui décédé, était professeur de linguistique et d'histoire à l'université de Columbia.

Le marié, vingt-cinq ans, est artiste peintre. Son œuvre est représentée par la galerie Vespertine de San Francisco, et certaines de ses toiles figurent dans les collections du musée d'Art moderne de San Francisco. Diplômé de Stanford University, il est le fils de Ronald et Deborah Chase de San Francisco, Napa et Aspen. Son père, lui aussi, est artiste. Sa mère, Decca pour les intimes, siège aux conseils d'administration du musée d'Art moderne, de l'opéra et du ballet de San Francisco. L'arrière-arrière-grand-père du jeune homme fut le fondateur du groupe Bendix, une société multinationale spécialisée dans l'acier et le pétrole, qui fut acquise par British Petroleum en 1985.

CINQUANTE

Sans âme

Mimi Force, Azraël, traversait au volant les plaines désertiques du Sahara el-Beida, le désert blanc. La succession infinie de dunes blanches et poudreuses évoquait un paysage de collines et de vallées enneigées. Tout n'était que beauté et désolation. Des tours de pierre calcaire blanche, lisse et crémeuse s'élevaient de tous côtés, comme irréelles, et des blocs de sel, érodés par des siècles de vent du désert, formaient des concrétions en forme de champignon.

Elle ne voulait pas être en retard à son rendez-vous avec Jack.

Pied au plancher, elle sentait la chaleur et l'excitation monter dans ses veines. Ça y était. Après tout ce temps, elle tenait enfin sa vengeance.

Le Monde des Abîmes et tous les événements qui s'y étaient déroulés n'étaient plus qu'un souvenir lointain. Elle s'était réveillée dans son lit à l'hôtel *Oberoi* et avait trouvé Kingsley Martin – lui ! – assis à son chevet. Il lui avait dit qu'elle s'était évanouie en sortant des enfers, et qu'il l'avait portée jusqu'à sa chambre.

– Qu'est-ce que tu fais là ? avait-elle hurlé. Va-t'en !

Cet imbécile ridicule avait tenté de la convaincre qu'elle l'aimait. Quelle blague ! L'aimer, lui ? Le traître au sang d'argent ? Kingsley Martin ? Oh, il était beau, ça d'accord, mais derrière sa jolie petite gueule, elle ne lui trouvait absolument rien d'attirant, même vaguement. Et il venait lui parler d'un grand amour ? Il était fou, ce type.

Mimi n'avait plus une once d'amour dans le corps. Depuis son réveil, elle n'avait qu'une chose en tête. La vengeance. Elle détruirait son frère et le tuerait lors de l'épreuve du sang.

Kingsley avait blêmi.

– Qu'est-ce que tu t'es fait ? Qu'as-tu donné à Helda ? avait-il demandé. Mimi. Dis-moi !

Ça l'avait fait rire.

– Je ne te dirai rien, car je ne te dois rien. Et maintenant, tire-toi avant que j'appelle la sécurité.

Alors, un autre incident grotesque s'était produit. Cet humain débile, l'Intermédiaire de la bâtarde Van Alen... Comment s'appelait-il, déjà ?... Oliver machin-chose... Il était entré en jacassant qu'il venait de recevoir des nouvelles de New York, que l'Assemblée s'était dissoute, et que d'ailleurs toutes les Assemblées du monde s'étaient mises à l'ombre... et qu'il fallait rentrer immédiatement voir ce qui pouvait être sauvé de leur communauté et de leur histoire. Elle l'avait viré de sa chambre, lui aussi. Elle, obéir aux ordres d'un sang-rouge ?

Non. Elle n'avait qu'une idée en tête. Quelle parfaite coïncidence, justement, que Jack l'ait contactée au moment où elle était enfin débarrassée de ces tocards !

Mimi. Finissons-en, lui avait-il dit mentalement. *Le désert blanc. Épreuve du sang jusqu'à la mort.*

De joie, elle avait frappé dans ses mains. Enfin. Elle obtiendrait ce qu'elle méritait, elle danserait sur son corps calciné le soir même.

Azraël serait enfin vengée.

D'une certaine manière, c'était la meilleure chose qui puisse arriver.

CINQUANTE ET UN

L'amour d'une vie

Theodora prit conscience que leur chambre d'hôtel au Caire était insensiblement devenue un vrai foyer, un havre de paix pour eux deux. Elle leur faisait le café tous les matins dans la petite cafetière, et ils prenaient leur petit déjeuner ensemble sur le minuscule bureau. Cet endroit allait lui manquer... encore une chose qu'elle garderait dans l'album de souvenirs de sa vie avec Jack.

Pendant leur dernière nuit ensemble, ils s'étaient aimés muettement, laissant leurs corps exprimer ce qu'ils ne supportaient pas de proférer tout haut, et même ainsi, elle s'était efforcée de faire comme si ce n'était pas la dernière fois. Comme si c'était une nuit ordinaire, parmi bien d'autres à venir. Mais une fois endormis dans les bras l'un de l'autre, aucun des deux ne s'était écarté un instant, comme s'ils avaient tâché de mémoriser chaque centimètre de la surface du corps aimé.

Le lendemain matin, il n'était plus possible de remettre l'inévitable à plus tard. Jack était déterminé et ne se laisserait pas distraire de son but. Quelque chose avait changé en lui depuis qu'ils avaient rencontré Catherine, il était plus résolu, et elle ne voulait pas alourdir son fardeau. Elle s'était trompée sur ses malaises, elle le comprenait à présent. Elle s'était laissé aller à croire à une nouvelle merveilleuse et pleine d'espoir, parce qu'elle ne voulait pas penser à ce que cela pouvait être d'autre. Qu'elle était mourante. Tout était voué à l'échec depuis le début, comme le lui avait prédit Lawrence. Il était clair que pour eux, le conte ne se terminait pas par « ils se marièrent et eurent beaucoup d'enfants ».

Elle l'aida à enfiler sa veste et ferma le bouton du haut, les doigts tremblants.

Jack serra ses mains dans les siennes et les tint contre ses lèvres avant d'embrasser ses doigts.

– Fais-moi confiance pour te revenir, dit-il.

– Je t'attendrai toujours. Quel que soit le temps que ça prendra.

Mais Theodora savait que quoi qu'il arrive, quelle que soit l'issue de la journée, même si Mimi était détruite et si Jack vivait, il n'y aurait pas de victoire. Il ne serait plus jamais le même après avoir tué sa jumelle. Ils avaient beau ne pas le vouloir, Mimi faisait partie de Jack, et la tuer anéantirait aussi une partie de lui.

– Catherine n'aurait-elle pas pu nous aider ? demanda-t-elle.

Elle avait tant espéré que la gardienne connaîtrait un moyen de les libérer de leur lien.

Jack secoua négativement la tête.

– Quoi qu'il arrive, quoi que tu entendes à propos de moi, sache qu'il y aura une raison à cela.

– Que vas-tu faire ? demanda Theodora, saisie par une crainte nouvelle.

Jack ne lui avait jamais parlé ainsi.

– Je ne peux pas te le dire sans te faire courir un danger encore plus grand.

Son visage était d'une tristesse déchirante, au point que Theodora se jeta contre lui pour le serrer encore plus fort.

– Tu es si importante dans cette guerre, ajouta-t-il. Tu dois survivre pour nous servir de guide. Si les portes cèdent, nous connaîtrons les heures les plus noires de notre histoire. Mais tu es la fille de Gabrielle, et j'ai la conviction que tu apporteras la rédemption aux vampires. Ma vie, à moi, est immatérielle.

– Je suis désolée. Je suis désolée de t'aimer, tellement désolée, dit-elle tandis que ses larmes roulaient librement, mouillant sa veste. Mais ce fut un si merveilleux rêve, mon amour, chuchota-t-elle. Un si merveilleux rêve.

– Je ne le regrette pas un instant, affirma farouchement Jack. Chaque seconde en a valu la peine, chaque seconde passée ensemble. Je n'échangerais pas cela contre la vie éternelle.

Ils s'embrassèrent une dernière fois.

Puis Jack Force partit pour le Sahara, à la rencontre de son destin.

CINQUANTE-DEUX

La bataille d'Abbadon et Azraël

E lle plissa les paupières, éblouie par les rayons de soleil que renvoyaient les cheveux et les lunettes miroir du garçon. *Jack est toujours sapé à mourir*, songea Mimi non sans ironie. Elle constata qu'elle l'admirait encore, même après tout ce qui était arrivé entre eux.

– Abbadon, le salua-t-elle en descendant de la Jeep.

– Azraël.

Il hocha du menton, comme s'ils se croisaient par hasard dans un café.

– Qu'est-ce qui t'a pris si longtemps ?

Il haussa les épaules.

– J'ai été retardé.

Elle tapait du bout du pied.

– Bien. On en finit ?

Jack acquiesça en silence.

Ils se firent face. Azraël, le féroce et terrifiant ange de la Mort, et son jumeau, Abbadon, ange de la Destruction.

Alors, Mimi disparut.

Jack scruta le sable cristallin, la cherchant des yeux. Le

désert blanc se trouvait loin des foules du Caire. C'était un lieu tranquille, parfait pour la confrontation finale. Personne ne pourrait les entendre. Personne ne leur viendrait en aide. Ils étaient là pour un combat à mort. L'épreuve du sang.

Il localisa Mimi, accroupie au sommet d'une tour de pierre calcaire. Derrière elle, les rayons orangés du soleil couchant s'estompaient à mesure que l'astre disparaissait à l'horizon. Il observa l'ombre de sa sœur, ange noir attendant la bataille. *Elle m'oblige à venir à elle. Elle me force à porter le premier coup*, songea-t-il.

Eh bien, soit. S'il avait existé un autre moyen, il l'aurait choisi depuis longtemps. Mais là, il n'y avait pas d'alternative. Azraël devait mourir pour que Theodora reste en vie.

En un instant il fut sur elle et, frappant le pilier de roche sur lequel elle se tenait, le fracassa de sa lame. Un nuage de poussière blanche emplit l'air, les pierres et le sable ricochèrent sur sa poitrine, et la colonne s'effondra devant lui.

Mimi éclata de rire en descendant prestement au sol.

– C'est tout ce que tu sais faire, Jack ? demanda-t-elle. À moins que tu n'aies pas le courage de me frapper ?

Elle leva son épée étincelante et le visa à la gorge. Le métal mordit dans sa peau. Le premier sang versé. Un petit filet rouge ruissela dans son cou tandis qu'il tombait en arrière.

– Bats-toi ! hurla Mimi, enragée, brandissant de nouveau son arme, alors que Jack se contentait d'esquiver le coup.

Il se rua sur elle, mais au dernier moment son épée fut déviée et cogna dans la pierre tendre, aspergeant Mimi d'une gerbe de graviers. L'atmosphère s'emplit d'une poudre de fossiles, explosive et scintillante.

– Tu ne fais que retarder l'inévitable en refusant de me combattre, dit Mimi, essoufflée. Quoi qu'il arrive, tout sera terminé ce soir. Pourquoi ne pas te battre pour ce que tu veux, Abbadon ? Si tu aimes tant ta petite Abomination, alors bats-toi pour elle !

– Si c'est ce que tu désires, répondit-il en prenant sa forme véritable.

Des ailes noires poussèrent dans son dos, des cornes sur sa tête : un ange des Ténèbres dans toute sa splendeur. Il la dominait de sa hauteur, et son épée noire envoyait des étoiles d'ébène, son énergie puissante soulevait une tornade à ses pieds.

Nous y sommes, pensa-t-il. Ce qu'il redoutait depuis si longtemps était arrivé.

Mimi poussa un cri strident et devint Azraël, dorée et terrifiante. Jack balança sa lame mortelle et dessina une balafre nette à travers sa poitrine.

Elle reprit forme humaine et se mordit fortement la lèvre. Elle ne lui donnerait pas le plaisir de l'entendre hurler de douleur.

– J'aime mieux ça ! lança-t-elle en riant.

Puis elle fut à nouveau Azraël, et Abbadon la précipita contre une tour de pierre. Elle la traversa et alla s'écraser contre la suivante, si bien que tous les piliers commencèrent à s'écrouler comme des dominos autour d'eux.

Abbadon souleva un énorme rocher afin de la broyer une fois pour toutes, mais Azraël s'envola dans le ciel sombre, suivie de près par lui. Ils volèrent de plus en plus haut et, loin en dessous d'eux, le désert tourbillonna comme une boule à neige. Pourtant, ils montèrent encore, et Azraël attaqua. Ayant décrit un vaste arc de cercle, elle frappa. Il para le coup, et ils dansèrent un ballet violent l'un autour de l'autre.

Plus de provocation, plus de conversation. Il ne restait plus que la rage pure et magnifique de deux créatures autrefois liées par le sang, et désormais résolues à se détruire mutuellement.

Vue de loin, la danse de leur combat était sublime, du moins pour les yeux assez rapides pour suivre l'action. Les deux anges se battaient en silence, se mouvaient à une vitesse mortelle, zigzaguant et louvoyant dans l'air nocturne et froid.

Abbadon porta un coup à Azraël, qui tomba du ciel. Ses ailes immenses cessèrent de battre, et au sol elle fut de nouveau Mimi.

Elle saignait à la tête et à la poitrine, et elle le contemplait avec une haine immense. Elle avait oublié la portée de sa puissance, oublié qu'elle ne pouvait pas gagner ce combat. Elle ne faisait pas le poids contre l'ange de la Destruction.

Jack reprit lui aussi forme humaine. La vue de cette superbe créature dégringolant des cieux lui avait arraché le cœur. Serait-il vraiment capable de cela ? Il le fallait. Il se devait de le faire. Son cœur se durcit. *Fais vite, alors*, se dit-il, et comme il l'attaquait une fois de plus, à chaque coup il la sentit faiblir sous lui. L'épée de Mimi céda sous la sienne jusqu'à ce que, le poignet brisé, elle la laisse tomber.

Mimi poussa un cri de douleur. Elle ne pouvait plus le cacher. Elle perdait. Jack était trop fort, et elle savait que sa vie était terminée. Elle se raidit en attendant la fin. Elle tendit le bras vers son arme, la chercha dans le sable... Non, elle ne mourrait pas ainsi, désarmée et impuissante.

Jack leva de nouveau son épée, mais cette fois, lorsqu'elle retomba, la pointe de la lame noire entama à peine le col du chemisier de Mimi.

Je ne peux pas, comprit Jack avec une douleur immense. *Jamais je ne pourrai.*

Cinquante-trois

Le temps en bouteille

I l était temps de quitter l'Égypte. Theodora avait fait ses valises et était une fois de plus en route vers l'aéroport. Elle pensait sans cesse à Jack, mais il fallait qu'elle soit forte : tout reposait sur ses épaules, à présent. Les démons étaient aux portes, elle devait assumer son rôle : perpétuer l'héritage des Van Alen et trouver la véritable porte de la Promesse.

Dans l'aérogare, elle tomba sur un visage familier.

– Ollie ?

– Theo ?

– Ollie ! (Éclatant de rire, elle l'embrassa.) Il faut qu'on arrête de se rencontrer dans les aéroports !

Il lui fit la bise mais vit que sous son sourire, elle avait les traits tirés par le plus profond des chagrins.

– Où est Jack ?

Elle secoua la tête.

– Je suis seule, désormais. Je te raconterai plus tard, d'accord ?

Il fit oui de la tête. Il ne voulait ni être indiscret, ni se faire de faux espoirs. Il voulait être là pour elle, en ami.

– Qu'est-ce que tu fais en Égypte ? demanda-t-elle.

– La même chose que toi, je crois. On vient juste de rentrer du Monde des Abîmes.

– Qui ça, « on » ?

Puis elle comprit. Mimi. Évidemment. C'était pour ça qu'elle était là. Jack avait dit qu'il lui avait donné rendez-vous dans le Sahara.

– C'est une longue histoire. Je te la raconterai quand on sera dans le salon première classe, lui promit-il. Et toi ?

– Prenons un café d'abord.

Theodora lui relata tout ce qu'elle avait appris sur son héritage, ainsi que le secret confié par Catherine de Sienne à propos des deux chemins.

– C'est clair, non ? conclut Oliver. La porte de la Promesse est le chemin du paradis !

Theodora eut un haut-le-corps. Soudain, tout se mettait en place.

– Bien sûr ! C'est pour ça que Michel a installé des portes au lieu de détruire les chemins. Parce qu'il pensait bien que l'un d'entre eux menait aux cieux.

Désormais, elle comprenait tout. Elle en avait la chair de poule.

– Et où vas-tu, maintenant ? lui demanda-t-elle.

– Je rentre à New York. Il faut que je m'assure que ma famille va bien.

– Que s'est-il passé ?

– Tu ne sais pas ? L'Assemblée est partie sous terre, et

368

même les Intermédiaires ne sont plus en sécurité. Tous ceux qui ont un lien avec les vampires sont pris pour cibles.

– Tes parents ?

– En sûreté pour l'instant, mais ils veulent que j'aille me cacher avec eux.

CINQUANTE-QUATRE

Le sacrifice d'Abbadon

– Qu'est-ce que tu attends ? hurla Mimi. VAS-Y !
Elle était à terre, sans défense, et pendant un instant elle ne souhaita plus que la mort. Elle l'appela de toutes ses forces. Levant les yeux vers les étoiles, elle s'efforça d'imaginer la fin de tout, la suppression du lien et la liberté qui en jaillirait. Elle voulait la fin, mais celle-ci ne vint pas.

Jack avait hésité.

Pendant qu'il débattait intérieurement, Mimi vit sa chance et la saisit. Sa poitrine douloureuse lui donna une force nouvelle. *Je ne périrai pas dans ce désert.* Il ne lui restait plus rien, pourquoi renoncer à la seule chose qu'elle avait encore, sa vie ? *Jack est peut-être aveuglé par l'amour, mais pas moi.*

Elle frappa Jack et fit sauter son épée, qui s'enfonça en vrille dans le sol du désert ; la lame étincelante disparut dans un nuage de sable et de pierres broyées.

Mimi goûta à la victoire, mais sut aussitôt que celle-ci était fausse. Elle l'avait désarmé trop facilement.

– À quoi tu joues ? BATS-TOI !

– Je n'ai pas besoin d'armes pour te combattre.

Jack était décidé. Il ne pouvait pas tuer sa jumelle, mais sa mort, en annulant le lien, libérerait Theodora, qui guérirait. Il allait sacrifier sa vie pour elle. C'était ce qu'il avait prévu depuis le début. C'était sa réponse à l'impossible dilemme.

Mimi se rua sur lui dans un ultime élan de rage, pressant le fil de son épée contre sa gorge pour le forcer à se coucher dans le sable.

Elle entendit un craquement lugubre lorsqu'il heurta la roche déchiquetée, et sut qu'il s'était brisé l'échine. Pourtant elle appuya encore, jusqu'à ce que sa lame entaille la peau.

Un instant plus tôt, il tenait la victoire, mais il n'en avait pas voulu. Il ne pouvait pas la tuer, c'était sa faiblesse, mais Mimi ne partageait pas son humanité, et elle pesa sur lui de toute sa colère et de toute sa force, canalisant le cœur noir de sa rage dans sa lame.

Elle hurla à pleins poumons, chacun de ses muscles se tendit, et la sueur coula sur son front. Une colère folle émanait de ses traits.

– Meurs ! cria-t-elle.

Et elle leva l'épée pour porter le coup de grâce. Mais lorsque celle-ci retomba, ce fut à côté de lui.

– BON DIEU ! hurla-t-elle en rejetant l'arme par-dessus son épaule.

Elle était aussi faible que lui. Elle ne pouvait pas tuer son frère. Mimi s'effondra sur la pierre dure.

Le combat était terminé.

CINQUANTE-CINQ

Le gardien caché

– Où comptez-vous aller ? demanda Theodora.

– Je ne sais pas encore. Toute notre vie est à New York. Je ne pense pas que mes parents puissent survivre hors de la ville, répondit Oliver. Et toi ?

– Moi non plus, je ne sais pas encore. Mais... ce n'est pas Kingsley Martin, là-bas ?

Elle voyait le *Venator* aux cheveux bruns s'approcher d'eux, trois énormes gobelets de café dans les mains.

– J'ai oublié de te le dire, je suis ici avec Kingsley. Mimi l'a sorti de l'enfer. Mais elle a dû payer pour le tirer de là. Je crois qu'elle a donné son âme, quelque chose comme ça.

– Elle en avait une ? répliqua Theodora avec un petit rire.

Mais Oliver, lui, ne rit pas, et elle comprit que les choses n'étaient plus comme avant entre eux. Ils étaient toujours amis, mais leurs expériences les avaient changés.

– Pardon. Je ne voulais pas prendre les choses à la légère.

Kingsley s'assit entre eux et posa les cafés devant lui.

– Salut, Theodora.

– Salut. On a déjà du café.

– Oh, tout est pour moi. Alors, nous voilà réunis. Hazard-Perry t'a mise au parfum ?

– Plus ou moins, répliqua Theodora un peu froidement, car elle n'était pas sûre de faire confiance à ce beau parleur.

– Ça va, Kingsley est cool, la rassura Oliver. Il est des nôtres, à présent.

– Content d'avoir ton approbation, déclara Kingsley. Enfin bref, je viens de croiser mon ancienne équipe – les frères Lennox et leurs dames... Je ne me serais pas douté que c'étaient de tels tombeurs, ces deux-là. (Il cligna de l'œil.) Ils m'ont raconté ce qui s'est passé là-bas, l'ange qui a été tué et tout ça.

Theodora se rembrunit.

– Il s'appelait Mahrus.

– Raphaël, précisa Kingsley. Il n'a jamais pu me blairer. Mais ça n'a plus d'importance. (Il prit une longue gorgée de café.) Écoutez, j'ai pris des nouvelles de quelques-uns de mes amis *Venator* dans le monde entier. Apparemment, ça va mal partout, les Assemblées tombent, etc. Mais il y a plus important, tu lui as dit, Oliver ?

Ce dernier secoua la tête.

– Non, mais vas-y.

Kingsley raconta à Theodora ce qu'il avait appris dans le Monde des Abîmes.

– Alors c'est ça, conclut-elle. Je crois que les Nephilim, toute cette histoire d'enlèvements de jeunes filles, si terrible que ce soit... Je crois que ce n'est qu'une diversion... Même la destruction des Assemblées, ce n'était qu'un moyen de détourner l'attention des vampires...

374

– Tu as absolument raison, approuva Kingsley en reposant brutalement son gobelet. C'est une ruse.

– Parce que selon toi... ce qu'ils ont essayé de faire à New York, trouver la clé astrale... qui s'appelle en fait la clé des Gémeaux, soit dit en passant... c'est la même chose que ce que nous faisons. Ils veulent la porte de la Promesse.

– Et je crois bien qu'ils l'ont trouvée, c'est pourquoi ils étaient si sûrs d'eux, ajouta Kingsley. Maintenant, il ne leur manque plus que le gardien de la porte.

CINQUANTE-SIX

L'épreuve du sang

Ils restèrent étendus sur le sable durant un temps infini, le temps que leur force vampirique referme les plaies de leurs corps. Enfin, Mimi s'assit. Elle se sentait bizarre, différente... Il se passait quelque chose. Son corps cicatrisait... mais ce n'était pas que cela.

Elle avait retrouvé son âme.

Elle l'avait senti, juste au moment où elle avait hésité à tuer Jack, dans cette fraction de seconde où elle avait compris qu'elle ne pouvait pas, lorsqu'elle avait enfoncé son épée dans le sol et non dans son torse. Elle l'avait regagnée par ce seul geste de pardon. Elle avait regagné l'esprit auquel elle avait renoncé dans le Monde des Abîmes pour que Kingsley puisse remonter sur Terre avec elle et qu'Oliver reste en vie. Son âme lui était revenue. *Ce n'est pas grâce à Helda*, se dit-elle. Helda n'était pas si généreuse. Mimi ignorait à qui elle devait ce merveilleux cadeau. Mais elle était reconnaissante qu'on lui laisse une seconde chance.

Puisque les immortels vivaient à jamais, elle n'avait pas besoin de son âme pour survivre, et elle y avait renoncé sans connaître les conséquences de son geste. Mais en la sentant revenir, elle comprit ce qu'elle avait perdu. Son amour. Sa raison de vivre.

Que s'était-il passé ? Où était Kingsley ? Avait-il réussi à échapper à l'enfer ? S'en était-il sorti ? Son cœur lui faisait mal rien qu'à penser à lui, tant elle avait envie de le voir, de s'assurer qu'il était sain et sauf.

Mimi regarda son frère. Jack respirait lourdement et il avait une vilaine balafre sur le visage. Ils avaient affronté l'épreuve du sang, et pourtant le lien vivait encore entre eux.

– Ça va ? lui demanda-t-elle tandis qu'il s'asseyait en gémissant.

– Quelques plaies et bosses, mais rien de fatal. Je suis bien content que tu ne m'aies pas achevé.

– Ouais, ouais. Mais maintenant, qu'est-ce qu'on fait ? Vu que visiblement, on n'arrive pas à s'entretuer.

Jack se leva et l'aida à faire de même.

– Il n'y a qu'un moyen de se débarrasser de ce lien.

Mimi blêmit.

– Tu ne penses pas à...

– Si. Notre ancien maître est le seul à pouvoir défaire ce qui a été fait.

Le lien était plus fort qu'eux, plus fort que leurs désirs, et ils n'avaient pas le choix.

– C'est peut-être mieux ainsi. Il se passe des choses, là-bas. On pourra peut-être les arrêter de l'intérieur.

– En agents doubles, tu veux dire ? lui demanda Jack avec un sourire.

– Ça fait un peu ringard, dit comme ça, mais oui.

378

Elle épousseta son jean pour en faire tomber le sable. Elle aurait bien voulu revoir Kingsley avait de redescendre dans le Monde des Abîmes, mais elle savait que ce n'était pas possible. Elle sentait néanmoins qu'il était en vie, sur Terre, et qu'elle avait réussi à le ramener : cela lui suffisait pour l'instant. Tant que le lien existerait, ni elle ni Jack ne pourraient être avec ceux qu'ils aimaient.

– Bon, je suis prête. Et toi ?

– Rien ne vaut le moment présent, approuva Jack.

Ils disparurent dans le *Glom* et, en un clin d'œil, les anges jumeaux de l'Apocalypse redescendirent en enfer.

CINQUANTE-SEPT

Le secret de Gabrielle

L a clé des Gémeaux. Theodora réfléchissait à toute vitesse. Elle pensa à tout ce que sa mère lui avait raconté sur l'héritage des Van Alen et sur l'Ordre des Sept. La clé des Gémeaux.

Allegra Van Alen et Charles Force. Michel et Gabrielle. Les anges les plus puissants qui aient jamais vécu. Les Incorrompus. Les archanges de la Lumière.

– La clé des Gémeaux est la clé de Michel et Gabrielle, dit-elle avec respect. Le Tout-Puissant a laissé un chemin ouvert pour eux, parce qu'ils s'étaient faits vampires par choix et non par péché. Un moyen de rentrer chez eux.

– Comment tu le sais ? demanda Kingsley, l'air un peu impressionné lui aussi.

Theodora n'aurait su l'expliquer, c'était une chose qu'Allegra avait toujours dite, depuis le début, dans ces rêves où elle lui apparaissait et durant leur dernière conversation, avant de l'envoyer dans cette quête pour perpétuer son héritage. Elle comprenait à présent que son véritable héritage, c'était ceci : un secret si important qu'Allegra n'avait pu le révéler elle-même. Elle comptait sur Theodora pour le découvrir seule. L'héritage des Van Alen en faisait partie : la recherche des portes de l'enfer l'avait menée à découvrir ceci. Tout était là depuis le début, un puzzle dont les pièces étaient cachées mais se mettaient peu à peu en place. Allegra avait dit de Charles : « Il y a quelque chose de cassé dans l'univers, que nous ne pouvons réparer qu'ensemble, cela aussi fait partie de ton voyage. » Et quelle était la dernière chose qu'Allegra lui avait dite ? « Ma fille, je suis en toi. Ne l'oublie jamais. »

– C'est... en moi, murmura-t-elle. Ma mère était la gardienne de la porte de la Promesse. Je le sais, à présent. C'est juste. C'est pour cela qu'il y avait deux portes... parce qu'elle en dissimulait une à l'Ordre.

Allegra avait caché la connaissance de leur salut dans sa fille. Ce qui avait fait d'elle la gardienne, elle l'avait confié à Theodora.

L'Ordre des Sept avait été envoyé dans le monde pour trouver les chemins des Morts et construire les portes afin de confiner les démons dans Monde des Abîmes. Mais si l'un d'entre eux avait découvert autre chose... pas un chemin vers la mort, mais un chemin qui remontait aux cieux ? Que se serait-il passé, alors ? Pourquoi Allegra n'avait-elle pas choisi d'utiliser la clé elle-même ? Que cachait-elle ? Pourquoi l'avait-elle dissimulée dans sa fille ?

« La fille de Gabrielle nous apportera le salut, lui avait dit Lawrence. Elle guidera les anges déchus et les ramènera au paradis. »

Tout dépendait d'elle. Theodora Van Alen était la gardienne et la clé. La clé des Gémeaux.

– Il faut la trouver avant les sang-d'argent et avant les Nephilim. Et la défendre. Oliver, Kingsley... il faut que vous m'aidiez.

– On a déjà commencé, Theo, dit Oliver.

Il leva la tête des notes de Lawrence, dans lesquelles il était plongé, et lut le passage qui les avait amenés au Caire : « Sur les rives du fleuve d'or, la cité du vainqueur se lèvera de nouveau au seuil de la porte de la Promesse. »

– Je pense à une chose. La Tamise tient son nom d'Isis, la déesse d'or, et quant à la cité du vainqueur... la ville de Londres a été fondée par les Romains en 43 avant Jésus-Christ. Qu'en dites-vous, les gars ?

– *London*, souffla Kingsley, pensif. C'est aussi bien qu'ailleurs.

– Je vais faire changer nos billets, déclara Oliver en se levant, euphorique à l'idée de se sentir à nouveau utile.

Theodora sentit que son cœur s'apaisait. Il y avait encore beaucoup à faire avant la fin. Elle pensa à Bliss : celle-ci avait été chargée de trouver les Chiens de l'Enfer, mais d'après ce qu'elle en avait vu, Theodora savait que sa sœur allait affronter une rude tâche. Ils auraient besoin des molosses à la fin, s'ils devaient détruire les sang-d'argent, avait dit sa mère. Quand le moment viendrait, quand la bataille ferait rage, elle espérait que Bliss serait à ses côtés.

Kingsley ramassa leurs gobelets vides et alla les jeter. Theodora profita de cet instant de solitude. Elle ne sentait plus Jack dans le *Glom*, le lien télépathique entre eux était coupé, et elle ignorait ce que cela signifiait, s'il était vivant ou mort. Elle devait continuer sans lui. Elle le lui avait promis. Comme elle l'avait déjà fait, elle allait devoir trouver le moyen de survivre, et elle était contente d'avoir ses amis avec elle, cette fois.

CINQUANTE-HUIT

Serviteurs et liés

L e prince des Ténèbres était assis sur son trône doré. Un jour, dans un futur proche, il n'aurait plus besoin de cet ersatz de paradis. Un jour, il retrouverait son ancienne splendeur.

– Je me demandais quand vous alliez comprendre, vous deux, que les Incorrompus ne vous apprécieraient jamais comme moi je le faisais, dit-il, souriant, en voyant les derniers arrivés dans sa cour royale.

Abbadon et Azraël brillaient dans leurs atours dorés. Ils étaient en tenue de combat, comme en ce jour si lointain, au cours de cette glorieuse révolte, la première fois qu'il avait tenté de conquérir le paradis.

Leurs ailes battaient contre leur dos, et leurs armures dorées luisaient comme des phares dans la nuit. Ils étaient calmes et sereins, d'une beauté extraordinaire, ses magnifiques anges noirs.

Lucifer, dans son long vêtement blanc, brillait, étincelait d'une lumière plus merveilleuse que tout ce qu'ils avaient jamais vu. Il était l'Étoile du Matin. Le prince perdu des cieux.

Ils s'avancèrent vers le trône et s'agenouillèrent à ses pieds.

– Nous sommes venus vous jurer fidélité en échange de notre déliement, dit Abbadon.

– Nos épées sont à votre service, ajouta Azraël.

– Quelle preuve pouvez-vous me donner de votre loyauté ? Vous m'avez déjà trahi une fois, tonna Lucifer.

Jack était préparé à cela.

– Vous retiendrez nos âmes en otage jusqu'à ce que nous soyons libres. Lorsque notre dette sera payée, nous les reprendrons, et nous serons libérés du lien et l'un de l'autre.

Mimi acquiesça.

Le prince sourit.

– Ainsi soit-il.

Avec Azraël et Abbadon à ses côtés, son retour au paradis était assuré.

– Levez-vous, mes amis. Bon retour au combat.

ÉPILOGUE

Les ténèbres blanches

Allegra s'était réveillée dans les ténèbres blanches. Peu avant, elle avait laissé ses deux filles sur Terre, chargées de leurs missions, et elle était descendue jusqu'au centre du Tartare. Elle y trouva Charles dans un night-club enfumé. Ils ne s'étaient pas revus depuis le soir où elle l'avait quitté à New York.

– Te voilà, dit-elle avec douceur.

Charles, en élégant costume noir, était assis devant un piano, sur lequel il jouait distraitement.

– Comment as-tu fait pour me retrouver ?

– C'est un de nos souvenirs préférés, non ? (Allegra regarda autour d'elle.) 1920. Le *Cotton Club*. Avant l'incendie.

Charles soupira.

– Tu veux que je te joue quelque chose ? demanda Allegra en s'asseyant à côté de lui. Tu chanteras pour moi ?

Il fit oui de la tête. Il se leva pour prendre le micro et se mit à chanter. « Unstop the day, you'll rise again... »

Allegra écouta, les yeux brillants de larmes, tout en

l'accompagnant au piano. Lorsqu'il eut achevé la chanson, elle applaudit.

– Veux-tu que je te raconte ? dit-il. Florence. Je ne sais pas si tu es assez forte pour l'entendre.

– Commence par le début. Je ne connais que mon côté de l'histoire.

Remerciements

Merci à tous chez Hyperion pour votre fantastique soutien au fil des ans : décidément, vous avez le sang BLEU, surtout ma GÉNIALE éditrice Emily Meehan (youpi !). Des bisous à toute l'équipe : Russell Hampton, Jeanne Mosure, Suzanne Murphy, Stephanie Lurie, Christian Trimmer, Laura Schreiber, Jennifer Corcoran, Nellie Kurtzman, Andrew Sansone, Ann Dye, Simon Tasker, Dave Epstein, Elena Cabral, Kim Knueppel et Drew Richardson. Toujours un grand merci à mon agent et cher ami Richard Abate. Et un gros merci à ma sœur et assistante Christina Green, et à Kady Weatherford qui a rejoint l'équipe cette année. Je dois également beaucoup à ma documentaliste, Jessica Robertson Wright, pour ses renseignements sur Le Caire. Des bisous aussi à tous les fans des sang-bleu sur Facebook, Twitter, et à tous les sites de fans. Tout mon amour aux familles DLC et Johnston, en particulier ceux qui lisent la série : maman, maman J., Christina et Steve. Et surtout, mon amour et mes remerciements vont à Mike, qui écrit et vit les livres avec moi ; et à Mattie, grâce à qui tout cela en vaut la peine.

D'autres livres

wiz
Albin Michel

Jodi Lynn ANDERSON, *Peau de pêche*
Jodi Lynn ANDERSON, *Secrets de pêches*
Jodi Lynn ANDERSON, *Un Amour de pêche*
Candace BUSHNELL, *Le Journal de Carrie*
Candace BUSHNELL, *Summer and the City*
Meg CABOT, *Une (irrésistible) envie de sucré*
Meg CABOT, *Une (irrésistible) envie d'aimer*
Meg CABOT, *Une (irrésistible) envie de dire oui*
Fabrice COLIN, *La Malédiction d'Old Haven*
Fabrice COLIN, *Le Maître des dragons*
Fabrice COLIN, *Bal de Givre à New York*
Elizabeth CRAFT et Sarah FAIN, *Comme des sœurs*
Elizabeth CRAFT et Sarah FAIN, *Amies pour la vie*
Norma FOX MAZER, *Le Courage du papillon*
Rachel HAWKINS, *Hex Hall*
Rachel HAWKINS, *Hex Hall : Le Sortilège*
Mandy HUBBARD, *Prada & Préjugés*
Hervé JUBERT, *Blanche ou la triple contrainte de l'Enfer*
Hervé JUBERT, *Blanche et l'Œil du grand khan*
Hervé JUBERT, *Blanche et le Vampire de Paris*
Rebecca MAIZEL, *Humaine*
Melissa MARR, *Ne jamais tomber amoureuse*
Melissa MARR, *Ne jamais te croire*
Melissa MARR, *Ne jamais t'embrasser*
Joanna PHILBIN, *Manhattan Girls*
Sarah REES BRENNAN, *La Nuit des démons*
Adam SELZER, *J'ai embrassé un zombie (et j'ai adoré)*
Laurie Faria STOLARZ, *Bleu cauchemar*
Laurie Faria STOLARZ, *Blanc fantôme*
Laurie Faria STOLARZ, *Gris secret*
Laurie Faria STOLARZ, *Rouge souvenir*

www.wiz.fr
Logo Wiz : Cédric Gatillon

Composition Nord Compo
Impression CPI Bussière en octobre 2011
Éditions Albin Michel
22, rue Huyghens 75014 Paris

ISBN : 978-2-226-23111-6
ISSN : 1637-0236
N° d'édition : 19327/01. N° d'impression :
Dépôt légal : novembre 2011
Loi n° 49-956 du 16 juillet 1949 sur les publications destinées à la jeunesse.
Imprimé au Canada.

Achevé d'imprimer au Canada
sur les presses de Imprimerie Lebonfon Inc.